’25年版

成美堂出版

本書の見方

<法人税申告の疑問>

法人税申告の疑問❶

Q1 法人税ってどんな税金？

法人の所得に課される法人税

法人税は、法人の所得に対して課税される税金です。税金にはさまざまな種類があります。相続税のように「財産」にかかるもの。消費税のように「消費」にかかるもの。印紙税のように「流通」にかかるもの。そしてもう一つが法人税のような「所得」に課税されるものです。

つまり法人税は、法人という組織が一年間で得たもうけ、すなわち「所得」に対して納める税金、ということになります。法人は、法人税のほかにも、土地や建物を所有していれば「固定資産税」、契約書を交わせば「印紙税」などさまざまな税金を納めます。しかし、その税額の大きさおよび計算の複雑さにおいて、何といっても法人税がメインの税金といえます。

法人税は「申告納税方式」

法人税は、税務署から通知が来て納める税金ではありません。自社の納める税金を自社で計算し、決算期末から2ヶ月以内に税務署に自主的に申告納付する「申告納税方式」が採用されています。会社は決算期を自由に決めることができますから、たとえば3月決算法人なら5月末日、8月決算法人なら10月末日までに申告書を提出することになります。

なお一年間の所得に対しては、法人税のほかに、法人住民税、法人事業税などの地方税も課税されます。したがって、法人税の計算および申告書の作成に並行して、これら地方税についても申告書を作成し、それぞれ地方公共団体の窓口に提出しなければなりません。

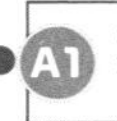

法人税は、法人の一年間の所得に対して課税される税金です。自ら申告して納税します。

12

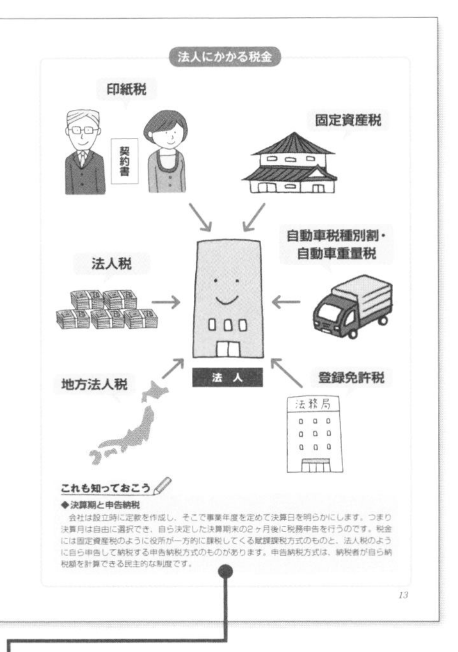

これも知っておこう

◆決算期と申告納税

会社は設立時に定款を作成し、そこで事業年度を定めて決算日を明らかにします。つまり決算月は自由に選択でき、自ら決定した決算期末の2ヶ月後に税務申告を行うのです。税金には固定資産税のように役所が一方的に課税してくる賦課課税方式のものと、法人税のように自ら申告して納税する申告納税方式のものがあります。申告納税方式は、納税者が自ら納税額を計算できる民主的な制度です。

13

法人税申告の疑問Q&A

本章の前に、導入として「法人税申告」について、基礎的な事柄をポイント解説。はじめて法人税申告について学ぶ人にも理解できるように、Q&A形式で説明していきます。

これも知っておこう

文中に登場する重要な単語や、関連する用語についての解説です。より一層理解を深めることができます。

コラム

いつか必ずやってくる税務調査にまつわるコラムを掲載。税務調査の流れやウラ話など読み応えたっぷりの内容となっています。

<コラム>

COLUMN 1

税務調査とは

封建時代の庶民は、「年貢」という一方的に取り立てられる税金に苦しめられてきました。しかし民主主義の世の中となり、現代では自分の税金は自分で計算し自主的に納付する「申告納税」という制度が採用されています。これは大変素晴らしいことですが、素人が自ら計算するのですから計算違いが生じたり、一部の悪意ある人が意図的に脱税したりする危険と常に隣り合わせです。そこで税制の円滑な運用と社会の安定のため、税務調査が実施されています。

その裏付けとなるのが、国税通則法に書かれた「質問検査権」という規定です（通則法74条の2）。税務職員の調査権を定めたもので、税務調査は法律の規定に基づき職権で行われるものですから、誰もこれを拒否できません。あなたの会社にも、何年かに一度は調査官がやってくるということです。

税務調査では、会社に訪れる調査官が単独で物事を判断するということは絶対にありません。一人の人に権力が集中したら、その権限を背景に納税者を脅したり、反対に納税者に手心を加えて賄賂を要求したり、いずれにしても不正が横行することが目に見えているからです。このため、調査官は複数名で行動することが多く、また調査先から自宅へ直行直帰するような行動も禁じられています。朝は必ず税務署に出勤し、そこから調査先を訪問するので、来訪は決まって午前10時です。また一日の調査終了後は、「復命」といってその日の出来事を必ず上司に報告する決まりとなっていますので、午後4時前後には作業を終了して税務署に帰っていきます。

調査の終結も、調査官が単独で判断することはありません。常に上司への報告相談の下で進められますので、訪問調査が終了しても最終的な結論に至るのは、その数週間後となります。税理士が関与していれば、現地調査後の対応は税理士がやってくれますから、調査後に会社関係者が税務署員と顔を合わせる機会はまずありません。

20

本書では、原則1見開き
1テーマを扱っています。

POINT で要点整理

各項目のポイントをまとめています。要点を把握したうえで本文を読み進めることができます。

ビジュアル図解でわかりやすい

各手続きの流れやしくみなどの詳細を、イラストを交えて説明しています。イメージを視覚的に捉え、内容の把握に役立てることができます。また、キャラクターによる補足コメントもありますので、あわせてチェックしましょう。

PART 2 税務調整

法人税計算を目的とする所得金額

POINT
- ◆所得金額は「益金－損金」という算式で表現される
- ◆実際には当期純利益に調整額を加減して所得金額に導く
- ◆益金の定義には税法独自の考え方が表現されている

所得金額は当期利益とイコールではない

法人税法は、課税対象となる所得金額を「益金の額から損金の額を控除」して算出すると規定しています。企業会計上の「収益－費用」とは、コンセプトが異なるわけです。前述のように企業会計と法人税では計算の目的が異なるので当然のことですが、しかし全くの別物というわけではありません。

益金は、法人税法上、**「資産の販売、有償又は無償による資産の譲渡又は役務の提供、無償による資産の譲受けその他の取引で資本等取引以外のものに係る当該事業年度の収益の額」**と定義されています。少し難しい表現ですが、よく読むと企業会計とあまり変わらないことがわかります。実は「モノの売上高やサービスの販売対価、受贈益などがそこに含まれる」と書かれているだけなのです。

ただしここで注目したいのは、「**有償又は無償による資産の譲渡**」という言葉です。有料で資産を売ればその代金は当然に売上高に計上されますが、**無料で売っても売上になる**といっているわけです。ここに、税法独自の考え方が強く表現されています。これはどういうことでしょうか。

税法独自の考え方

益金の条文は、税法がすべての取引を時価で測定することを要求していることを示します。たとえば時価1億円の土地を無償で譲渡したとします。その土地の帳簿価額が3千万円だとしたら、会計上は3千万円の譲渡損が経理されるだけですが、**税務では時価の1億円で売ったものとみなして7千万円の譲渡益を計上し、追加で7千万円の損失を認識します**。差し引きすれば同じことですが、合わせて1億円の損失は、譲渡先が社外の人であれば寄付金、役員等であれば役員給与とされ、後述するように（P62）損金不算入の取り扱いを受けます。結果として課税対象額が増えることになるのです。

54 MEMO 益金損金：企業会計では「収益－費用」により「利益」を算出するが、これを税務用語に置き換えると「益金－損金＝所得金額」となる。両者は同一ではないが近似概念ではある。

計算目的の異なる企業会計と法人税

■企業会計と法人税の考え方の違い
企業会計と法人税ではそれぞれ計算の目的が異なり、「無償による資産の譲渡」にその考え方の違いが強く表現されている。

企業会計

売土地
時価1億円
（帳簿価額3千万円）

無償で譲渡

帳簿価額の3千万円の譲渡損が経理される。

法人税

売土地
時価1億円
（帳簿価額3千万円）

無償で譲渡

時価1億円を販売価額とみなして、7千万円の譲渡益を計上する。そして、総額1億円の損失を認識する。損失は一部が損金不算入となるので、課税対象額が増える。

Check
会社が支出するさまざまな費用の中で、法人税の計算においてその全部または一部が損金として認められないものが存在する。具体的には交際費や寄付金、租税公課、役員給与および役員退職給与などに損金不算入額が発生する。これらを「損金不算入項目」と呼び、決算上の当期純利益にその金額を加算して、法人税の課税対象額である「所得金額」を算出することとされている。

PART 2 税務調整

55

MEMO で内容の補足

関連する専門用語や本文内容への補足事項などを、欄外で解説しています。

重要なポイントを Check

本文や図版を補足する情報や、プラスαとなる知識など役に立つ情報が満載のコーナーです。

※本書は、原則として2024年7月時点で施行中の法令その他の情報をもとに編集しています。

はじめに

本書は、法人税について、初学者に効率よく理解して頂くことを目的として執筆したものです。実務でも役立つよう、法人税の計算のしくみを解説するだけでなく、税務申告書の書き方・読み方についても詳しく解説しました。また図解や計算事例を数多く取り入れ、短時間で全体像を理解できる工夫がしてあります。なお、税法は毎年改正されますので、実用性に配慮して、都度、最新の情報を取り入れて編集しています。

会社を設立して社長になり、ビジネスパーソンとして活躍したい。起業を目論む人は皆このような夢を抱くと思います。しかし実際に会社を作ってみるとわからないことだらけで、特に税金の申告には苦労が伴います。

個人の確定申告なら、1年間の所得を集計してわずか2、3枚の申告用紙に必要事項を記入すれば、それで事が足ります。

しかし会社はその年度の業績を決算書で株主に報告し、そこで承認された利益をベースに税金の計算をしなければなりません。社長も株主もすべて自分一人であっても、この形を省略することはできないのです。

このため法人税の申告には、そもそも決算書とはどんなものか、決算書のどの数値が法人税の申告書のどこに連動するのか、といった全体像の立体的な理解が必要であり、書類の作成にも高度な専門知識が要求されます。

登るべき山は高いですが、まずは本書を片手に法人税申告書に書かれている内容の意味を正しく理解できるようになって頂きたい。それが著者の切なる願いです。

2024年8月

税理士　須田 邦裕

PART2

税務調整

PART3

貸借対照表科目と税務調整

PART4

損益計算書科目と税務調整

PART5

消費税の計算と申告

PART6

手続規定

カタカタカタ

税務署長

PART7

法人税申告書の書き方・読み方

法人税申告の疑問❶

Q1 法人税ってどんな税金？

法人の所得に課される法人税

法人税は、法人の所得に対して課税される税金です。税金にはさまざまな種類があります。相続税のように「財産」にかかるもの。消費税のように「消費」にかかるもの。印紙税のように「流通」にかかるもの。そしてもう一つが法人税のような「所得」に課税されるものです。

つまり法人税は、法人という組織が一年間で得たもうけ、すなわち「所得」に対して納める税金、ということになります。法人は、法人税のほかにも、土地や建物を所有していれば「固定資産税」、契約書を交わせば「印紙税」などさまざまな税金を納めます。しかし、その税額の大きさおよび計算の複雑さにおいて、何といっても法人税がメインの税金といえます。

法人税は「申告納税方式」

法人税は、税務署から通知が来て納める税金ではありません。自社の納める税金を自社で計算し、決算期末から2ヶ月以内に税務署に自主的に申告納付する「申告納税方式」が採用されています。会社は決算期を自由に決めることができますから、たとえば3月決算法人なら5月末日、8月決算法人なら10月末日までに申告書を提出することになります。

なお一年間の所得に対しては、法人税のほかに、法人住民税、法人事業税などの地方税も課税されます。したがって、法人税の計算および申告書の作成に並行して、これら地方税についても申告書を作成し、それぞれ地方公共団体の窓口に提出しなければなりません。

法人税は、法人の一年間の所得に対して課税される税金です。自ら申告して納税します。

法人にかかる税金

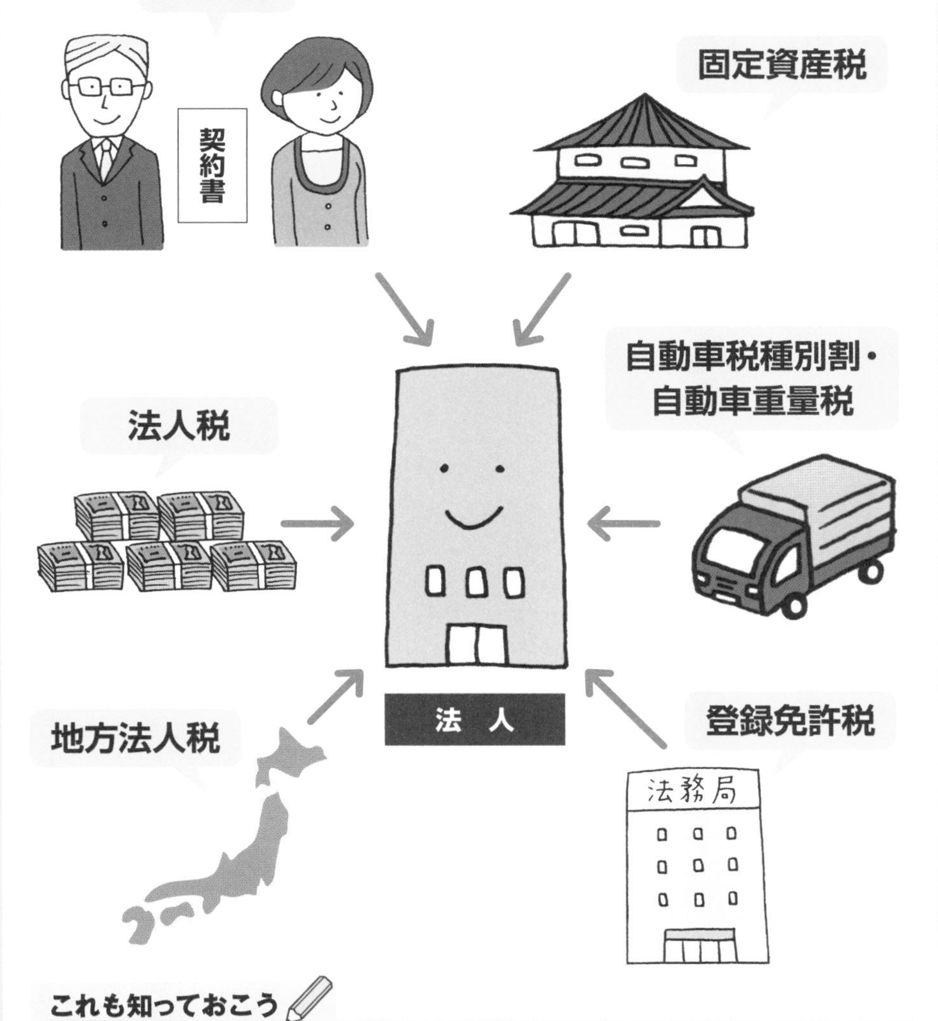

これも知っておこう

◆決算期と申告納税

会社は設立時に定款を作成し、そこで事業年度を定めて決算日を明らかにします。つまり決算月を自由に選択でき、自ら決定した決算期末の2ヶ月後に税務申告を行うのです。税金には固定資産税のように役所が一方的に課税してくる賦課課税方式のものと、法人税のように自ら申告して納税する申告納税方式のものがあります。申告納税方式は、納税者が自ら納税額を計算できる民主的な制度です。

法人税申告の疑問❷

決算と申告の関係はどうなっている?

法人税は確定決算主義

法人税は、個人に課税される所得税に比べると、計算が複雑で作成する書類のボリュームも大変多く、かなり高度な経理知識が要求されます。それは「確定決算主義」という大原則があるためです。

法人は、毎期株主総会を開催して決算の内容を株主に報告し、その承認を受けなければなりません。たとえ一人で設立した小さな会社でも、このルールを省略することはできないのです。このため、まず株主に報告するための決算書を作成し、そこで算出・承認された「当期利益」を元に法人税の税額計算を行う、という手順を踏むことになります。利益金額も、決算では当期利益ですが、法人税では所得金額と呼んでその概念が異なるため、決算書の利益金額をそのまま税金の計算に流用することができません。

申告調整と別表

そこで決算書の数値をスタートラインに置き、そこから課税対象となる所得金額を誘導的に算出する、という手順で税額計算を行います。その手続きは、法人税申告書に添付する「別表」と呼ばれる書類上で行うこととされており、このため申告に必要な書類の数が膨大になってしまうわけです。

別表には数多くの種類の書式が用意されていますが、メインとなるのは別表1、別表4, 別表5(1)の3種類です。これに、税務計算に必要な「申告調整」項目に応じて、それぞれに該当する書式を使用して調整計算を行うこととされています。

株主総会で承認された決算書の利益金額をベースに、法人税の課税対象所得を算出します。

法人の決算と申告の流れ

❶ 決算書作成

業績等を株主に報告するために決算書を作成する。精算表を使って各勘定科目に修正仕訳を計上し、各種引当金繰入額や減価償却費の費用計上額などを損益に反映させる。

➡詳細については、P58・P142参照

❷ 株主総会での承認

定款で定めている開催時期に株主総会を開催し、決算の報告をする。株主は、提出された決算書をもとに、1年間の事業活動が適正であったかをチェックし、承認する。

➡詳細については、P50参照

❸ 税額計算

株主総会で承認された当期利益をスタートとして、別表等を用いながら申告調整を加えて、課税対象となる所得金額を算出し、法人税の税額計算を行う。

➡詳細については、
P162 ～ 199参照

これも知っておこう

◆税務上の決算書

貸借対照表は財政状態を、損益計算書は業績を報告する書類です。これら書類にさまざまな調整を加えて法人税の申告書は作成されるわけですが、その調整計算を記録する書類が別表4と別表5(1)です。前者は所得計算に、後者は財産計算に対応しており、このため別表4は税務上の損益計算書、別表5(1)は税務上の貸借対照表と見ることもできます。

法人税申告の疑問❸

Q3 法人税に関連する税金は?

法人税申告のプロセス

法人税の申告は、それ単体で行うものではありません。法人の所得に対しては、国税の法人税のほかに地方税の法人住民税および法人事業税が課税されるので、その税額計算と申告書作成を同時並行で行わなければなりません。

そして、そこで計算された納税額は、実際に納付する翌期の費用ではなく、計算対象となった事業年度の損益計算書に反映させるのが原則です。このため決算を一旦仮に確定させ、算出された当期利益をベースに法人税及び地方税の納税額を計算して、これをその決算に「未払法人税等」などの科目を使って反映させる、という作業を行うことになります。つまり決算のプロセスは、「決算書の作成」→「申告書の作成」という一方通行ではなく、両者の間を行ったり来たりする複雑な行程をたどることになるのです。

消費税の計算プロセス

また、消費税の存在も大きな問題です。ごく小規模な事業者を除き、法人はそのほとんどが消費税の申告義務を負っていますが、消費税の納税額の計算プロセスは当期の利益金額に影響をおよぼします。このため、法人税の計算に先立って、まずは消費税の納税額を確定させる必要があるのです。

このように法人税の申告実務は、法人税の知識だけでは事足りず、法人税、法人住民税、事業税、消費税などの知識を総合的に駆使し、またその計算の手順も一定のルールに従って行うことが要求されます。相応の経理知識が必要です。

法人税の計算には、消費税、法人住民税、法人事業税などが複雑に連動しています。

数値が行き来する申告書と決算書

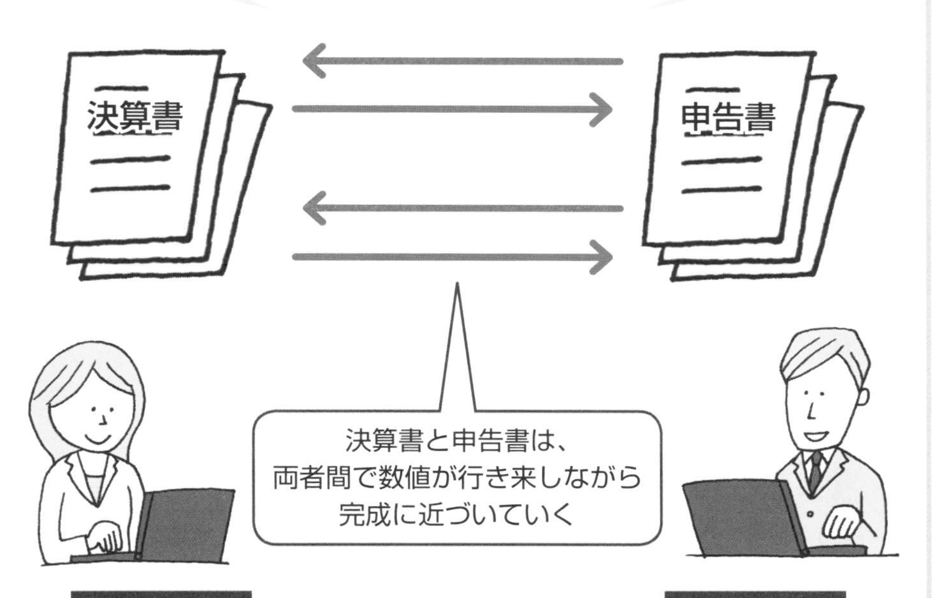

決算書作成

➡詳細については、P142参照

申告書作成

➡詳細については、P144参照

これも知っておこう

◆実は怖い消費税という税金

消費税は、会社にとっては中立な税金です。売上代金に上乗せして顧客から回収した税額から自社が支払った税額を控除して、その残額を納付すればいいしくみだからです。しかし現実には「簡易課税制度」や「課税事業者の選択」などさまざまな特例措置があり、その選択を誤ると思わぬ税負担を強いられます。事前の研究としっかりとした対策が必要です。

法人税申告の疑問④

Q4 申告の具体的な手続きは？

決算書の作成

法人税の申告は、原則として、決算期末から2ヶ月以内に行わなければなりません。5月決算法人であれば、7月31日までに法人税の申告と納税を済ませる必要がある、ということです。そしてそれと同時に、法人住民税や消費税の申告納税も完了させることが義務づけられます。

具体的な作業としては、まず最終月の残高試算表をベースに、一つひとつの勘定科目の帳簿残高を実残高に合わせる作業（決算調整といいます）からスタートします。その作業は「勘定科目内訳明細書」という書類の作成を通じて行われ、すべての勘定科目の残高が決算数値として正しいことが確認できたら、決算書を作成します。

法人税の税額計算

続いて決算書の当期利益を使用して、法人税等の税額計算を行います。具体的には別表4の最上段に決算書の当期純利益を記入し、これにさまざまな金額を加算・減算（申告調整といいます）して、法人税の課税対象である所得金額を算出します。たとえば、交際費の損金不算入額、減価償却の超過額などは、その項目に応じて用意された別表に必要事項を記載し、計算された申告調整額を別表4に記入して所得金額を算出するということです。そして所得金額が確定したら、これを別表1に転記して、法人税額を計算します。

それらの計算がすべて完了したら別表を完成させ、決算期末から2ヶ月以内に、株主総会で承認された決算書とともに所轄税務署に提出します。

決算期末から2ヶ月以内に申告書を所轄税務署に提出し、納税も済ませます。

法人税申告の流れ

❶ 決算調整

勘定科目内訳明細書を作成しながら、実残高と決算残高が合っているかを確認する。

➡詳細については、P58参照

❷ 税額計算

別表を用いて、所得金額を算出し法人税額を算出する。

➡詳細については、P64参照

❸ 株主総会の承認

株主総会で決算書の承認を受ける。

➡詳細については、P50参照

❹ 税務署へ提出

本店所在地の所轄税務署へ提出する。

➡詳細については、P140参照

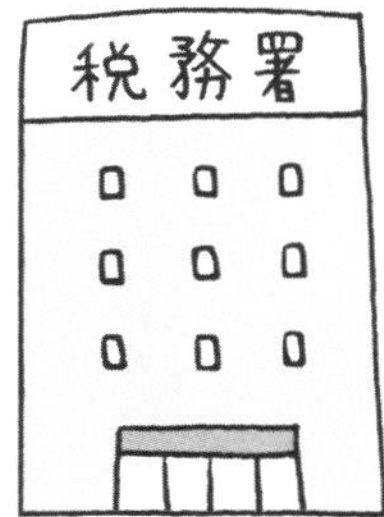

COLUMN 1

税務調査とは

封建時代の庶民は、「年貢」という一方的に取り立てられる税金に苦しめられてきました。しかし民主主義の世の中となり、現代では自分の税金は自分で計算し自主的に納付する「申告納税」という制度が採用されています。これは大変素晴らしいことですが、素人が自ら計算するのですから計算違いが生じたり、一部の悪意ある人が意図的に脱税したりする危険と常に隣り合わせです。そこで税制の円滑な運用と社会の安定のため、税務調査が実施されています。

その裏付けとなるのが、国税通則法に置かれた「質問検査権」という規定です(通則法74条の2)。税務職員の調査権を定めたもので、税務調査は法律の規定に基づき職権で行われるものですから、誰もこれを拒否できません。あなたの会社にも、何年かに一度は調査官がやってくるということです。

税務調査では、会社を訪れる調査官が単独で物事を判断するということは絶対にありません。一人の人に権力が集中したら、その権限を背景に納税者を脅したり、反対に納税者に手心を加えて賄賂を要求したり、いずれにしても不正が横行することが目に見えているからです。このため、調査官は複数名で行動することが多く、また調査先から自宅へ直行直帰するような行動も禁じられています。朝は必ず税務署に出勤し、そこから調査先を訪問するので、来訪は決まって午前10時です。また一日の調査終了後は、「復命」といってその日の出来事を必ず上司に報告する決まりとなっていますので、午後4時前後には作業を終了して税務署に帰っていきます。

調査の終結も、調査官が単独で判断することはありません。常に上司への報告相談の下で進められますので、訪問調査が終了しても最終的な結論に至るのは、その数週間後となります。税理士が関与していれば、現地調査後の対応は税理士がやってくれますから、調査後に会社関係者が税務署員と顔を合わせる機会はまずありません。

PART 1

法人税と会社の基礎知識

法人税申告書の読み方・書き方を知るための第一歩として、まずは法人の意義や法人税のしくみ、決算書と申告書などについて学びましょう。

法人の意義と法人税の特徴

POINT
- ◆法律によって人格を与えられた組織を法人という
- ◆法人には営利と非営利、社団と財団の区別がある
- ◆営利を目的とする社団法人を会社と呼ぶ

法人は人と同じ権利や義務を有する

われわれ人間のことを、自然人と呼びます。地球という自然界の中で、生命が進化して生まれてきたからでしょうか。これに対して法人とは、**法律によって人格を与えられた「人」をいいます**。つまり、生命体ではないけれども、社会の中でヒトと同じように権利や義務を有することが認められた組織を法人というわけです。法人には、自ら商売をしたり、人を雇用したり、不動産を売買したりする行為能力が認められています。

法人には、人の集合体である「社団法人」と、財産の集合体である「財団法人」があります。また、営利を目的とするものは「営利法人」、そうでないものは「非営利法人」と呼ばれます。営利を目的とする社団法人を「会社」と呼びます。最も一般的なのは「株式会社」ですが、そのほかにも合同会社(LLC)、特定目的会社(SPC)などという種類もあります。非営利法人には公益社団法人、公益財団法人、学校法人、宗教法人、一般社団法人、一般財団法人、特定非営利活動法人(NPO法人)などがあります。

法人税は法人の所得を課税対象とする直接税

税金には、数多くの種類があります。民主主義が政治の原理とされる我が国では、**国民に広く公平な負担を求めるため、さまざまな指標を課税対象とするしくみが導入されています**。その指標とは大別すると、①所得、②財産、③消費、④流通であり、①には所得税や法人税、②には相続税や固定資産税、③には消費税や酒税、④には印紙税や不動産取得税などがあります。

また、税金を経済的に負担する人と納税手続きの義務を負う人が同一である税金を直接税、同一ではない税金を間接税と呼びます。つまり、**法人税は法人の所得を対象とする直接税**ということになります。

MEMO NPO：特定非営利活動法人の略称。Non Profit Organizationの頭文字。その名のとおり、特定の非営利活動を行うことを主たる目的とする法人。

法人の分類

法人にはさまざまな種類があり、事業目的や集団の構成要素、営利性の有無などによって分類されている。

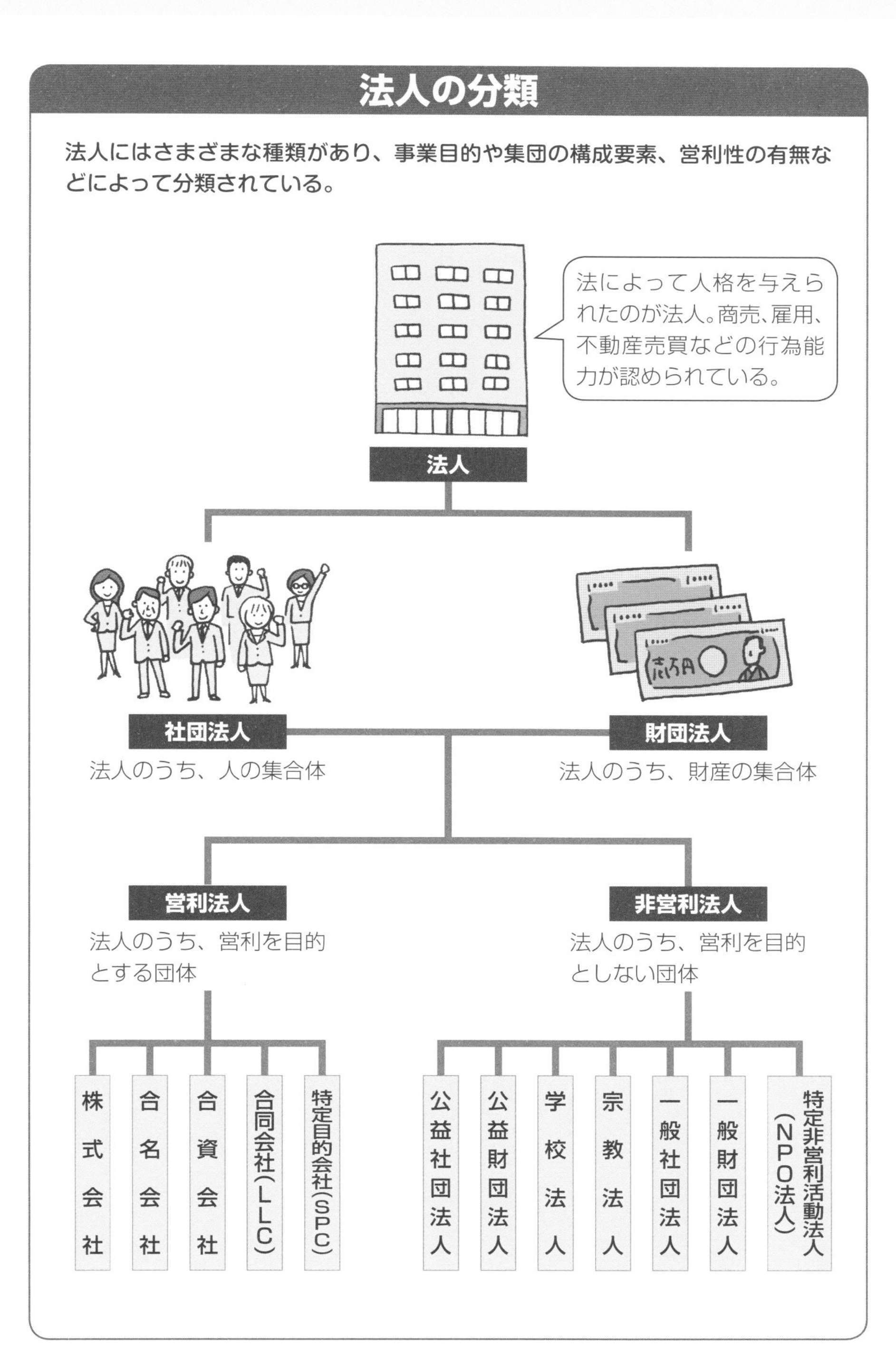

法人の種類と課税所得の範囲・税率

POINT
- ◆法人には普通法人、公共法人などの種類がある
- ◆公共性の高い法人は収益事業のみに課税される
- ◆法人税には最大2段階の比例税率が適用されている

法人の種類

前項とは異なる視点、すなわち法人税法の規定においても法人には分類があります。私たちに最もなじみの深い株式会社は**普通法人**に分類されますが、これには有限会社、医療法人、相互会社なども含まれます。

普通法人以外には、**協同組合等（協同組合や信用金庫など）**、**公共法人（地方公共団体や国立大学法人など）**、**公益法人等（学校法人、宗教法人、社団法人など）**等の区別があります。また、法人格を有していなくても一定の組織的活動をしている団体を「人格のない社団等」と呼び、法人とみなして法人税の課税対象とされます。PTAや同業者団体などがこれに該当します。

課税所得の範囲と税率

普通法人は、営利を追求するために設立された組織ですから、**稼いだ利益に対しては通常の法人税が課税されます**。これに対して社団･財団法人や学校法人などは、そもそも儲けるために設立される団体ではないので、得られた「剰余金」に通常の法人税をかけるのは社会正義に反します。そこで、これら**非営利事業を営む法人に対しては、ある特定の事業から生じた利益のみを課税対象とする**ことにしています。この特定の事業のことを**収益事業**と呼び、具体的には次ページの表にある34種類の事業を指します。

個人所得税では、所得を給与所得、譲渡所得など10種類に区分し、その区分ごとに課税対象額を調整してこれに累進税率を適用する複雑なしくみが導入されています。

これに対して法人税のしくみは極めてシンプルで、原則として当期利益から導き出される単一の所得金額に税率を乗じて納税額を算出します。その税率は、国際競争や景気振興などさまざまな観点から徐々に引き下げられ、2024年度の基本税率は23.2%となっています。

MEMO　収益事業：法人税が課税される34種類の事業。ただし、継続して営まれていること、事業場を設けて営まれていることが課税の条件とされる。

法人税の課税のしくみと収益事業

■普通法人の種類と課税のしくみ

普通法人は営利を追求することが目的であり、利益に対して通常の法人税が課税される。

株式会社　有限会社　医療法人　相互会社

当期利益から導き出される 所得金額 × 税率 ＝ 法人税

■普通法人に適用される法人税率

資本金の額	所得金額	税率
1億円超	−	23.2%
1億円以下	年800万円超の部分	23.2%
1億円以下	年800万円以下の部分	15.0%

(注)2019年4月1日以後に開始する事業年度において、適用除外事業者(その事業年度開始の日前3年以内に終了した各事業年度の所得金額の年平均額が15億円を超える法人等)の年800万円以下の部分には19%の税率が適用される。

■収益事業となる34種類の特定の事業

非営利法人は下記34種類の事業から生じた利益が課税対象となる。

1 物品販売業
2 不動産販売業
3 金銭貸付業
4 物品貸付業
5 不動産貸付業
6 製造業
7 通信業
8 運送業
9 倉庫業
10 請負業
11 印刷業
12 出版業
13 写真業
14 席貸業
15 旅館業
16 料理店業その他の飲食店業
17 周旋業
18 代理業
19 仲立業
20 問屋業
21 鉱業
22 土石採取業
23 浴場業
24 理容業
25 美容業
26 興行業
27 遊技所業
28 遊覧所業
29 医療保健業
30 技芸教授業
31 駐車場業
32 信用保証業
33 無体財産権の提供等を行う事業
34 労働者派遣業

地方法人税とは

POINT
- ◆法人税と併せて地方法人税が課税される
- ◆地方法人税は国税であり、税率は10.3%である
- ◆法人税と同じ申告用紙に記載して申告する

地方再生のための国税である地方法人税

法人の所得に対しては、**国が法人税を、地方公共団体が法人住民税をそれぞれ課税しています**。しかし、地方都市の過疎化等が進み、従来のままの課税方式では、地方の財源不足が深刻化する一方です。そこで、法人住民税の一部を国税とし、地方交付税という形で国が財源を人為的に再配分する制度が導入されました。これが**地方法人税**です。つまり、法人が地方公共団体に直接納めていた法人住民税の一部を、地方法人税という形でいったん国に納めるものであり、「地方」という名前はついていてもこの税金は国税なのです。なお、法人住民税は地方法人税の納税額分だけ減額されていますので、法人のトータルの税負担は制度導入前と変わりません。

地方法人税の納税額は、各事業年度の法人税額に一定の率を乗じて計算します。その税率は、従来は4.4%でしたが、2019年10月1日以降に開始する事業年度から10.3%に引き上げられました。つまり、5.9%の増税となるわけですが、それと同時に法人住民税の税率が同じ率だけ引き下げとなりましたので、やはり合計での税負担に変化はありません。地方再生のため、地方法人税の存在がますます重要になっているということです。

申告と納税

地方法人税は、独自に申告書を作成して納税するものではありません。次ページの書式にあるように、法人税申告書別表1の下部に記入欄が設けられていて、法人税の納税額の計算プロセスと連動する形がとられています。このため、**実務的には法人税と地方法人税はほとんど区別する必然性がなく**、その存在を意識することもあまりありません。

ただし、税金の納付書は税目ごとに作成しますので、両者は別々の納付書にそれぞれ納税額を記入して納付することとされています。

MEMO 法人税・所得税・消費税などの一部、地方法人税の全部が地方交付税という形で地方公共団体に配分される。地方公共団体間の財源の不均衡を是正するためのしくみである。

地方法人税の申告

地方法人税は、法人税申告書別表1の下部の記入欄に記入して納税する。

別表一　各事業年度の所得に係る申告書－内国法人の分……令六・四・一以後終了事業年度等分

令和　年　月　日　税務署長殿

納税地　電話（　　）　－

（フリガナ）
法人名
法人番号
（フリガナ）
代表者
代表者住所

通算グループ整理番号
通算親法人整理番号
法人区分
事業種目
期末現在の資本金の額又は出資金の額　円　非中小法人
同非区分　特定同族会社　同族会社　非同族会社
旧納税地及び旧法人名等
添付書類

青色申告　一連番号
整理番号
事業年度（至）
売上金額
申告年月日
申告区分
法人税　中間　期限後　修正
地方法人税　中間　期限後　修正

令和　年　月　日　事業年度分の法人税　申告書
令和　年　月　日　課税事業年度分の地方法人税　申告書
（中間申告の場合の計算期間　令和　年　月　日　令和　年　月　日）

適用額明細書提出の有無　有　無
税理士法第30条の書面提出有　有
税理士法第33条の2の書面提出有　有

この申告書による法人税額の計算

所得金額又は欠損金額（別表四「52の①」）	1
法人税額（48）＋（49）＋（50）	2
法人税額の特別控除額（別表六（六）「5」）	3
税額控除超過額相当額等の加算額	4
土地譲渡利益金額　課税土地譲渡利益金額	5
同上に対する税額（62）＋（63）＋（64）	6
留保金　課税留保金額（別表三（一）「4」）	7
同上に対する税額（別表三（一）「8」）	8
法人税額計（2）－（3）＋（4）＋（6）＋（8）	9
分配時調整外国税相当額及び外国関係会社等に係る控除対象所得税額等相当額の控除額	10
仮装経理に基づく過大申告の更正に伴う控除法人税額	11
控除税額	12
差引所得に対する法人税額（9）－（10）－（11）－（12）	13
中間申告分の法人税額	14
差引確定法人税額（中間申告の場合はその税額とし、マイナスの場合は（22）へ記入）	15

控除税額の計算

所得税の額（別表六（一）「6の③」）	16
外国税額（別表六（二）「23」）	17
計（16）＋（17）	18
控除した金額（12）	19
控除しきれなかった金額（18）－（19）	20

この申告による還付金額

所得税額等の還付金額（20）	21
中間納付額（14）－（13）	22
欠損金の繰戻しによる還付請求税額	23
計（21）＋（22）＋（23）	24

この申告が修正申告である場合のこの申告により納付すべき法人税額又は減少する還付請求税額（57）	25
欠損金等の当期控除額	26
翌期へ繰り越す欠損金額（別表七（一）「5の合計」）	27

この申告書による地方法人税額の計算

課税標準法人税額の計算　基準法人税額　所得の金額に対する法人税額	28
課税留保金額に対する法人税額（8）	29
課税標準法人税額（28）＋（29）	30
地方法人税額（53）	31
税額控除超過額相当額の加算額（別表六（二）付表六「14の計」）	32
課税留保金額に係る地方法人税額（54）	33
所得地方法人税額（31）＋（32）＋（33）	34
分配時調整外国税相当額及び外国関係会社等に係る控除対象所得税額等相当額の控除額	35
仮装経理に基づく過大申告の更正に伴う控除地方法人税額	36
外国税額の控除額	37
差引地方法人税額（34）－（35）－（36）－（37）	38
中間申告分の地方法人税額	39
差引確定地方法人税額（38）－（39）（中間申告の場合はその税額とし、マイナスの場合は（42）へ記入）	40

この申告による還付金額

外国税額の還付金額（67）	41
中間納付額（39）－（38）	42
計（41）＋（42）	43
この申告が修正申告である場合のこの申告により納付すべき地方法人税額（61）	44

剰余金・利益の配当（剰余金の分配）の金額

残余財産の最後の分配又は引渡しの日　令和　年　月　日　決算確定の日　令和　年　月　日

還付を受けようとする金融機関等　銀行・金庫・組合・農協・漁協　本店・支店　出張所　本所・支所　預金　郵便局名等　口座番号　ゆうちょ銀行の貯金記号番号　－

※税務署処理欄

税理士署名

地方法人税を記入する欄

法人住民税・法人事業税とは

POINT
- ◆法人の所得に対しては法人住民税が課税される
- ◆所得に対する法人税割と定額課税の均等割で構成される
- ◆地方公共団体には法人住民税に加えて事業税も納付する

法人税割と均等割で構成される法人住民税

法人は、国だけでなく地方公共団体からも行政サービスを受けています。そこで、所得に対する税金も、国に納める法人税とともに地方公共団体に対して法人住民税および法人事業税を納付することとされています。

法人住民税は、大別すると**法人税割**と**均等割**で構成されています。前者は、その名のとおり、国に納める法人税額を計算のベースとするものです。適用される税率は従来は12.9%でしたが、2019年10月1日以降に開始する事業年度から7.0%に引き下げられました。つまり、前項で紹介した地方法人税（4.4%→10.3%）とあわせると、地方財源とされる法人住民税の合計税率は改正前後を通じて法人税額の17.3%となります。

これに加えて、均等割という税金も納めなければなりません。均等割は、法人の規模に応じて利益の有無にかかわらず課税されるもので、資本金額と期末従業者数により税額が決められています。現行の最低額は原則として7万円なので、法人はたとえ決算が赤字であっても、**少なくとも7万円の納税義務が毎年発生するということです。**

所得金額に課税される法人事業税

法人事業税は、法人税と同様に、**所得金額を計算の対象として課税される地方税です。**法人住民税とは税目が異なりますが、実務上は都道府県民税と同一の申告書に記載して、都道府県税事務所に申告･納付します。

法人事業税の税率は3段階の累進構造となっており、①年間所得金額400万円以下の部分、②400万円超800万円以下の部分、③800万円超の部分のそれぞれに対して、徐々に負担割合が大きくなるような税率が設定されています。なお、**2019年10月1日以降に開始する事業年度から税率が変更されるとともに特別法人事業税が併課されています**（右ページ参照）。

MEMO 法人住民税は都道府県民税と市町村民税で構成されている。このため都道府県と市町村のそれぞれに申告書を提出するが、東京都23区などの特別区では合算される。

法人住民税・法人事業税のしくみ

■法人住民税の構成要素は2つ

法人住民税は法人税割と均等割の2つで構成される。

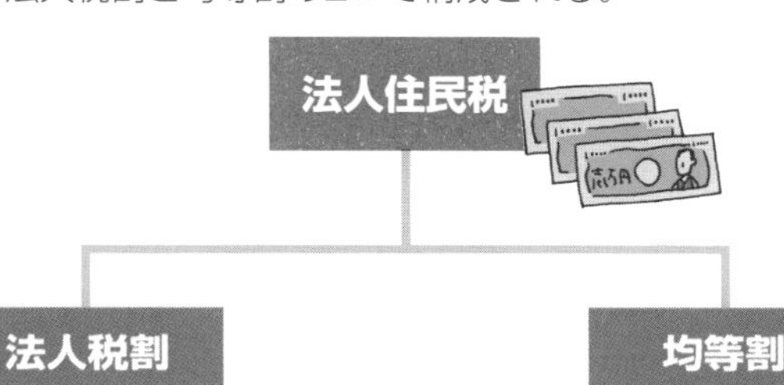

法人税額をベースに計算する。適用される税率は原則7.0%。

法人の規模に応じて利益の有無にかかわらず課税される。現行の最低額は原則として7万円。

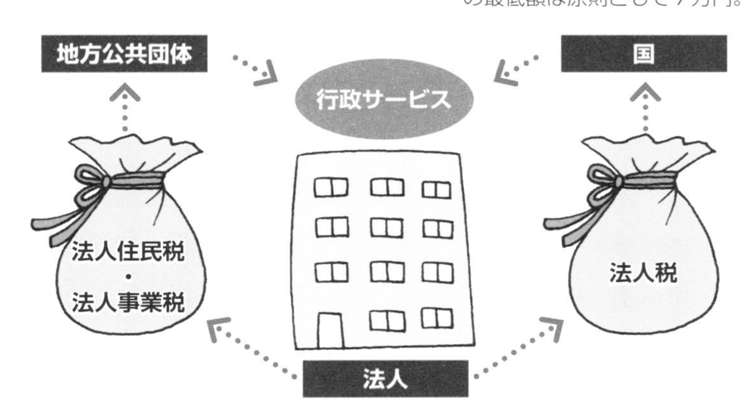

■法人事業税・特別法人事業税の税率

法人事業税・特別法人事業税の税率は3段階の累進税率構造で、徐々に負担割合が大きくなるように税率が設定されている。

税目 年間所得金額	法人事業税	特別法人事業税	合計
①400万円以下の部分	3.5%	(法人事業税の37%=)1.3%	4.8%
②400万円超800万円以下の部分	5.3%	(法人事業税の37%=)2.0%	7.3%
③800万円超の部分	7.0%	(法人事業税の37%=)2.6%	9.6%

(注)上記税率は標準的なものであり、実際には地方公共団体ごとに異なる。また地方法人特別税は廃止された。

決算書と申告書

POINT

- ◆決算書は貸借対照表、損益計算書などで構成されている
- ◆貸借対照表は財政状態、損益計算書は経営成績を表す
- ◆法人税申告書には別表と勘定科目内訳明細書などが付加される

株主総会に提出される決算書

法人税の計算は、株主総会に提出される「決算書」上の利益をベースに、「申告書」でさまざまな調整を加えて行われます。ここでは「決算書」と「申告書」について説明します。

一般に「決算書」と呼ばれる書類は、貸借対照表と損益計算書、それに株主資本等変動計算書、キャッシュフロー計算書などで構成されています。その中でも特に重要なのは、**貸借対照表と損益計算書です**。

貸借対照表には、決算期末日現在において、その会社が所有する資産や負っている債務、株主から出資を受けた資本金などが列記されています。英語では**Balance Sheetと表記されるためBS(ビーエス)と略称されることもあります**。これに対して損益計算書は、1年間の経営成績を表す表です。売上高から売上原価、販売費・一般管理費などを差し引き、最終的にいくらの利益が出たかを表示します。**英語ではProfit & Loss Statementと表記されるためその頭文字を取ってPL(ピーエル)と呼ばれます**。

税務申告のための申告書

法人税申告書とは、上記決算書に加え、法人税の計算を行うための申告書別表、各勘定科目の残高の内訳を記載する勘定科目内訳明細書、それに業績を1枚のシートにまとめた事業概況説明書などで構成されています。決算書と申告書は混同されることが多いですが、**決算書は株主に報告するために株主総会に提出されるもの、申告書は税務申告のため、前述の決算書をベースに法人税の計算に必要な資料を付加して作成し、最終的に税務署に提出されるもの**、という区別があります。本書では、法人税申告書をメインとして、その概要と読み方、作成方法などについて説明します。

MEMO キャッシュフロー計算書:損益と資金は一致せず、黒字でも過剰設備投資等で倒産することもある。そこで、資金収支の情報を提供するためにこの計算書が作成される。

決算書と法人税申告書を構成する書類

■決算書を構成する書類

決算書は貸借対照表と損益計算書を中心に構成され、株主総会に提出される。

- **貸借対照表**：決算期末現在の会社の財政状態を示す。
- **損益計算書**：その事業年度1年間の経営成績を示す。
- **株主資本等変動計算書**：営業活動により、株主資本がどのように変化したかを示す。
- **キャッシュフロー計算書**：損益とは次元が異なる資金の流れを示す。

決算書は株主総会に提出され、1年間の事業活動が適正であったかをチェックするために使用されます。

■法人税申告書を構成する書類

法人税申告書は決算書に別表等の必要な書類を付加して、税務署に提出する。

- **決算書**：毎期開催される株主総会に提出し、承認を受ける。
- **申告書別表**：数多くの別表があるが、主に使用するのは別表1(1)、別表4、別表5(1)。
- **勘定科目内訳明細書**：決算書の主要な勘定科目の内訳を記載する。
- **事業概況説明書**：A4サイズ1枚の裏表2ページに、法人の事業内容や規模、従業員数や利益など会社のプロフィールを記載する。

貸借対照表の見方

POINT
- ◆貸借対照表の貸方には資金の出所が記載されている
- ◆社外の利害関係者には債権者、株主、税務署がある
- ◆財務諸表は株主に報告することを第一義としている

会社の財政状態を示す貸借対照表

会社が作成する重要な決算書類の一つに貸借対照表があります。これは決算期末日現在の会社の財政状態を示すものであり、**表の左側（借方といいます）には財産の運用状況が、そして右側（貸方といいます）にはそれら財産の資金提供元が記載されています。**

貸方には買掛金、借入金、資本金などの勘定科目が並んでいますが、これらを見れば仕入先（買掛金）、金融機関（借入金）、株主（資本金）からそれぞれいくらずつの資金が提供されたのかが一目瞭然にわかります。そしてそれら資金が、借方の現金預金、売掛金、固定資産などの勘定科目ごとに分散投資されている、という図式になっているわけです。

つまり、表の右側から来たお金が、表の左側の財産に形を変えている、というのが貸借対照表の一つの見方なのです。

決算書は社外の利害関係者に向けて作成される

この図式からわかることは、社外の利害関係者には「債権者（仕入先や銀行など資金を貸してくれている人）」と「株主（出資している人）」があるということです。そしてもう一人、忘れてはならない利害関係者があります。それは利益に対して法人税等を課税する「税務署」です。つまり、**会社にとっては、貸借対照表の右側（貸方）の向こうにいる債権者、株主、税務署が金銭的な関係者であり、これらの人に向けて各種財務諸表は作成されるのです。**

この場合、これら3グループのうち優先順位が最も高いのは「株主」です。会社の設立にかかわり、会社の運営に発言権を有するのが株主ですから、まずは株主に業績や財政状態を報告し、承認を得なければなりません。つまり、会社の決算書類はまず株主志向で作成され、株主に承認されたそれら書類が初めて債権者や税務署に公開される、というステップを踏むことになります。

MEMO 決算期末から1年以内に資金化される財産を流動資産、同期間内に支払期限が到来する負債を流動負債と呼ぶ。両者の金額比較で短期倒産のリスクを示す。

貸借対照表から見える会社の財政状況

重要な決算書類である貸借対照表は借方と貸方にわかれ、会社の財産状況が一目でわかるようになっている。

貸借対照表

令和○年4月30日現在

株式会社○○○○○ (単位：円)

借方(財産の運用状況) / 貸方(資金提供元)

資産の部		負債の部	
科目	金額	科目	金額
【流動資産】	6,391,771	【流動負債】	2,281,516
現金及び預金	5,917,313	買掛金	1,619,341
売掛金	474,458	預かり金	372,475
【固定資産】	305,851,115	法人税等充当金	289,700
(有形固定資産)	55,914,516	【固定負債】	257,981,000
建物	37,689,478	長期借入金	47,981,000
土地	18,225,038	社債	210,000,000
(無形固定資産)	30,544,198	負債の部計	260,262,516
借地権	30,544,198	純資産の部	
(投資その他の資産)	219,392,401	【株主資本】	51,980,370
投資有価証券	219,392,401	[資本金]	10,000,000
		[利益剰余金]	41,980,370
		(その他利益剰余金)	41,980,370
		繰越利益剰余金	41,980,370
		純資産の部計	51,980,370
資産の部計	312,242,886	負債・純資産の部計	312,242,886

社外の利害関係

債権者

株主

税務署

財務諸表は社外の利害関係者に向けて作成する。

Check

貸借対照表は、バランスシートとも呼ばれ、企業の一定時点の財政状態が一目で確認できる重要な書類です。貸借対照表は会社の設立時、決算時、清算時に作成されます。株式会社の場合、官報や新聞、インターネット上での決算公告が義務づけられています。

損益計算書の見方

POINT
- ◆損益計算書は法人税申告書との接点となる書類
- ◆貸借対照表は財政状態、損益計算書は経営成績を示す
- ◆損益計算書は2期間の貸借対照表を連結する

会社の業績を示す損益計算書

損益計算書は、決算書を構成する書類の中で法人税の申告書に最も関係が深く、申告書との接点になっている書類です。その事業年度1年間の経済活動によりどれだけの成果が残せたかを総額表示の形で示すものであり、いわば経営者の通信簿のような情報を発信するものです。

本業の販売活動により計上された利益（売上総利益）、そこからその年度中の販売費や一般管理費を差し引いた利益（営業利益）、それに本業外の損益を加味した利益（経常利益）、さらに平時には生じない特別損益を加えた利益（税引き前純利益）というように、利益をその稼得のプロセスごとに表示して最終的な当期純利益がどのように形成されているかを示します。

最終利益が黒字でも、営業利益が赤字でそれを営業外損益や特別損益の黒字で補塡しているとしたら投資家は本業の未来に疑念を抱くでしょう。その反対に当期が赤字でも、それが当期限りの特別な出来事（たとえば社長交代による役員退職金の支給など）によるものであれば安心です。このように、**損益計算書は業績の内訳について株主に詳細な情報を提供するものです。**

貸借対照表との関係

年に一度の健康診断で去年より体重が増えていたら、それはこの1年間に十分な栄養を取った証拠です。つまり1年間の摂取カロリーから消費カロリーを控除した差分が体重の増加額（利益）となるわけで、摂取カロリーを収益、消費カロリーを費用に置き換えれば、それが損益計算書になります。

すなわち前期末の貸借対照表（体重）にこの1年間の損益計算書の業績を加えると、それが今期末の貸借対照表の数値になるのです。損益計算書は2つの事業年度の貸借対照表を連結する役割を果たしていて、「前期末貸借対照表＋今期の損益計算書の利益＝今期末貸借対照表」という関係になります。

MEMO 経常利益：「けいつね」とも呼ばれ、企業の業績評価に最もよく使用される指標。本業の利益に財務損益を加味した金額である。

損益計算書と貸借対照表の関係

■経営成績を示す損益計算書

損益計算書は、経営成績を示す経営者の通信簿のようなものである。

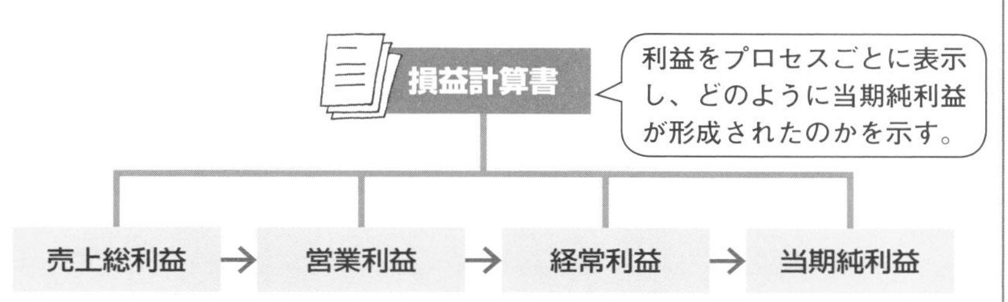

■貸借対照表と損益計算書の関係

損益計算書は2つの事業年度の貸借対照表を連結する役割を持っている。

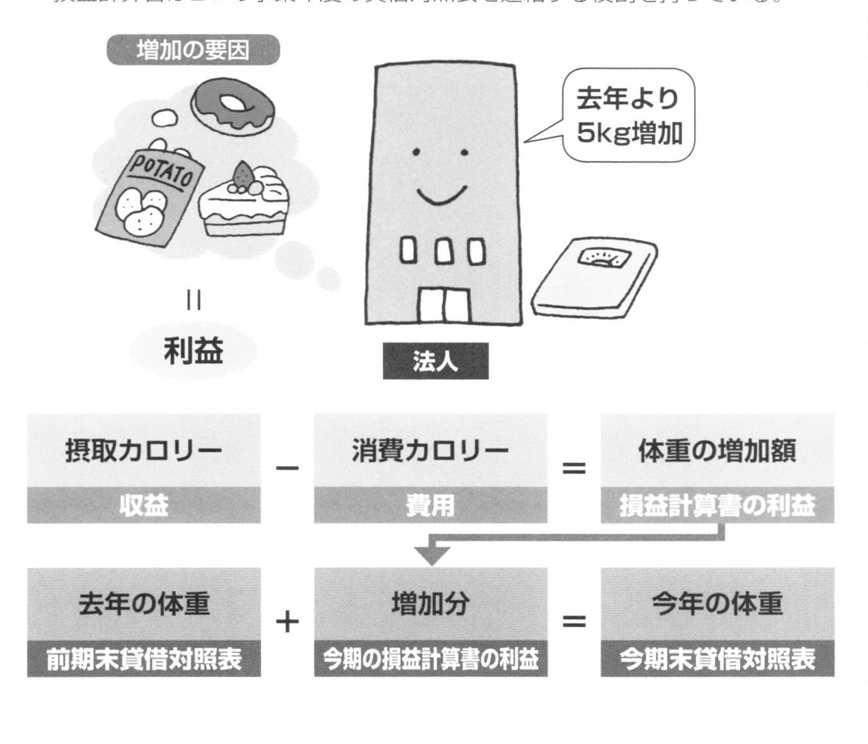

会社に関係するさまざまな人々

POINT
◆社内には役員と一般社員がいて税制上も区別される
◆役員はその支給を受ける給与等について制約がある

会社との契約関係

P32で、会社外部には株主、債権者などの利害関係者が存在することを説明しましたが、会社の中にもいろいろな人がいて事業活動をしていることはいうまでもありません。そしてそれらの人々は、会社との間で結ぶ契約の種類により、税務上の取り扱いが明確に区別されています。

まず、**いわゆる一般社員が会社と締結するのは雇用契約**です。この契約の下では、社員は会社の指示に従って労働力を提供し、その対価として給与という報酬を受け取ります。勤務地、勤務時間などは会社の命令に従わなければならず、その代わりに仕事に必要な資材や制服などはすべて会社から支給されます。

これに対して**取締役や監査役などのいわゆる役員は、雇用契約ではなく委任契約で会社と結ばれています**。二者では、契約のスタイルが全く異なるのです。

役員は特別待遇

委任契約とは、一言でいえば「任せる」契約ということです。受任者は誠実に職務を遂行しなければなりませんが、成果物を求められるものではなく、そのやり方も自由です。つまり役員は、委任者である株主の期待に応える活動をするなら、そのプロセスは自らの判断で思い通りにできるわけです。極論すれば「お手盛り」も自由自在ということになります。

そこで**法人税法は、役員が会社との間で行う取引にいくつかの制約を設けています**。詳しくは後述しますが、自分の給料を恣意的に上下して会社の利益を操作することができないように役員給与が会社の費用として認められる条件を厳しく定めたり、会社との間で財産の売買をするときに市場価格とかい離する金額で取引をした場合にはその差額が課税される制度を設けるなど、役員には一般社員とは異なる窮屈な制約があることをしっかり理解しておきましょう。

MEMO 第三者に仕事を依頼するには委任契約と請負契約の2種類がある。前者は仕事のプロセス、後者は成果を問うもので、委任契約では成果が義務づけられることはない。

会社と役員・社員が交わす契約

■会社と一般社員が結ぶ雇用契約

会社と一般社員が結ぶ契約は雇用契約。一般社員は労働力を提供し、会社から給与を受け取る。

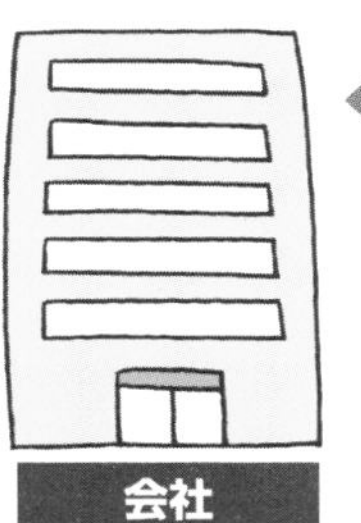

雇用契約

- 社員は会社の指示に従う
- 労働力を提供する
- その対価として給与を受け取る
- 勤務地、勤務時間などは会社の指示に従う
- 仕事に必要な資材や制服などは会社から支給される

■会社と役員が結ぶ委任契約

会社と役員が結ぶのは委任契約で、成果物を求められることはなく、結果に至るまでのプロセスは自由。このため、会社と役員との取引には税務上さまざまな制約が設けられている。

委任契約

- 役員に任せるという契約
- 成果物は求められない
- 結果までのプロセスは、役員自らの判断で行う

役員と会社の取引には、法人税法において制約が設けられています。

- 市場価値からかけ離れた不動産の売買には差額が課税される
- 役員給与を会社の費用とする条件を厳しくする、など。

会社の利害関係者と税金① 株主

POINT
- ◆会社は株主のものであり両者間の取引に損益は生じない
- ◆配当金は会社の経費にならず、出資金額は資本金となる
- ◆配当所得には配当控除が適用され、税負担が軽減される

会社と株主の関係

会社と株主の関係には2つの見方があります。第一は、会社と株主は同一のものであり会社は株主の集合体であると考えるもので、中小企業の経営者の実感に近い考え方です（これを**法人擬制説**と呼びます）。個人事業を自らの出資金で法人成りし社長になったケースなどでは、会社は自分そのものというのが実感ではないでしょうか。この考え方では、会社の利益の一部を株主に支払う配当金は、いわば右のポケットのお金を左のポケットに移すようなものであり、これを経費と考えることはできません。この考え方に立脚し、**株主配当金は支払法人において損金（経費）に算入できないこととされています。**

また個人株主においては、自分の利益が会社の利益として法人税を課税され、それが配当金として個人の所得になったときに再び所得税が課税されたら、同じ所得に対して二重課税が生じてしまうという論理が成り立ちます。そこで個人株主が受け取る配当所得に対しては、配当金の原則として10%を所得税から控除する**配当控除**という負担軽減策が取り入れられています。

法人実在説

これに対し上場企業などでは、会社の所有と経営は完全に分離しています。株主は配当金や株価の値上がりを求めて投資をし、経営者は適正な事業活動を通じて株主の期待に応えようとします。つまり会社と株主は全くの別物であり、それぞれ別々の経済主体として活動していると見るのが自然です。このような、会社を株主から独立した経済主体ととらえるのが第二の見方で、これを**法人実在説**といい、現行税法で法人に法人税が課税されるのはこの考え方に立脚しているといわれています。すなわち法人税が課税されるのは法人実在説により、同時に個人株主が受け取る配当金に軽減措置があるのは法人擬制説によるという折衷的な考え方が、現行税法のスタンスなのです。

MEMO 会社から個人株主に支払われる配当金には、総合課税、確定申告不要制度、申告分離課税制度などさまざまな課税方法の選択肢が用意されている。

法人擬制説と法人実在説

■法人擬制説

中小企業経営者の実感に近い考え方で、会社は株主そのものとみる。

法人擬制説（会社を株主の集合体とする考え方）

- 株主配当金は支払法人において損金に算入できない。
- 個人株主は会社において法人税が課されるので、二重課税の調整のため、配当所得の課税時に配当控除が適用される。

■法人実在説

上場企業の実態に近い考え方で、会社と株主は全くの別物とみる。

法人実在説（会社と株主は別々の経済主体であるとする考え方）

- 株主は配当金や株価の値上がりを求めて投資する。
- 経営者は適正な事業活動を通じて株主の期待に応えようとする。
- 法人に法人税が課税されるのは、法人実在説に基づいている。

Check

個人株主が会社から配当金を受け取った場合、その所得を他の所得と合算して確定申告をすると「配当控除」という税額控除が受けられる。その計算は、原則として、配当所得の金額の10%相当額をその年分の所得税額から控除する、というものである。

会社の利害関係者と税金② 取締役

POINT
- ◆役員の給与は年俸制が原則
- ◆損金算入を認められるためには定期同額支給が原則
- ◆退職金にも支給金額や支給時期について制限がある

役員給与は年俸制がなじむ

先述したように、役員と会社の関係は委任契約に基づいています。つまり「この1年間の経営をあなたに任せますのでよろしく」という契約であり、その対価として役員報酬が設定されます。ということは、報酬の年額はあらかじめ決まっているのが原則で、一般社員のようにがんばったから賞与を追加で払う、というようなことは行われません。そこで法人税法上も、経費として認める（損金算入ができる）役員報酬はあらかじめ定められた金額を支払う場合に限ることとし、臨時ボーナスは事前に支給金額と支給時期を税務署に届けたものでなければ認めない扱いになっています。

またこの考え方を厳格に実行するため、**毎月同じ金額を支給する「定期同額」であることを損金算入の条件としています**。したがって半年分を一度に払う、支給する月としない月がある、毎月の支給金額が異なっている、年末に一時金を支払う、などのケースでは、支給すること自体は否定されませんが、支給した金額が法人税の計算において経費として認められないことがあるので注意が必要です。

役員退職給与にも制約がある

役員が退職した場合には退職金が支給されることがありますが、創業者など勤続年数が長くて報酬月額が高い人の場合、支給される退職金も高額になることがあります。一般社員であれば、就業規則などに基づいて計算された金額を支給すれば特に問題となることはありませんが、**役員の場合にはそもそも支給することについて株主総会で承認を得なければなりません。**

そこで税法上も、役員退職金を損金として認めるのは、原則として株主総会の決議により支給額が具体的に確定した日の属する事業年度に損金経理した場合に限られています。

MEMO 役員に賞与等を支給するときは、事前に支給時期と支給額を確定して税務署に届出をしておけば（これを事前確定届出給与という）損金算入が認められる。

役員給与の取扱い

役員給与の考え方

委任は役員に1年間の経営を任せる契約なので、報酬の年額は事前に決まっているのが原則。

委任契約

役員

役員報酬＝定期同額

- あらかじめ報酬の年額は決まっている。
- 年俸を12で除した金額を月額報酬として支給する。
- 臨時ボーナスは事前に税務署に届けなければ損金算入できない。

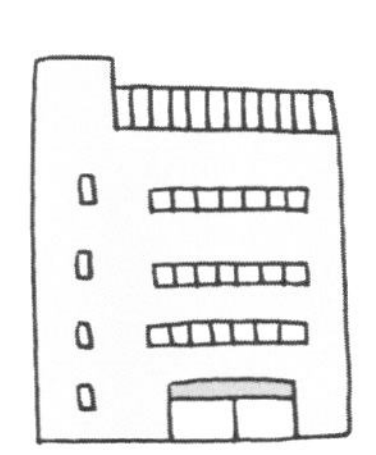

会社

役員退職給与の考え方

役員の退職給与は高額になる場合が多く、支給することについて株主総会で承認を得なければならない。

税法

原則として株主総会で支給額が確定した事業年度に損金経理した場合にのみ、役員退職金の損金算入を認めている。

役員

退職給与

株主総会

退職給与は株主総会で承認を得なければいけない。

会社の利害関係者と税金③ 社員

POINT
◆社員に支払う給与からは所得税を源泉徴収する
◆給与以外にも源泉徴収の対象になる項目がある
◆年末には年末調整で税額精算をする必要がある

会社と一般社員の関係

役員以外の一般社員は、その社員が経営者の親族であるなど特別な関係になければ、会社の経営に影響力を及ぼすことも、我田引水的な行為を行うこともありません。このため一般社員に支払われる給与等に対しては、税務上、役員に対する前項のような特別な扱いはありません。

ただし給与については、支払ってそれで終わりというわけにはいきません。なぜなら**給与を支払う側には「源泉徴収義務」が課せられている**からです。

源泉徴収義務とは

源泉徴収義務とは、給与の支払者に課せられるもので、所得の支払時に所定の所得税をその支給額から天引きし、これをその支払月の翌月10日までに国に納める制度です。制度の詳細の説明は省きますが、給与以外にも、利子、配当金、退職金、一定の報酬などに同様の義務が課せられています。

受給者から手取り額が減少することに不満を訴えられたとしても、要望を聞き入れて源泉徴収を省略すると、後日、支払者に大きなトラブルが生じます。なぜなら源泉徴収税額は、所得の支払者に直接的な納税義務が課せられているので、**その事実が発覚すると、源泉徴収義務者が納税額を負担しなければならないからです**。この点に十分な注意が必要です。

給与の源泉徴収の対象には、金銭で支払う給与のみならず食事の支給や宿泊設備の提供などのいわゆる現物給与も含まれますので、会社が社員に対して経済的利益を与える場合にはこの点にも注意しなければなりません。

給与の源泉徴収実務には、極めて緻密な税額精算制度が用意されています。雇用主は、サラリーマンが本来自分で行うべき確定申告に相当する手続きを、原則としてその年最後の給与支払時に代行し、年税額の精算をしてあげなければなりません。これを**年末調整**といいます。

MEMO 年末調整：その年最後の給与を支給する際に、従業員ごとの源泉徴収税額の累計額と正しい年税額との差額を精算する手続。徴収過多の金額は本人に還付される。

源泉徴収のしくみ

給与の支払者には源泉徴収義務が課せられており、徴収した税額は支払月の翌月10日までに国に納めなければならない。

給与
会社
一般社員
所定の所得税を天引きする（給与のみでなく食事、宿泊の提供なども含まれる）。
翌月10日までに納める。
税務署
源泉徴収
税務署
給与から徴収する税額は「源泉徴収税額表」を参照します。この表は国税庁のホームページからダウンロードできます。

Check

給与の源泉徴収税額は、その支給形態等により異なる。給与を日ごとに支給するときは、源泉徴収税額表の「丙欄」により、月ごとに支給するときは「甲欄」または「乙欄」に記載された税額による。「甲欄」と「乙欄」の区別は、支給を受ける社員が複数の勤務先に勤めているかどうかにより、勤務先が一カ所なら「甲欄」、二カ所目以降は「乙欄」の適用を受ける。

会社の利害関係者と税金④ 取引先

POINT
- ◆信用取引を通じて売掛金や買掛金などが生じる
- ◆債権の将来の損失に備えて貸倒引当金が設定できる
- ◆回収できない事態が生じたら貸倒損失を計上する

売掛金とは

顧客に商品や役務を販売して、その対価をまだ受け取っていないとき、そこに生じる**債権金額を売掛金と呼びます**。その債権は、回収が終わってはじめて取引が完結したことになるわけですが、取引の相手方の業績悪化や倒産、死亡などの理由により、時として回収できない事態が生じることがあります。このような場合、税制面では次のような処理をすることになります。

貸倒引当金の設定と貸倒損失

貸倒れという事象は、信用取引においてこれを根絶することは残念ながらできません。代金の回収を後回しにして販売を行えば、そこに必ず回収リスクを伴うことになるからです。会社債権者・株主の立場からは、会社が近い将来に貸倒損失を被ることがわかっているのにこれを隠蔽されると、適切な取引判断ができません。そこで未来のリスクは可能な限り今期の決算に反映して、会社が決算を粉飾しないことを求めるわけですが、将来どの程度の貸倒れが発生するかをその事業年度において予測することは、現実的には不可能です。

このため、その**中間的な措置として、貸倒引当金の設定ということが認められています。**すなわち売掛債権の将来の貸倒れに備えて、当期末の債権金額に対して一定の率で計算した金額を引当金として設定し、その繰入額を当期の損金に算入できる、というしくみです。詳細についてはP78を参照してください。

また回収不能の事態が確定してしまった場合には、その**回収不能額はその事実が確定した事業年度において損金処理をすることができます。**ただし売掛債権の回収不能という事実は、火災や交通事故のように目に見えるものではないため、その計上には厳格な要件が付されています。

MEMO 信用取引：商品の引き渡しや役務提供完了の時点ではなく将来のある期日に代金決済を行うことを約束して売買する取引。その名のとおり信用に基づいて行われる。

売掛金と貸倒引当金

■顧客と売掛金の関係

販売対価をまだ受け取っていない時点の債権金額を売掛金と呼び、その金額を回収できてはじめて取引の完結となる。

取引先に倒産や死亡という事態が生じると売掛金が回収できなくなる。

商品
役務

未回収の場合、
債権金額 = 売掛金となる

会社
顧客

■未来のリスクを反映する貸倒引当金

当期末の債権金額に対して回収不能見込額を費用計上し、売掛金の将来の貸倒れに備える措置が貸倒引当金である。

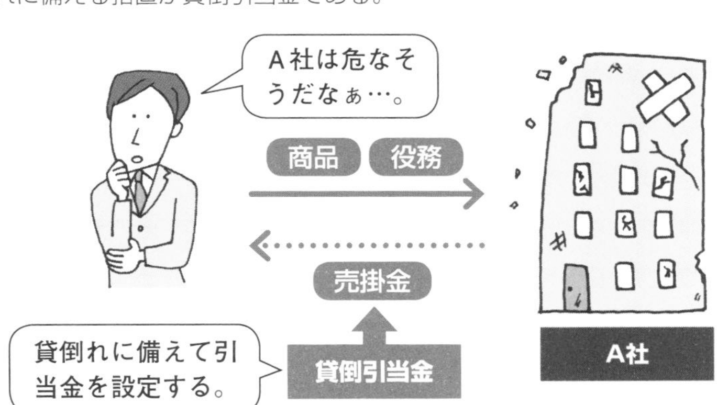
A社は危なそうだなぁ…。
商品
役務
売掛金
貸倒れに備えて引当金を設定する。
貸倒引当金
A社

同族会社固有の問題

POINT
◆同族会社は色眼鏡で見られる傾向にある
◆社内に利益を溜めると留保金課税を受けることがある
◆行為計算の否認という「伝家の宝刀」もある

同族会社とは

同族会社とは、3人以下の株主で議決権の50%超を有する会社を指します。

また同族会社のうち、一つの株主グループによる持ち株割合が50%を超えており、資本金が1億円を超えるなどの条件を満たす会社を特定同族会社といいます。これら同族会社では、ごく少数の株主で会社の経営をコントロールできるため、そこに第三者の監視の目が届きにくく、合理的な経済活動から逸脱した行為が行われやすくなります。そこで**同族会社及び特定同族会社に対しては、不当に有利な取引が行われないよう、税制上、特別な取り扱いが用意されています。**

留保金課税制度

まず特定同族会社が一定金額以上の利益を社内に留保した場合には、その**留保金額に対して通常の法人税とは別に所定の法人税を別途課税する、留保金課税制度が適用されます**。これは、同族会社においては全般的に株主からの配当金支払要求が生じにくく、利益を社内に留保する性向が強まるため、これをけん制するために設けられた措置ですが、中小の同族会社においては自己資本の充実という課題があるため、大法人である特定同族会社にのみこの制度が適用されることになっています。

行為計算の否認

また同族会社においては、組織のしくみ上、前述のように法人税の負担を不当に免れる我田引水的な行為が行われる危険があります。そこでそのような事実が認められる場合には、形式的には合法であっても、**税務署長の判断でそれらの行為や計算を否認し、税務署長の認めるところによって所得金額や法人税額を計算することができる(行為計算の否認)**こととされています。

MEMO 所有と経営の分離：独立した経営者と株主がそれぞれの主張に基づき活動する状態。両者の利害が自動的には一致しないので健全な経営が行われると期待される。

同族会社の定義と税制上の規定

■同族会社の定義

3人以下の株主で、議決権の50%超を有する会社を同族会社と呼ぶ。

同族会社には第三者の目が届きにくいので、税制上に特別な取り扱いがあります。

(注)同族会社のうち、一つの株主グループによる持ち株割合が50%を超え、資本金が1億円を超えるなどの条件を満たす会社を特定同族会社と呼ぶ。

■同族会社に対する税制上の規定

同族会社には、経営者と株主が同族であるケースが多いため、課税の公平の観点から特別な規定が定められている。

同族会社では、経営者と株主の利害が一致するため、利益を社内に留保し、多くの配当金を望まない傾向があります。

同族会社

留保金課税制度

特定同族会社が一定額以上の利益を社内に留保した場合には、通常の法人税とは別に所定の法人税が課税される。

税務署長

同族会社の行為計算の否認

税務署長の判断で、不当な行為や計算を否認し、所得金額や法人税額を計算することができる。

COLUMN 2

税務調査の流れ

法人税の税務調査は、会社の規模にもよりますが、中小零細企業の場合には2日ないし3日間のスケジュールで行われることが多いようです。1～2名の調査官が、会社にやってきます。事前に税務署から電話が入り、調査の日時や対象期間などを告げられるのが一般的なスタイルで、税理士が関与していれば最初に税理士に連絡がきて日程についてもある程度柔軟な対応をしてくれます。

調査は午前10時からスタートしますが、初日の午前中には必ず会社の概要の聞き取りが行われます。組織図や会社案内などの提示を求められますので、事前に準備しておいた方がいいでしょう。調査官はそれを見ながら、人員構成、仕事の流れ、各業務の担当者の氏名、指揮命令系統、資金の流れ、帳簿の備え付け状況等について質問していくことになります。

初めて調査を受けるときは非常に緊張するものですが、いざ始まってみると税務署員は笑顔で、帳簿はまったく見ず雑談ばかりしていて何だか肩すかしを食らったと感じる経営者が多いようです。しかし、調査官はこの概況聞き取りを通じて会社の全体像をつかみ、調査の手法を考え、経営者の言動からさまざまなヒントを得ています。雑談といえども気を抜くことはできません。相手も人間ですから最初から敵対的な態度を取って得をすることは一つもありませんが、聞かれもしないことをペラペラしゃべって後悔するケースもあるようです。会話のキャッチボールを上手に行うことが肝要です。

税理士の立ち会いの下、会社側からは社長、経理部長などが同席して応対します。概況の聞き取りが終わり帳簿等の具体的なチェックに進んだら、社長は席を外しても大丈夫ですが、それでもなるべく外出は避け、社内にとどまるようにしておいた方がいいでしょう。そして訪問調査最終日の夕方には、そこですべてが終わるわけではありませんが、調査を通じてのコメント等を伺うようにします。

PART 2

税務調整

この章では、株主に報告する利益と税務署に申告する所得がイコールでないことを説明しながら、その調整のプロセスである税務調整について解説します。

利益の二元構造

POINT
◆株主に報告するのは「当期純利益」
◆税務署に報告するのは「所得金額」
◆所得金額は当期純利益から誘導的に算出される

決算書と申告書の違い

P30で触れたように、よく混同される言葉に「決算書」と「申告書」があります。前者は貸借対照表および損益計算書を中心とする株主報告用の書類です。財務諸表とも呼びます。これに対して申告書は法人税の計算のために作成する書類で、その提出先は税務署です。**決算書が一階で、これに「別表」と呼ばれる書類を二階につけ足したのが申告書、というイメージです。**

前者が目指す最終数値は「当期純利益」です。会社役員が株主に対して当期のパフォーマンスを報告し、自らの努力の評価を仰ぐ指標です。よく見せたいという動機が働きやすいので、株主は粉飾の事実がないかを監視しています。未来の損失は早めに表現することが常に求められているのです。

これに対して後者の立場からは、未確定な損失を計上して利益を圧縮されたら正しい税収が確保できません。前者とは逆に、実現した損益のみを計算に取り込んで、「所得金額」を算出することが基本的なルールとされます。

確定決算主義

このように両者は作成目的が全く異なるため、これを同次元で算出することができません。一つのやり方として、当期純利益と所得金額を別々に計算する方法が考えられますが、税務署はそれを嫌います。会社の社長が、決算書の当期利益とは無関係に税務上の所得金額を計算して申告書を作成してきても、株主から「そんな数値は知らない」といわれたら話にならないからです。

そこで株主総会に提出され、株主の承認を受けた決算書に記載された**「当期純利益」をスタートとし、これに前述の考え方の違いに基づく差額をプラスマイナスした金額を課税対象額（所得金額）とする方法**が導入されました。このようなやり方を、株主総会で確定した決算内容に基づいて誘導的に所得金額を算出するので、**「確定決算主義」**と呼びます。

MEMO 粉飾決算：不正な会計処理を行うことにより、会社の業績や財政状態を実態よりもよく見せる行為。資産の過大計上、負債の過少計上などが代表的な手口。

決算利益から申告所得へと導く確定決算主義

■決算書と申告書の違い

決算書と申告書では作成の目的が異なる。

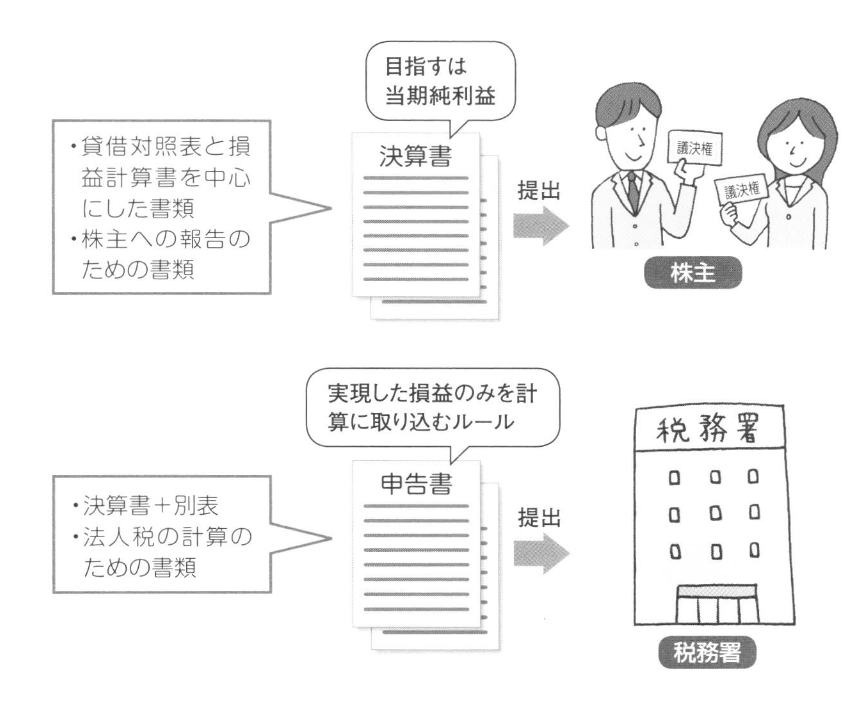

■確定決算主義の考え方

確定決算主義とは株主の承認を得た決算書の「当期純利益」に税務調整額を加算・減算し、その金額を課税対象額（所得金額）とする考え方。

当期純利益	＋ －	税務調整額	＝	課税対象額 （所得金額）

当期純利益をスタートとして、調整額を加減した金額を課税対象額とします。

株主総会報告を目的とする利益

POINT
- ◆当期純利益は近代的な会計基準に基づき計算される
- ◆上場企業では国際会計基準の導入が進んでいる

現代の会計は発生主義によっている

現代の我が国の企業会計は、近代的な会計基準に基づいています。古くは、**現金の収支に基づき損益を認識する現金主義**が採用されていましたが、信用取引が発達した今日、この方法では取引を会計に正しく反映させることができません。月末近くに商品を販売して代金の回収が翌月にずれ込むとき、現金主義の下では入金のない当月に売上を認識することができないからです。

そこで**取引の「発生」という事実に基づき出来事を認識する発生主義会計**という考え方が導入されるようになりました。取引相手に商品を販売したら、代金の回収がなくてもその時点で売上高を認識し、未回収代金を売掛金という債権として計上する、というやり方です。

実現基準と発生主義

発生主義会計は非常に合理的なやり方ですが、大きな欠点が一つあります。それは現金の収支を取引認識の条件としないため、主観的な判断が入り込みやすく、計算の客観性を担保することが容易ではないということです。そこで**収益については実現基準という考え方が重要視されています。**物品の販売については相手方への商品の引き渡し、サービスの提供については作業完了をもって取引が実現したものとみなし、その時点ではじめて収益を認識します。そうすることで金額を確実に測定できるようになるわけです。

これに対し**費用は発生主義で認識します。**財貨の消費という事実があった時点で計上し、たとえば代金の支払いは来月でも、今月消費した光熱費等は今月の経費とします。ただし近年では国際化が進み、これに連動して上場企業では国際会計基準の導入が進んでいます。減損会計や退職給付会計など、従来とは異なる観点から企業リスクを認識するしくみで、税務上は損金算入できない段階でも未来に見込まれる損失の早期計上が求められます。

MEMO 取引を発生の時点で認識する発生主義は、収益にも費用にも適用される。しかし収益に関しては、確実性を求める保守主義の観点から、さらに実現という要件が付加されている。

損益認識基準の種類

■企業会計の進化

損益の認識方法は、現金の収支によってこれを認識する現金主義から、取引の発生を基準とする発生主義に進化してきた。

現金主義

現金の収支に基づいて損益を認識するので、たとえば、売上については、現金の回収がなければ売上を計上できない。

発生主義

取引の発生という事実に基づいて認識するので、たとえば、電話代は利用の時点で通信費という費用を認識し、未払費用という債務を計上する。

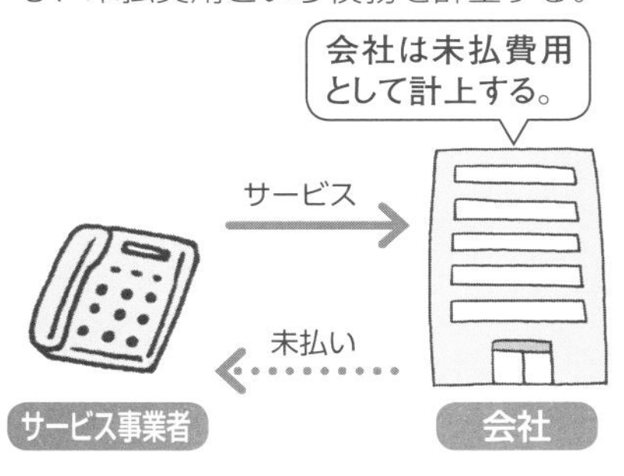

■発生主義と実現基準のちがい

費用については発生主義で認識し、収益は実現基準で認識する。

費用：発生主義

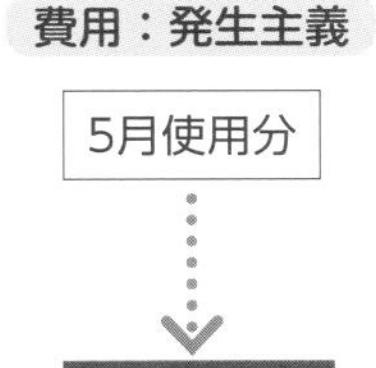

費用は、財貨の消費の事実があった時点で認識する発生主義で計上します。たとえば、今月使用分の光熱費は支払いは来月以降でも今月（上図では5月）の経費とします。

収益：実現基準

物品の販売は実現基準で認識するので、相手方への商品の引き渡し、サービス提供完了時点で収益を認識します。

法人税計算を目的とする所得金額

POINT
- ◆所得金額は「益金－損金」という算式で表現される
- ◆実際には当期純利益に調整額を加減して所得金額に導く
- ◆益金の定義には税法独自の考え方が表現されている

所得金額は当期利益とイコールではない

法人税法は、課税対象となる所得金額を「益金の額から損金の額を控除」して算出すると規定しています。企業会計上の「収益－費用」とは、コンセプトが異なるわけです。前述のように企業会計と法人税では計算の目的が異なるので当然のことですが、しかし全くの別物というわけではありません。

益金は、法人税法上、**「資産の販売、有償又は無償による資産の譲渡又は役務の提供、無償による資産の譲受けその他の取引で資本等取引以外のものに係る当該事業年度の収益の額」**と定義されています。少し難しい表現ですが、よく読むと企業会計とあまり変わらないことがわかります。実は「モノの売上高やサービスの販売対価、受贈益などがそこに含まれる」と書かれているだけなのです。

ただしここで注目したいのは、「**有償又は無償による資産の譲渡**」という言葉です。有料で資産を売ればその代金は当然に売上高に計上されますが、**無料で売っても売上になる**といっているわけです。ここに、税法独自の考え方が強く表現されています。これはどういうことでしょうか。

税法独自の考え方

益金の条文は、税法がすべての取引を時価で測定することを要求していることを示します。たとえば時価1億円の土地を無償で譲渡したとします。その土地の帳簿価額が3千万円だとしたら、会計上は3千万円の譲渡損が経理されるだけですが、**税務では時価の1億円で売ったものとみなして7千万円の譲渡益を計上し、追加で7千万円の損失を認識します**。差し引きすれば同じことですが、合わせて1億円の損失は、譲渡先が社外の人であれば寄付金、役員等であれば役員給与とされ、後述するように（P62）損金不算入の取り扱いを受けます。結果として課税対象額が増えることになるのです。

MEMO　益金損金：企業会計では「収益－費用」により「利益」を算出するが、これを税務用語に置き換えると「益金－損金＝所得金額」となる。両者は同一ではないが近似概念ではある。

計算目的の異なる企業会計と法人税

■企業会計と法人税の考え方の違い

企業会計と法人税ではそれぞれ計算の目的が異なり、「無償による資産の譲渡」にその考え方の違いが強く表現されている。

企業会計

売土地
時価1億円
（帳簿価額3千万円）

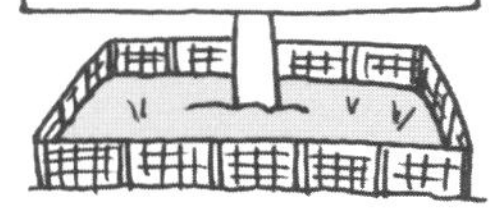

無償で譲渡

帳簿価額の3千万円の譲渡損が経理される。

法人税

無償で譲渡

売土地
時価1億円
（帳簿価額3千万円）

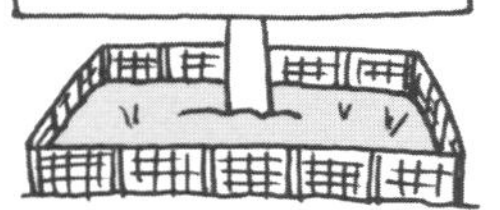

時価1億円を販売価額とみなして、7千万円の譲渡益を計上する。そして、総額1億円の損失を認識する。損失は一部が損金不算入となるので、課税対象額が増える。

Check

会社が支出するさまざまな費用の中で、法人税の計算においてその全部または一部が損金として認められないものが存在する。具体的には交際費や寄付金、租税公課、役員給与および役員退職給与などに損金不算入額が発生する。これらを「損金不算入項目」と呼び、決算上の当期純利益にその金額を加算して、法人税の課税対象額である「所得金額」を算出することとされている。

2種類の税務調整

POINT
◆税務調整には決算調整と申告調整がある
◆決算調整とは決算上で所定の経理をするもの
◆申告調整とは別表上でのみ利益を増減させるもの

税務調整とは

会計上の「収益・費用」と税務上の「益金・損金」とは、概念的には異なりますが、現実的にはそれほど大きな差はありません。そこで会計上の収益・費用の額がほぼそのまま益金・損金に流用されるわけですが、その場合、「会計上において一定の経理をしなければ流用が認められないもの」と、「そうではないもの」とがあります。つまり、「確定決算で所定の処理をして初めて税務上の損益と認められる項目」と、「会社の経理処理には一切関係なく加算減算調整をする項目」がある、ということです。前者を**決算調整事項**、後者を**申告調整事項**といいます。

決算調整事項と申告調整事項

決算調整事項とは、上述のように、会社決算上の経理と税務上の損益が一致する項目です。具体的には減価償却費や貸倒引当金の繰入額などがあり、これらは、決算において費用経理をした場合にのみ税務上もその損金性が認められます。したがって、たとえば会社決算で減価償却費の計上を忘れたので、これを申告書の作成上、減算処理をして所得金額を減らす、というような救済措置は受けられません。費用や損失を損益計算書に計上する作業は、経理に対する会社の一つの意思表示なので、その意思表示がないものを税務が勝手に損益に反映させるのは本来あり得ないことなのです。

これに対して**申告調整事項とは、会社決算で収益費用に計上していないが申告書作成の段階で利益に加算減算する項目を指します。**株主総会志向の会社決算では損益に表現できないものを、税務申告の段階において利益調整するという意味で、申告調整事項こそ税務調整の本来の姿ともいえるでしょう。その計算は、法人税申告書別表４という書式（Ｐ64参照）で行うこととされており、具体的には交際費や寄付金の加算調整額などが計上されます。

MEMO 貸倒引当金：売掛債権の将来の貸倒損失に備えるために、損失見積額を費用計上するときの貸方勘定。一定の限度額までは法人税法上も損金に算入できる。

決算手続と二種類の税務調整

税務調整には、決算調整事項と申告調整事項がある。

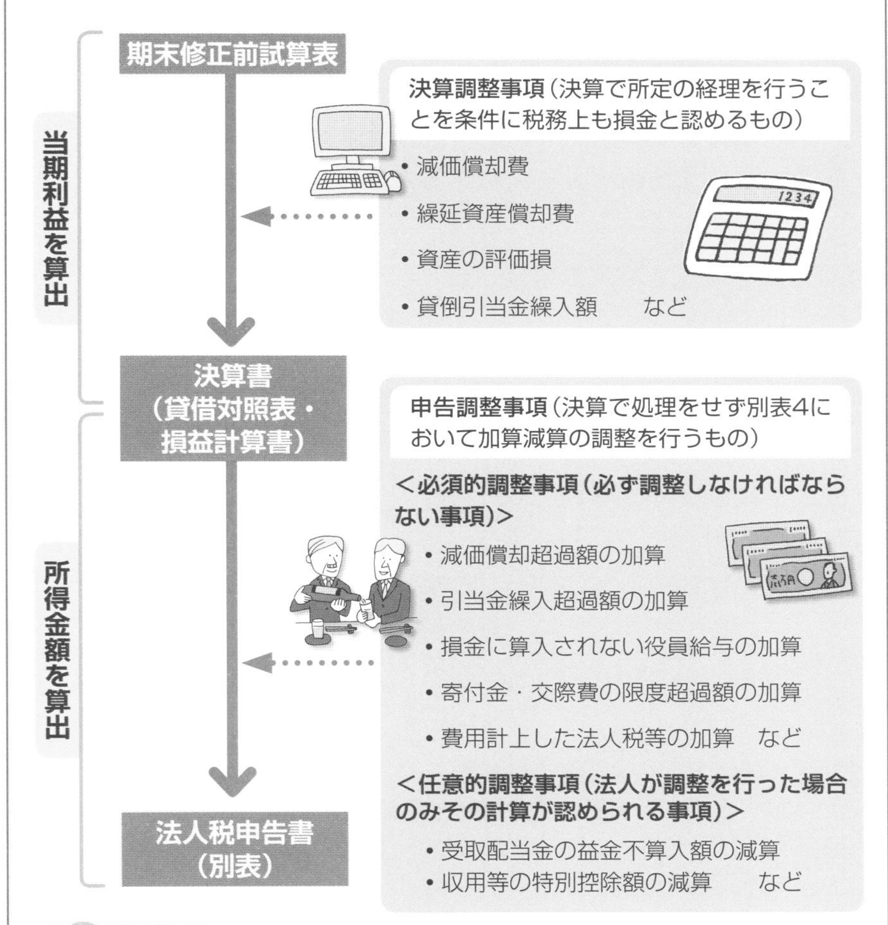

当期利益を算出
期末修正前試算表
決算調整事項（決算で所定の経理を行うことを条件に税務上も損金と認めるもの）
• 減価償却費
• 繰延資産償却費
• 資産の評価損
• 貸倒引当金繰入額　　など
1234
決算書
（貸借対照表・
損益計算書）
所得金額を算出
申告調整事項（決算で処理をせず別表4において加算減算の調整を行うもの）
＜必須的調整事項（必ず調整しなければならない事項）＞
• 減価償却超過額の加算
• 引当金繰入超過額の加算
• 損金に算入されない役員給与の加算
• 寄付金・交際費の限度超過額の加算
• 費用計上した法人税等の加算　など
＜任意的調整事項（法人が調整を行った場合のみその計算が認められる事項）＞
• 受取配当金の益金不算入額の減算
• 収用等の特別控除額の減算　　など
法人税申告書
（別表）

Check

株主総会に提出される決算書は、株主に対する経営者からのメッセージであり、税務のルールとは全く異なる観点から作成される。極端な例だが、来年地震が起きて取引先に対する売掛金が回収できなくなると予測するなら、そのうちの一定割合を当期の決算で貸倒引当金に経理することも可能である。しかし実現可能性が明確でない予測に基づく費用を、税務で損金と認めることはもちろんできない。そこでそのような金額を、申告調整事項として加算の対象とするのである。

決算調整の目的

POINT
- ◆帳簿残高の確定作業が決算整理
- ◆各勘定残高の確定プロセスで決算調整が行われる
- ◆決算調整は経理に対する企業の意思表示である

帳簿残高を修正する決算整理

決算とは、帳簿残高を実残高に一致させる作業です。

月々の経理処理で積み重ねてきた帳簿記録から、最終月の試算表を作成しますが、最終試算表の帳簿残高が決算日当日の実際の残高と一致しないということが往々にして起こります。多くの場合、記帳漏れや計上金額の誤りなどがその原因で、たとえば預金の帳簿残高が銀行残高に一致しない原因としては光熱費や通信費の引き落とし額、売掛金の入金額などの記帳漏れ等が考えられます。そこで**それら取引を追加記帳して帳簿を修正するわけですが、この一連の処理を簿記では決算整理と呼びます。**減価償却費や引当金の繰入額など、会社の判断で計上するものもこれに含まれますが、決算に反映させた額が税務上の所得金額に連動するという意味で、税務ではこれを決算調整と呼びます。決算整理の具体的な手順としては、前述の現金預金の帳簿残高と実残高の一致作業のほか、次のような作業が行われます。

- **売掛金、未収入金、前渡金、買掛金、未払金、前受金などの残高確定**
- **期末棚卸の実施による棚卸資産の残高確定と減耗損などの計上**
- **固定資産の残高確定と減価償却費の計上**
- **各種引当金の計上**

決算調整の意味

減価償却にはさまざまな特例があり、たとえば10万円（青色申告をしている中小法人においては30万円）未満の減価償却資産については、「資産計上して徐々に償却していく方法」と、「取得時に一括して損金処理する方法」のいずれかを選択できます（P90参照）。つまりそこに経理に対する法人の選択肢が存在するわけで、**決算調整が一定の経理を前提とするのは、その選択についての法人の意思を尊重するためでもあるわけです。**

MEMO 仮払金・仮受金勘定には、後日精算する予定の取引がそのまま放置されていることがある。社員の未精算の旅費や取引先からの不明入金などは、当期中に精算しなければならない。

決算整理の事例

最終試算表の帳簿残高が決算当日の残高と一致しないことがあるため、その修正のため行うのが決算整理です。

残高試算表

借方残高	勘定科目	貸方残高
527,000	現金	
478,000	普通預金	
420,000	受取手形	
210,000	売掛金	
50,000	繰越商品	
100,000	売買目的有価証券	
1,200,000	建物	
80,000	備品	
	支払手形	210,000
	買掛金	105,000
	未払金	125,000
	短期借入金	500,000
	減価償却累計額	50,000
	資本金	2,000,000
	売上	1,932,000
	受取配当金	5,000
1,579,000	仕入	
120,000	給料	
125,000	広告宣伝費	
8,000	消耗品費	
10,000	事務用品費	
20,000	通信費	
4,927,000		4,927,000

正しい銀行残高は450,000円であり、試算表の金額と一致しない。

一致しない原因

光熱費や通信費の引き落とし額、売掛金の入金額などの記帳漏れや計上金額の誤りなど。

決算整理を行う

一致しない原因の取引（この事例では電話料28,000円の引き落とし額の記帳漏れ）を追加記帳（（借方）通信費28,000円／（貸方）普通預金28,000円）して帳簿を修正します。

当期利益に加算減算する申告調整

POINT
- ◆決算と関係なく所得を増減させるのが申告調整
- ◆申告調整には任意的調整と必須的調整がある
- ◆必須的調整を忘れると更正処分の対象になる

別表4で加算減算する申告調整事項

決算調整の対象にはならない、すなわち法人の確定決算においては何らの経理処理（意思表示）が行われていないけれども、**法人税の税額計算の段階で所得に加算減算する項目があります。これを申告調整事項と呼びます。**

申告調整事項のうち、別表4において加算される（所得金額を増加させる）項目には減価償却費の超過額、交際費や寄付金の損金不算入額、役員給与の損金不算入額などがあります。要するに税法の規定では損金と認められない金額が会社決算で費用として計上されている場合に、これを損金から除外するために加算調整する項目がその中心となります。反対に減算される項目としては、受取配当金の益金不算入額や欠損金の当期控除額などがあります。

2種類の申告調整事項

申告調整事項には、任意的調整事項と必須的調整事項の2種類があります。**任意的調整事項は、法人が自ら別表に取り込んで計算に反映させた場合にのみ、その処理が認められるもので**、具体的には受取配当金の益金不算入額や収用等の特別控除額などがあります。これらは法人にとって有利な計算となるものなので、忘れずに別表調整に取り込むようにしたいものです。

これに対して**必須的調整事項とは、法人が必ず所得計算に取り込まなければならない調整事項であり**、これを怠ると税務署から指摘を受け、修正指示に従わないときは更正処分の対象となってしまいます。たとえば決算上で損金に算入できない各種税金が租税公課に計上されている場合、その金額を申告調整として別表4において「損金計上租税公課」として加算の対象とします。

そのほかにも、減価償却費の超過額、役員給与の損金不算入額、各種引当金の繰入限度超過額、交際費や寄付金の損金不算入額などがあります。

MEMO 収用等の特別控除：会社の所有する不動産などが公共事業に買い取られるとき、望まずして実現する利益なので、その売却益から最大5千万円を控除できる制度。

任意的調整事項と必須的調整事項

別表４において加算減算される申告調整事項には、任意的調整事項と必須的調整事項がある。

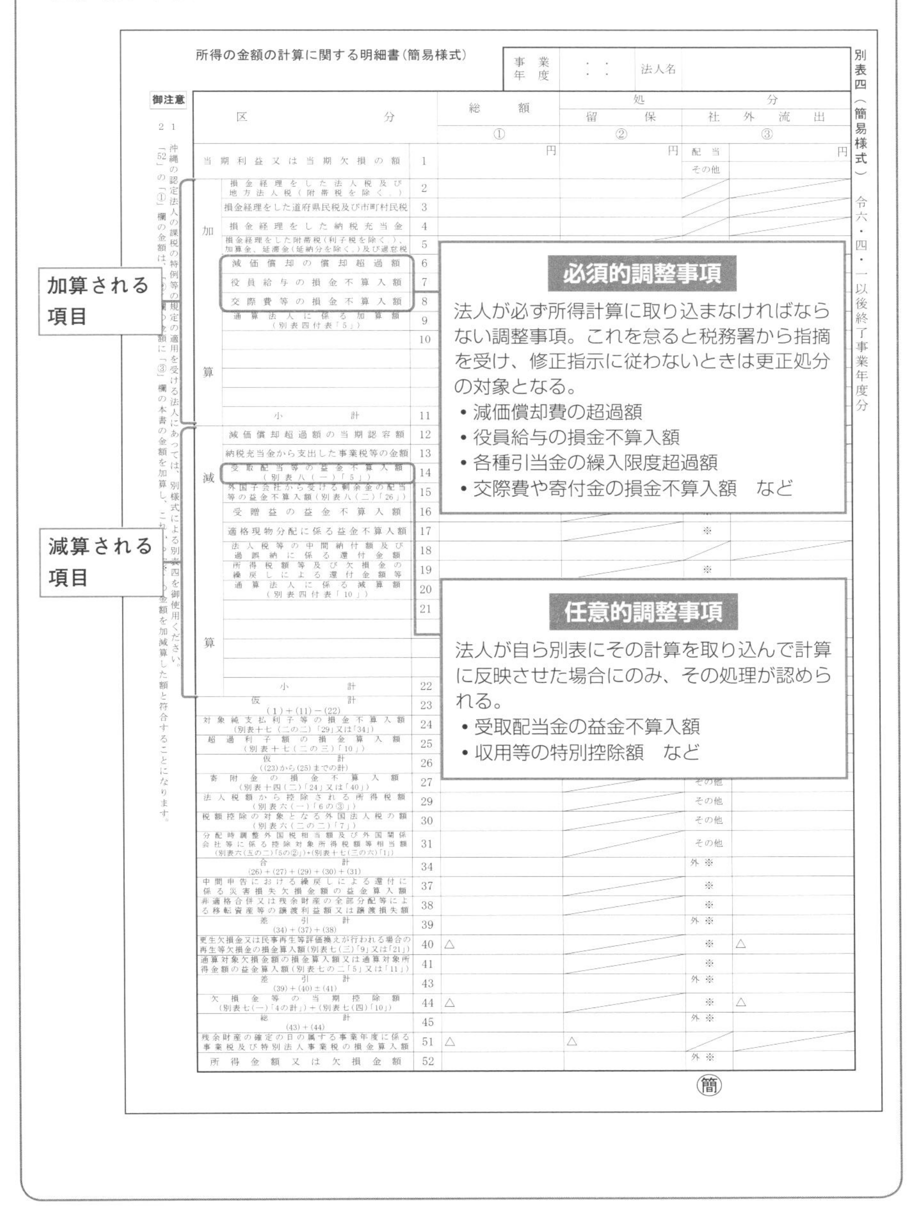

所得の金額の計算に関する明細書（簡易様式）

事業年度	・・	法人名	

区分			総額 ①	処分 留保 ②	社外流出 ③	
当期利益又は当期欠損の額		1	円	円	配当	円
					その他	
加算	損金経理をした法人税及び地方法人税（附帯税を除く。）	2				
	損金経理をした道府県民税及び市町村民税	3				
	損金経理をした納税充当金	4				
	損金経理をした附帯税（利子税を除く。）、加算金、延滞金（延納分を除く。）及び過怠税	5				
	減価償却の償却超過額	6				
	役員給与の損金不算入額	7				
	交際費等の損金不算入額	8				
	通算法人に係る加算額（別表四付表「5」）	9				
		10				
	小計	11				
減算	減価償却超過額の当期認容額	12				
	納税充当金から支出した事業税等の金額	13				
	受取配当等の益金不算入額（別表八（一）「5」）	14				
	外国子会社から受ける剰余金の配当等の益金不算入額（別表八（二）「26」）	15				
	受贈益の益金不算入額	16				
	適格現物分配に係る益金不算入額	17			※	
	法人税等の中間納付額及び過誤納に係る還付金額	18				
	所得税額等及び欠損金の繰戻しによる還付金額等	19			※	
	通算法人に係る減算額（別表四付表「10」）	20				
		21				
	小計	22				
仮計（1）＋（11）－（22）		23				
対象純支払利子等の損金不算入額（別表十七（二の二）「29」又は「34」）		24				
超過利子額の損金算入額（別表十七（二の三）「10」）		25				
仮計（（23）から（25）までの計）		26				
寄附金の損金不算入額（別表十四（二）「24」又は「40」）		27			その他	
法人税額から控除される所得税額（別表六（一）「6の③」）		29			その他	
税額控除の対象となる外国法人税の額（別表六（二の二）「7」）		30			その他	
分配時調整外国税相当額及び外国関係会社等に係る控除対象所得税額等相当額（別表六（五の二）「5の②」）＋（別表十七（三の六）「1」）		31			その他	
合計（26）＋（27）＋（29）＋（30）＋（31）		34			外※	
中間申告における繰戻しによる還付に係る災害損失欠損金額の益金算入額		37			※	
非適格合併又は残余財産の全部分配等による移転資産等の譲渡利益額又は譲渡損失額		38			※	
差引計（34）＋（37）＋（38）		39			外※	
更生欠損金又は民事再生等評価換えが行われる場合の再生等欠損金の損金算入額（別表七（三）「9」又は「21」）		40	△		※	△
通算対象欠損金額の損金算入額又は通算対象所得金額の益金算入額（別表七の二「5」又は「11」）		41			※	
差引計（39）＋（40）±（41）		43			外※	
欠損金等の当期控除額（別表七（一）「4の計」）＋（別表七（四）「10」）		44	△		※	△
総計（43）＋（44）		45			外※	
残余財産の確定の日の属する事業年度に係る事業税及び特別法人事業税の損金算入額		51	△	△		
所得金額又は欠損金額		52			外※	

別表四（簡易様式）　令六・四・一以後終了事業年度分

御注意
1 沖縄の認定法人の課税の特例等の規定の適用を受ける法人にあっては、別様式による別表四を御使用ください。
2 「52」の「①」欄の金額は、「②」欄の金額に「③」欄の本書の金額を加算し、これに「※」の金額を加減算した額と符合することになります。

㊎

加算される項目
減算される項目
必須的調整事項
法人が必ず所得計算に取り込まなければならない調整事項。これを怠ると税務署から指摘を受け、修正指示に従わないときは更正処分の対象となる。
• 減価償却費の超過額
• 役員給与の損金不算入額
• 各種引当金の繰入限度超過額
• 交際費や寄付金の損金不算入額　など
任意的調整事項
法人が自ら別表にその計算を取り込んで計算に反映させた場合にのみ、その処理が認められる。
• 受取配当金の益金不算入額
• 収用等の特別控除額　など

申告調整の4パターン

POINT
◆企業利益と課税所得の調整には4つのパターンがある
◆加算項目には「損金不算入」、「益金算入」がある
◆減算項目には「益金不算入」、「損金算入」がある

確定決算主義

P54の事例で、帳簿価額3千万円、時価1億円の土地を無償譲渡したら、税務では7千万円の値上がり益を利益として認識し、総額で1億円の損失について損金不算入の取り扱いをする、という説明をしました。つまり損益相殺後の利益は同額であっても、**税務では「所得計算において損益に修正を加える項目」が設けられており、その結果、課税対象額が変化するということです。**これは、確定決算の利益額を修正することなく税務上の課税対象額のみを変更する「確定決算主義」により考え出された方法です。

この「損益に修正を加える項目」には下記の４つのパターンがあります。

- 企業会計では費用としたが税務上は損金と認めないもの
- 企業会計では収益としていないが税務上は益金と認めるもの
- 企業会計では収益としたが税務上は益金と認めないもの
- 企業会計では費用としていないが税務上は損金と認めるもの

これらは上から順番に、「①損金不算入項目」、「②益金算入項目」、「③益金不算入項目」、「④損金算入項目」と呼びます。

損金不算入の意味

たとえば「接待で経費を使って利益を減らすのはけしからん」という考え方があります。交際費が多額に上るとそれに伴い利益が減少し、結果として納める法人税が減ってしまうからです。だからといって交際費の支出を禁止するのは現実的ではありません。そこで、交際費を経費に計上したあとの会計上の当期利益には手をつけず、その金額に経費として認められない金額を加算して法人税の課税対象額とするのが「**損金不算入**」の意味です。罰金を経費で落とすことを認めたら、そのことによる税負担の減少分だけ罰金の制裁効果が鈍る、という現象にも同様の損金不算入の方法が取られます。

MEMO たとえば受取配当金には益金不算入の制度が設けられている。法人間の配当に法人税が累積課税されることを防ぐための措置であり、申告書で当期利益から減算調整する。

申告調整の4パターン

■損益に修正を加える項目

確定決算の利益額を修正せずに課税対象額のみを変更する調整項目には、下記の4つのパターンがある。

① 損金不算入項目	企業会計では費用としたが税務上は損金と認めないもの。交際費、寄付金、租税公課の一部など。
② 益金算入項目	企業会計では収益としていないが税務上は益金と認めるもの。無償または低廉譲渡による売却益など。
③ 益金不算入項目	企業会計では収益としたが税務上は益金と認めないもの。受取配当金、還付法人税など。
④ 損金算入項目	企業会計では費用としていないが税務上は損金と認めるもの。繰越欠損金、収用の特別控除など。

■損金不算入の考え方

接待交際費を例にして、損金不算入について考えてみましょう。

接待交際費で利益を減らすな！
税務署

「交際費の支出で税負担が減少するのはよくない」という考え方がありますが、接待交際費の支出を禁止するのは現実的ではありません。そこで下記のような調整をします。

交際費を計上したあとの会計上の当期利益 ＋ 経費として認めない金額 ＝ 法人税の課税対象額

（経費として認めない金額 ↑ 損金不算入）

所得金額を算出する別表4

POINT
- ◆当期利益から所得金額を算出する
- ◆その計算は当期利益に調整額の加算・減算をして行う
- ◆算出のプロセスは別表4に表現される

最も重要な別表4

法人税の申告書は、株主総会に提出される決算書に「**別表**」と呼ばれる書類を加える形で構成されていますが、この別表には数多くの種類があります。それは、後述する寄付金や交際費の損金不算入規定など各種の調整項目ごとにそれに対応する書式が用意されているためです。したがって税法の規定が改正されるのに連動して、別表の種類や書式も変更されていきます。

このように数多くの別表がある中で、最もポピュラーかつ、最も重要な書式が別表4です。書式のタイトル「所得の金額の計算に関する明細書」が示すとおり、この表では決算書に記載された**当期利益の額から法人税の課税対象となる所得金額を導き出すプロセスを記入し計算していきます。**

別表4の記載事項

次ページの書式を見るとわかりますが、この表の最上段には「当期利益又は当期欠損の額」、最下段には「所得金額又は欠損金額」という欄があります。**最初に、決算書の損益計算書に記載されている当期利益の金額を最上段の①「総額」の欄に記入し、これに加算項目をプラスし減算項目をマイナスして、最下段の所得金額を算出するしくみ**です。

加算項目とは、前述の「損金不算入」と「益金算入」により発生するもので、具体例としては、損金不算入項目には減価償却超過額や交際費の損金不算入額などが、益金算入項目には税務調査で指摘された売上の計上漏れ額などがあります。

これに対して減算項目とは、同じく前述の「益金不算入」と「損金算入」により発生するもので、益金不算入項目には受取配当金の益金不算入額、損金算入項目には欠損金の当期控除額などがあります。項目ごとの詳細についてはP100以降で説明します。

MEMO 減価償却超過額：減価償却費は、資産ごとに定められた耐用年数とそれに応じた償却率により計算される。その金額を超えて損金経理した金額は、償却超過額として加算対象となる。

最も重要な別表4

■別表4は当期利益から所得金額を計算する書式

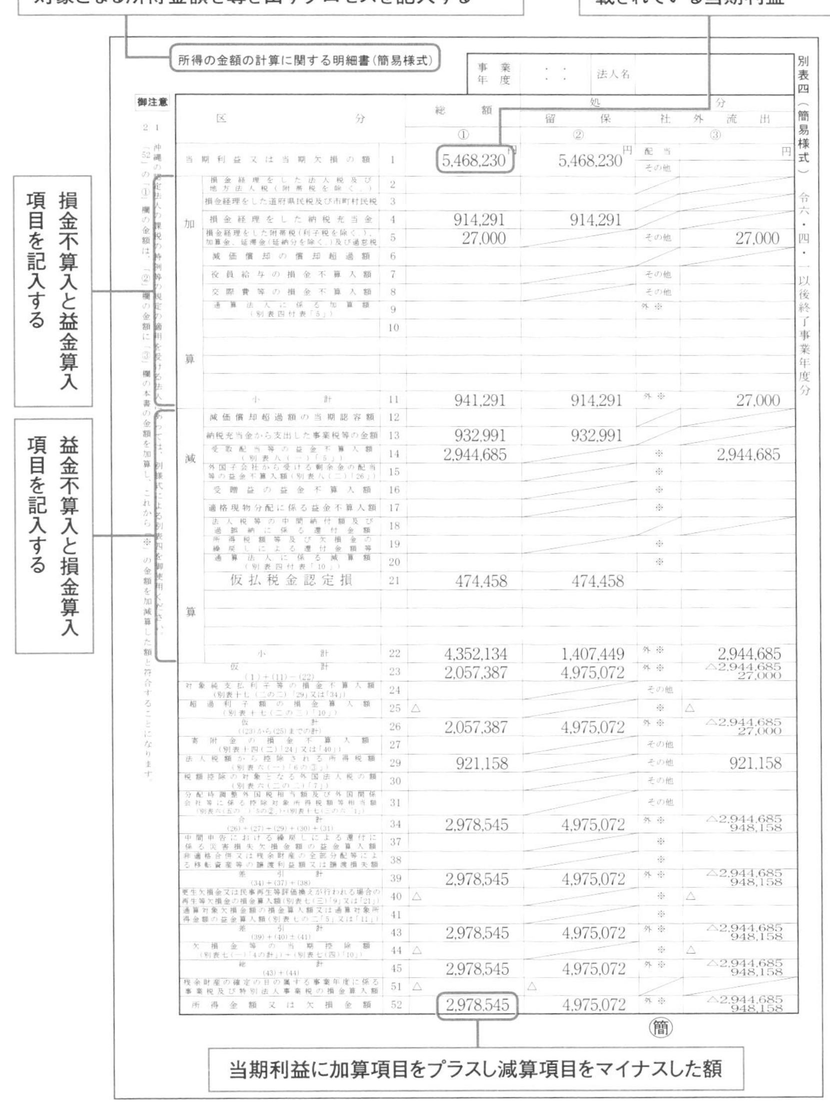
タイトルが示すとおり、当期純利益から法人税の課税対象となる所得金額を導き出すプロセスを記入する
決算書の損益計算書に記載されている当期利益
損金不算入と益金算入項目を記入する
益金不算入と損金算入項目を記入する
当期利益に加算項目をプラスし減算項目をマイナスした額

所得の金額の計算に関する明細書（簡易様式）

事業年度	・・ ・・	法人名	

別表四（簡易様式）　令六・四・一以後終了事業年度分

区分		総額 ①	処分 留保 ②	社外流出	③
当期利益又は当期欠損の額	1	5,468,230 円	5,468,230 円	配当 その他	円
加算　損金経理をした法人税及び地方法人税（附帯税を除く。）	2				
損金経理をした道府県民税及び市町村民税	3				
損金経理をした納税充当金	4	914,291	914,291		
損金経理をした附帯税（利子税を除く。）、加算金、延滞金（延納分を除く。）及び過怠税	5	27,000		その他	27,000
減価償却の償却超過額	6				
役員給与の損金不算入額	7			その他	
交際費等の損金不算入額	8			その他	
通算法人に係る加算額（別表四付表「5」）	9			外※	
	10				
小計	11	941,291	914,291	外※	27,000
減算　減価償却超過額の当期認容額	12				
納税充当金から支出した事業税等の金額	13	932,991	932,991		
受取配当等の益金不算入額（別表八（一）「5」）	14	2,944,685		※	2,944,685
外国子会社から受ける剰余金の配当等の益金不算入額（別表八（二）「26」）	15			※	
受贈益の益金不算入額	16			※	
適格現物分配に係る益金不算入額	17			※	
法人税等の中間納付額及び過誤納に係る還付金額	18				
所得税額等及び欠損金の繰戻しによる還付金額等	19			※	
通算法人に係る減算額（別表四付表「10」）	20			※	
仮払税金認定損	21	474,458	474,458		
小計	22	4,352,134	1,407,449	外※	2,944,685
仮計（1）＋（11）－（22）	23	2,057,387	4,975,072	外※	△2,944,685 27,000
対象純支払利子等の損金不算入額（別表十七（二の二）「29」又は「34」）	24			その他	
超過利子額の損金算入額（別表十七（二の三）「10」）	25	△		※	△
仮計（（23）から（25）までの計）	26	2,057,387	4,975,072	外※	△2,944,685 27,000
寄附金の損金不算入額（別表十四（二）「24」又は「40」）	27			その他	
法人税額から控除される所得税額（別表六（一）「6の③」）	29	921,158		その他	921,158
税額控除の対象となる外国法人税の額（別表六（二の二）「7」）	30			その他	
分配時調整外国税相当額及び外国関係会社等に係る控除対象所得税額等相当額（別表六（五の二）「5の②」）＋（別表十七（三の六）「1」）	31			その他	
合計（26）＋（27）＋（29）＋（30）＋（31）	34	2,978,545	4,975,072	外※	△2,944,685 948,158
中間申告における繰戻しによる還付に係る災害損失欠損金額の益金算入額	37			※	
非適格合併又は残余財産の全部分配等による移転資産等の譲渡利益額又は譲渡損失額	38			※	
差引計（34）＋（37）＋（38）	39	2,978,545	4,975,072	外※	△2,944,685 948,158
更生欠損金又は民事再生等評価換えが行われる場合の再生等欠損金の損金算入額（別表七（三）「9」又は「21」）	40	△		※	△
通算対象欠損金額の損金算入額又は通算対象所得金額の益金算入額（別表七の二「5」又は「11」）	41			※	
差引計（39）＋（40）±（41）	43	2,978,545	4,975,072	外※	△2,944,685 948,158
欠損金等の当期控除額（別表七（一）「4の計」）＋（別表七（四）「10」）	44	△		※	△
総計（43）＋（44）	45	2,978,545	4,975,072	外※	△2,944,685 948,158
残余財産の確定の日の属する事業年度に係る事業税及び特別法人事業税の損金算入額	51	△	△		
所得金額又は欠損金額	52	2,978,545	4,975,072	外※	△2,944,685 948,158

御注意
1　沖縄の認定法人の課税の特例等の規定の適用を受ける法人にあっては、別様式による別表四を御使用ください。
2　「52」の「①」欄の金額は、「②」欄の金額に「③」欄の本書の金額を加算し、これから「※」の金額を加減算した額と符合することになります。

㊎簡

税務上の資産負債を計算する別表5(1)

POINT
- ◆別表4では損益関係の調整が行われる
- ◆損益関係の調整は必然的に資産負債項目に連動する
- ◆そこで別表5(1)にその内容を記録する

別表5(1)は別表4の調整事項を記録

利益が増えれば財産が増え、損失がかさめば借金が増えていきます。これは原因と結果の表裏一体の関係であり、必ず連動するものです。一生懸命稼いだのに貯金が増えていないとしても、在庫が増えたり借金の返済が進んだり、必ず別の場所にその効果は現れているはずなのです。

そこで企業利益と法人税の課税所得との関係においても、別表4で損益の調整が行われたら、それが資産負債項目にどのように影響するかを把握しておく必要があります。そうしなければ複数年度にまたがる複式簿記的な正しい記録が維持できないからです。そこで用意されたのが別表5(1)「利益積立金額及び資本金等の額の計算に関する明細書」です。つまり**別表5(1)は、別表4で行われる企業利益と課税所得の間の損益面の調整により生じた差異が貸借対照表項目におよぼす影響を記録する書式**、といえます。

別表5(1)の記載事項

次ページの書式を見るとわかりますが、この表には左から右に向けて①期首現在利益積立金額、②③当期の増減、④差引翌期首現在利益積立金額という欄が設けられています。期首の残高に、当期中の別表4の調整で生じた貸借対照表項目の変動額を勘定科目ごとに記入して加減し、翌期首の残高を算出する、というしくみになっているのです。

たとえば税務調査で翌期入金の売上が当期のものと指摘された場合、それは売上高という収益の計上漏れであると同時に売掛金という資産の計上漏れでもあります。そこで別表4では「売上高計上漏れ」として加算項目にその金額を記入し、同時に別表5(1)に「売掛金」という資産科目を追加して同額を期中増加欄に記載するのです。これにより決算書の貸借対照表に計上が漏れている売掛金という資産を税務的に捕捉することができるわけです。

MEMO 複式簿記：取引を借方（左側）と貸方（右側）のそれぞれに同じ金額を記録する経理方式。これにより原因と結果を二面的に把握でき、財政状態と業績を同時に知ることができる。

別表5(1)とは

■資産負債科目の増減を記録する別表5(1)

①当期首の残高に別表4で生じた貸借対照表項目の変動額を減額②と増額③のそれぞれごとに記入し、④翌期首の残高を算出する

利益積立金額及び資本金等の額の計算に関する明細書

事業年度	・　・ ・　・	法人名	

別表五(一) 令六・四・一以後終了事業年度分

御注意

この表は、通常の場合には次の式により検算ができます。
期首現在利益積立金額合計「31」① ＋ 別表四留保所得金額又は欠損金額「52」 － 中間分・確定分の法人税等、道府県民税及び市町村民税の合計額 ± 中間分・確定分の通算税効果額の合計額 ＝ 差引翌期首現在利益積立金額合計「31」④

Ⅰ　利益積立金額の計算に関する明細書

区分		期首現在利益積立金額	当期の増減		差引翌期首現在利益積立金額 ①－②＋③
			減	増	
		①	②	③	④
利益準備金	1	円	円	円	円
積立金	2				
仮払税金	3			△474,458	△474,458
	4				
	5				
	6				
	7				
	8				
	9				
	10				
	11				
	12				
	13				
	14				
	15				
	16				
	17				
	18				
	19				
	20				
	21				
	22				
	23				
	24				
繰越損益金（損は赤）	25	36,523,040	36,523,040	41,980,370	41,980,370
納税充当金	26	609,800	1,234,391	914,291	289,700
未納法人税等（退職年金等積立金に対するものを除く。） 未納法人税及び未納地方法人税（附帯税を除く。）	27	△　125,300	△　125,300	中間 △ 確定 △45,900	△　45,900
未払通算税効果額（附帯税の額に係る部分の金額を除く。）	28			中間 確定	
未納道府県民税（均等割を含む。）	29	△　46,300	△　46,300	中間 △ 確定 △24,400	△　24,400
未納市町村民税（均等割を含む。）	30	△　129,800	△　129,800	中間 △ 確定 △76,700	△　76,700
差引合計額	31	36,831,440	37,456,031	42,273,203	41,648,612

Ⅱ　資本金等の額の計算に関する明細書

区分		期首現在資本金等の額	当期の増減		差引翌期首現在資本金等の額 ①－②＋③
			減	増	
		①	②	③	④
資本金又は出資金	32	10,000,000円	円	円	10,000,000円
資本準備金	33				
	34				
	35				
差引合計額	36	10,000,000			10,000,000

別表4と別表5(1)の関係

POINT
- ◆別表4の加減項目には留保と社外流出の2区分がある
- ◆留保とは貸借対照表に計上されるべき項目である
- ◆留保分のみが別表5(1)に連動する

貸借対照表に影響する留保

別表4に記載される加算・減算項目には、留保と社外流出の２つの種類があります。留保は貸借対照表に影響を及ぼすもの、社外流出はそれがないものです。減価償却費(P86)を例に考えてみましょう。会計上で100万円の償却費を計上したが税務で損金算入が認められるのは30万円だけ、ということがあります。この場合、差額の70万円は別表4で当期利益に加算し、所得金額はその分増加しますが、貸借対照表に記載されている資産の帳簿価額は会計上の100万円の償却費をマイナスした金額のままです。つまり損金不算入で加算された70万円は、帳簿価額が簿外になってしまっているわけです。

そこでその金額を別表5(1)に記載し、その簿外額の記録を残します。このように**貸借対照表の科目に影響をおよぼす加算減算項目を「留保」と呼びます**。つまり別表4の留保欄に記載された項目は必ず別表5(1)に連動し、別表4の加算項目は別表5(1)の当期中の増加額欄に、減算項目は当期中の減少額欄に同額が記入される、ということです。これが**別表5(1)が「税務上の貸借対照表」と呼ばれる**ゆえんです。

別表5(1)に連動しない社外流出

これに対し、たとえば役員給与は原則として定期に同額を支給するのでなければ損金と認められません。このため社長に対して臨時ボーナスを100万円払ったら、その100万円は損金不算入となるわけです。しかしこのケースでは、ボーナスを税務上の費用と認めないというだけで、その資金の回収を命じるわけではありません。つまりお金は社外に出て行ったままで経費の損金性を否認するということであり、いわば**損益計算書内で取引は完結し、貸借対照表には影響がありません。このような項目を「社外流出」と呼び**、別表4の社外流出欄に記載され、別表5(1)には連動させません。

MEMO 役員報酬は、原則として、毎月同額を定期的に支払った金額のみ損金に算入できる。したがって平常月とは異なる金額を臨時支給した場合には、その部分の金額は損金不算入となる。

留保と社外流出のしくみ

■留保の意味

留保は、貸借対照表の科目に影響をおよぼす加算減算項目である。

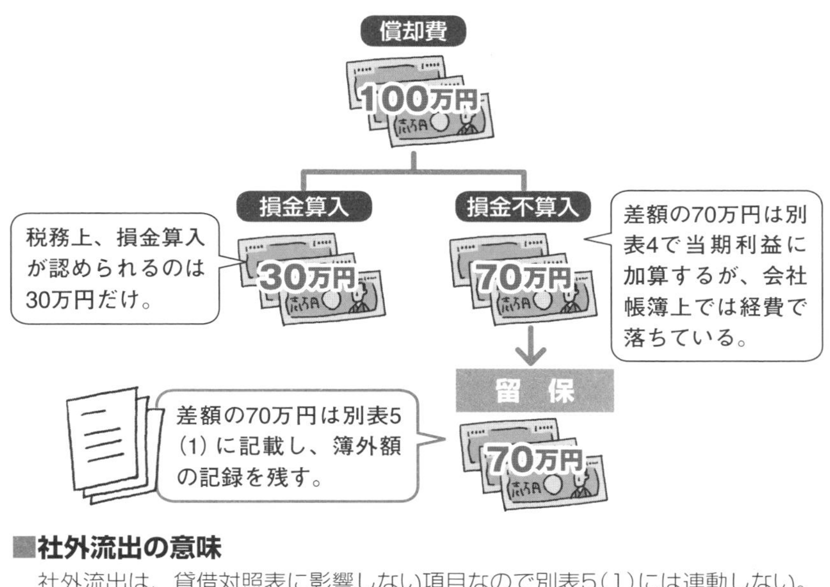
償却費
100万円
損金算入
損金不算入
税務上、損金算入が認められるのは30万円だけ。
30万円
70万円
差額の70万円は別表4で当期利益に加算するが、会社帳簿上では経費で落ちている。
留　保
差額の70万円は別表5(1)に記載し、簿外額の記録を残す。
70万円

■社外流出の意味

社外流出は、貸借対照表に影響しない項目なので別表5(1)には連動しない。

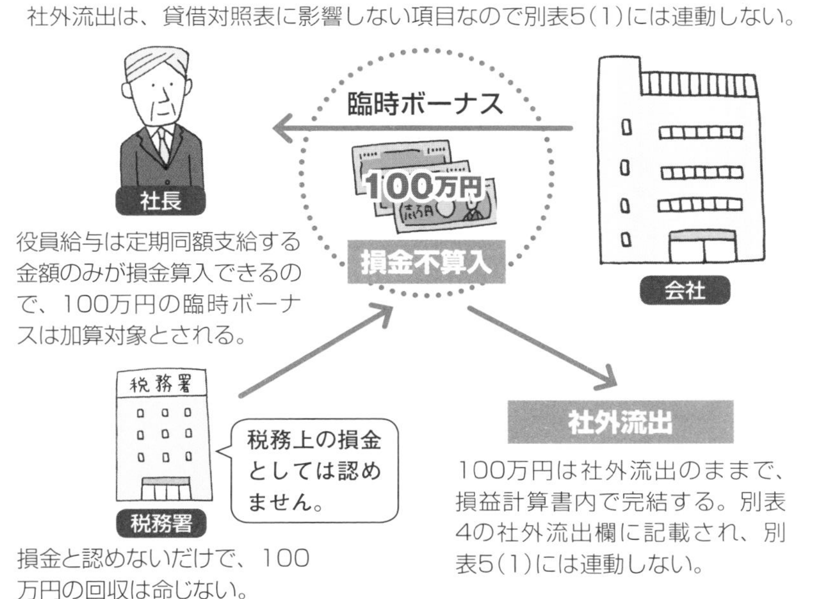
臨時ボーナス
100万円
損金不算入
社長
会社
役員給与は定期同額支給する金額のみが損金算入できるので、100万円の臨時ボーナスは加算対象とされる。
税務署
税務上の損金としては認めません。
税務署
社外流出
損金と認めないだけで、100万円の回収は命じない。
100万円は社外流出のままで、損益計算書内で完結する。別表4の社外流出欄に記載され、別表5(1)には連動しない。

税務調整の手続き上の流れ

POINT
◆決算申告の経理手続には２つの山がある
◆一つ目は決算書、２つ目は法人税申告書の作成である
◆現実には両者は同時並行で行われる

試算表から申告書に到達するまでの流れ

最終月の試算表が作成できたら、そこから最終的な法人税の申告書が完成するまでには大きな２つの山を越えなければなりません。**第一の山は決算書の作成であり、第二の山は法人税申告書の作成です。**

最終月の試算表から、実務的には「精算表」という書式を利用して、決算書を作成します。既に説明したように、帳簿残高が実残高に一致するように、一つひとつの勘定科目について修正仕訳を加えていきます。各種引当金の繰入額や減価償却費など、決算調整すべき項目はこの段階で損益に反映させ、株主総会の開催日に間に合うように決算報告書を完成させます。

２つ目の山は法人税申告書の完成です。株主総会で承認された、すなわち確定決算に基づく貸借対照表および損益計算書の金額をスタートとして、これに申告調整を加えて課税対象となる所得金額を算出し、法人税の申告書を完成させます。これらの一連の作業を、すべて決算期末から原則として2ヶ月以内に完了させなければなりません。たとえば３月決算法人の場合、通常は株主総会を２ヶ月後の５月中下旬に開催し、５月末には税務申告を済ませる、というタイムスケジュールになります。

決算書と申告書は同時並行で作成される

このように作業の順序としては、「決算書が先で申告書が後」なのですが、**実際の作業の流れは、両者はほぼ同時並行で進んでいきます。**なぜなら当期の利益に対する納税額は当期の決算に反映させるべきであり、したがって納税額の計算が完了してはじめて確定する納税引当金への繰入額は、遡って決算に反映させなければならないからです。つまり決算手順は、①仮の決算書を完成させ、②そこから法人税等の納税額を計算し、③その税額を納税引当額として再び決算に反映させる、というプロセスを経ることになります。

MEMO　精算表：決算修正前の試算表に決算整理仕訳を加え、最終的に貸借対照表と損益計算書が作成されるまでのプロセスを記入する書式。

申告書完成までの2つの山

法人税の申告書を完成させるには、「決算書の作成」と「法人税申告書の作成」という2つの山を越える必要がある。

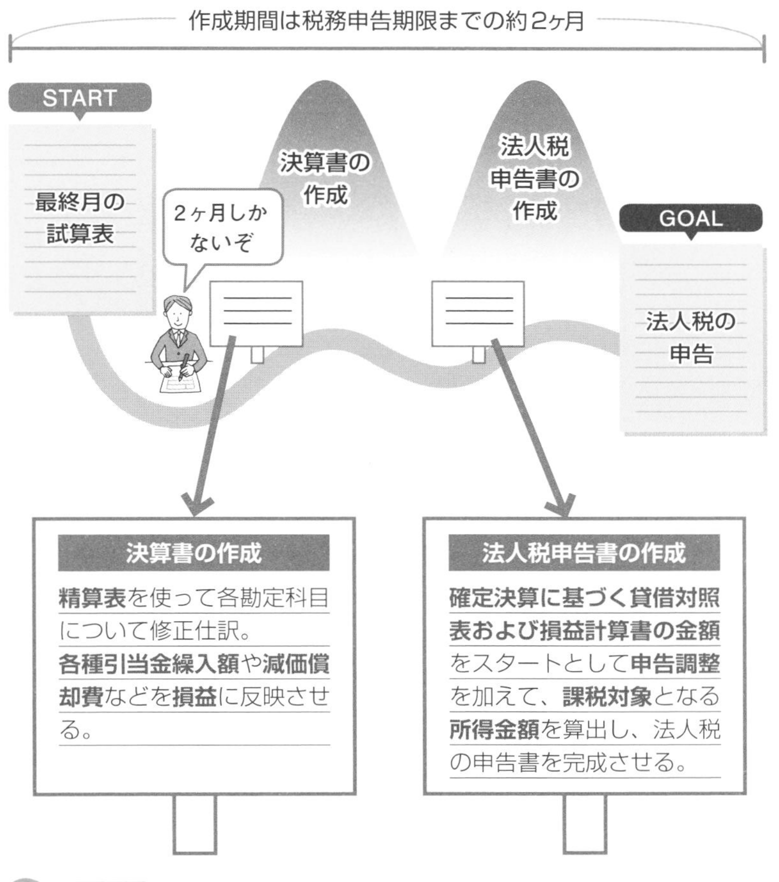
作成期間は税務申告期限までの約2ヶ月
START
最終月の
試算表
2ヶ月しか
ないぞ
決算書の
作成
法人税
申告書の
作成
GOAL
法人税の
申告
決算書の作成
精算表を使って各勘定科目について修正仕訳。
各種引当金繰入額や減価償却費などを損益に反映させる。
法人税申告書の作成
確定決算に基づく貸借対照表および損益計算書の金額をスタートとして申告調整を加えて、課税対象となる所得金額を算出し、法人税の申告書を完成させる。

Check

その事業年度の所得に対して課税される法人税などの税金は、実際に納付するのは決算期末から2ヶ月後となる。このため納税時にその金額を費用計上すると、業績の良かった年度の翌事業年度に多額の租税公課勘定が計上されることになり、利益と税金の対応関係がアンバランスになる。そこで、納税額の計算ができたら、その総額を（借方）法人税等（貸方）未払法人税等などの仕訳を決算に追加して、その事業年度の損益に反映させるのが一般的なやり方とされている。

COLUMN 3

税務調査の着目点

ビジネスを真面目に展開している会社が巨額の脱税をしている、というのはゴシップ記事としては面白いでしょうが、現実にはそんな会社には滅多にお目にかかりません。しかし、性善説で会社を眺めたら税務署の仕事はなくなってしまいます。そこで調査官が着目するのが期末付近の取引です。つまり「利益の先送りをしていないか(いわゆる期ズレ)」ということがチェックされるのです。

たとえば、期末月に取引先に納品した商品の販売価額が売上高に計上されていなかったら、それは売掛金の計上漏れとなります。現代の企業会計では売上を「実現基準」で認識するのがルールであり、実現とは商品の引き渡しのことを指すからです。反対に、納品が来期以降で今期の売上に計上されていないのに、その仕入原価が費用に計上されたままになっていたら、それはその期間の売上に対応する費用だけが損金として認められる「費用収益対応の原則」に反することになります。つまり、この場合は、未販売の商品原価を期末棚卸高に追加計上し、当期の損金から除外しなければならないのです。

また、経費関係の領収書や請求書なども調査の対象とされ、その支出がその事業年度の損金として適切かどうかがチェックされます。たとえば、期末月の日付の旅行会社の領収書が、実際には翌期首月の出張のための航空券や新幹線のチケット代だったら、それは当然に前払費用であり支払年度の費用とすることはできません。また、期末付近で大量の切手や収入印紙を買い込んでも、期末までにそれらを消費していないのであれば、貯蔵品として棚卸計上すべきなのはいうまでもありません。つまり、領収書の日付だけで損金の判断はできないということです。

このように税務調査では、当期末付近及び翌期首付近の取引がつぶさに調べられ、当期収益の計上漏れや来期以降の費用の前倒し計上が、修正申告の対象とされることになります。

PART 3

貸借対照表科目と税務調整

この章では、貸借対照表の各勘定科目について、決算処理において注意すべき点を説明し、同時に税務調整のポイントとなる項目を解説します。

売掛金

POINT
- ◆収益の認識は実現基準による
- ◆商品販売は引き渡しをもって実現のタイミングとする
- ◆いわゆる期ズレ売上は別表で加算調整する

収益の計上時期

法人税法第22条は「当該事業年度の収益の額は、一般に公正妥当と認められる会計処理の基準に従って計算されるものとする」と規定しています。

つまり売上高や雑収入などの収益は、税法上も、会計上の認識基準である「**実現**」によってこれを計上するということです。具体的には、「**商品販売など物の引き渡しを伴う取引においては品物を相手方に引き渡した日**」、「**サービス業など物の引き渡しを伴わない取引においては役務提供が完了した日**」に収益を計上しなければなりません。これは相手方に請求書を送付したかどうかとは関係がありませんので注意が必要です。

相手方に品物を引き渡した時点といっても、目の前の相手に直接手渡すのでなければ、出荷・搬送・検収というようにこちらが品出しをする時点と相手が受け取る時点にタイムラグが生じます。この場合、どの時点を引き渡し時期とみなすかは会社の選択ですが、**一度選んだタイミングは継続適用しなければなりません。**今期は出荷日、次年度は検収日というように変更すると利益操作とみなされますので注意が必要です。

締日以降の計上漏れに注意

たとえば毎月20日締めで相手方に代金の請求をしている場合、通常は請求書を発行した段階で売掛金を計上するでしょうから、そのままでは21日から月末までの販売額がその月には認識されません。平常月ならその未計上額は翌月に計上されるので問題ありませんが、決算期末においてはこれをそのまま放置すると、締め日以降月末までに実現している売上高が当期の収益から漏れてしまいます。税務調査でこれを指摘された場合には、いわゆる「**期ズレ**」として修正申告の対象となり、締め日後の販売額を**別表4で所得金額に加算し、同額を別表5(1)に売掛金として計上しなければなりません。**

MEMO 収益や費用を「財貨用益の費消または移転」のタイミングで認識する考え方を広く発生主義という。その中で収益についてはさらに引き渡し等を要件とし、これを実現基準と呼ぶ。

売掛金の計上

■収益は実現主義で計上

実現主義とは、「売上(収益)を計上する時期は取引が実現した時点である」とする考え方。回収が行われた時点ではない。ただし、商品や製品を販売する場合と、物の引き渡しを伴わない役務提供の場合では、以下のように計上基準が異なる。

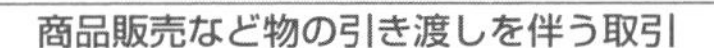
商品販売など物の引き渡しを伴う取引

サービス業など物の引き渡しを伴わない取引

出荷・搬送・
検収の
いずれか
役務提供
完了
品物を相手方に引き渡した日に収益を計上する。
役務提供が完了した日に収益を計上する。

■決算期末の計上漏れ

決算期末には、締め日以降の売上計上を忘れがちなので注意する。この金額は税務調査によって確実に指摘される。

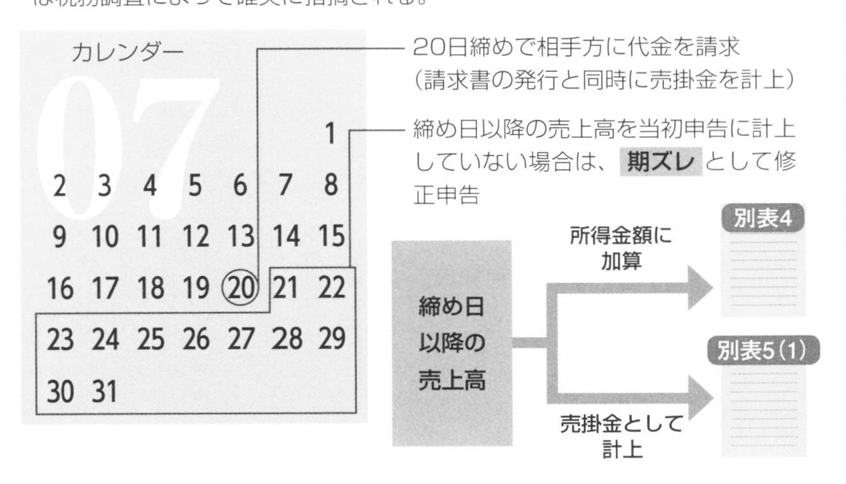
カレンダー
07
1
2 3 4 5 6 7 8
9 10 11 12 13 14 15
16 17 18 19 20 21 22
23 24 25 26 27 28 29
30 31
20日締めで相手方に代金を請求
(請求書の発行と同時に売掛金を計上)
締め日以降の売上高を当初申告に計上していない場合は、期ズレとして修正申告
締め日
以降の
売上高
所得金額に
加算
別表4
売掛金として
計上
別表5(1)

貸倒損失の取り扱い

POINT
- ◆貸倒損失は資産の損失として損金に算入できる
- ◆ただし損失の事実を客観的に立証できることが必要
- ◆税務調査で損失計上を否認されることもある

確認が困難な貸倒損失

貸倒損失とは、売掛金や貸付金などの債権が回収できないことが確定したために生じる損失です。建物の火災損失や自動車の事故損失などと同じく資産について生じる損害ですから、その金額は当然に損金に算入できます。ただし建物や自動車の損失と決定的に異なるのは、**損害の事実を確認するのが難しい**ということであり、ここに貸倒損失の経理処理の困難さがあります。

火事や交通事故は目で見ることができます。しかし売掛金が回収できないという事実や取引先が倒産したという現象は、これを第三者に納得してもらうのが容易ではありません。たとえば、相手の支払いが悪いから貸し倒れになったことにして、後日回収できたときに債権取立益を計上すれば、簡単に利益操作ができてしまいます。税務はそれを最も恐れるので、**その事業年度で貸倒損失を損金と認めるためには、その事実を確認できる「客観的な証拠」が存在することを条件**としています。

貸倒損失の損金処理が認められる条件

貸倒損失が損金に算入されるのは、次ページの表のいずれかに該当する場合です。なお、①の「債権が法律的に消滅する」ケースでは損害の事実が客観的に証明されるので、損金経理の有無は問わないこととされています。それ以外の場合には、法人の判断や経理上の意思表示を確認するため、損金経理をした場合にのみ損金に算入されます。

多額の貸倒損失を計上した事業年度についての税務調査では、その事実関係について必ず詳細な聞き取りが行われます。裁判所や弁護士事務所からの通知文書、売上台帳などをしっかり準備しておくことが必要です。取引相手が行方不明になった、連絡が取れない、などの曖昧な理由だけでは否認されることもありますので、**貸倒損失の計上には確実な証拠と準備が必要です。**

MEMO 損金経理：法人がその確定した決算において費用又は損失として経理すること。すなわち企業会計において費用又は損失として処理することを指す。

貸倒損失と損金経理

■貸倒損失とは

売掛金や貸付金などの債権が回収不可能となったために生じる損失を、貸倒損失と呼ぶ。

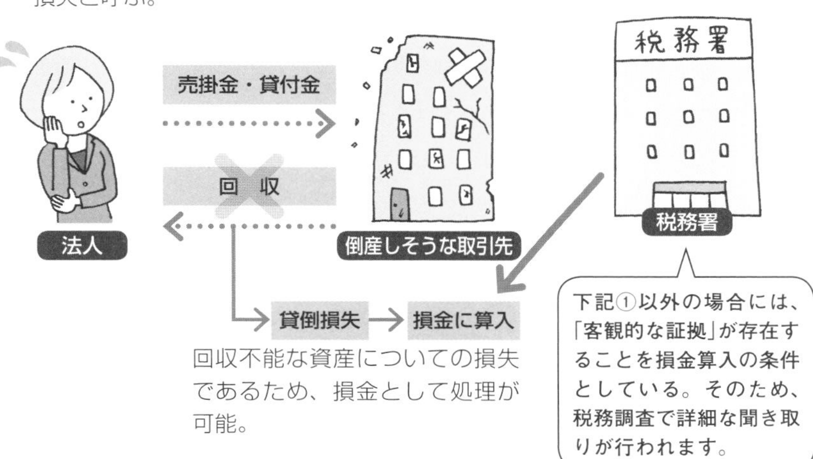
売掛金・貸付金
回　収
法人
倒産しそうな取引先
税務署
税務署
貸倒損失
損金に算入
回収不能な資産についての損失であるため、損金として処理が可能。
下記①以外の場合には、「客観的な証拠」が存在することを損金算入の条件としている。そのため、税務調査で詳細な聞き取りが行われます。

■貸倒損失が損金に算入できるケース

下記①～③のケースでは貸倒損失の損金算入が可能。ただし、曖昧な理由では認められないので、回収不能と判断できる確実な証拠が必要である。

	区分	対象額	取り扱い
①	**（債権が法律的に消滅する）** 更生計画許可の決定や債権者集会の協議決定、書面による債務免除などの債権の全部または一部が法的手段により切り捨てられた場合	切り捨てられることとなった部分、または債務免除を通知した金額	経理方法を問わず、その事実が発生した年度に損金算入される
②	**（事実上の貸倒れ）** 債務者の資産状況、支払能力等からみて全額が回収できないことが明らかとなった場合	金銭債権の全額	回収できないことが明らかになった年度に、貸倒損失として損金経理した金額が損金算入される
③	**（形式上の貸倒れ）** 債務者との取引停止後１年以上経過したとき、または同一地域の売掛債権の総額が取立て費用に満たない場合において、債務者に支払いを督促しても弁済がない場合	売掛債権から備忘価額を控除した金額	一定事実が確定した年度に、貸倒損失として損金経理した金額が損金算入される

形式基準の貸倒引当金

POINT
- ◆貸倒引当金の繰入額の計算方法には2つの種類がある
- ◆一括評価金銭債権は貸倒実績率を乗じて繰入額とする
- ◆中小企業は法定繰入率を適用することができる

貸倒引当金の計上

引当金とは、**費用収益対応の原則に基づき、当期の収益に対応する費用や損失でその発生が次年度以降になるものを見積もって計上するもの**です。賞与引当金のように将来の支出に備えるものを**負債性引当金**、債権のうち未来の回収不能額を割引評価するものを**評価性引当金**と呼びます。会計学的な分類でいえば、貸倒引当金は評価性引当金ということになります。

法人税法上、貸倒引当金の繰入額として損金算入が認められるのは下記の2つです。②は次項で説明することとし、ここでは①について解説します。

① **一括評価金銭債権×貸倒実績率(形式基準)**

② **個別評価金銭債権×原則として50%(実質基準)**

一括評価金銭債権の繰入額

貸倒引当金の繰入対象となる債権は、売掛金、貸付金、受取手形、未収入金などの金銭債権です。その金銭債権の期末残高(上記②の個別評価金銭債権を除く)に過去3事業年度の平均貸倒率(貸倒実績率)を乗じた金額を、引当金の繰入額とします。ただし資本金が1億円以下の中小企業は、貸倒実績率に代えて、**法定繰入率**を適用することができます(法定繰入率は次ページに示すとおりです)。

法定繰入率を適用して引当金の計算をする場合には、期末債権残高から「実質的に債権と見られない金額」を控除して繰入額を算出しなければなりません。この「実質的に債権と見られない金額」とは、同じ取引相手に買掛金や未払金があるなど相殺的な債務がある場合のその金額です。なお貸倒引当金の繰入額は決算調整事項ですので、法人が確定決算において損金経理した場合にのみ損金算入が認められ、その繰入額は翌期に益金に戻し入れる、いわゆる**洗い替え方式**により経理することとされています。

MEMO 費用収益対応の原則：その事業年度に発生した費用のうち、その事業年度の収益に対応する金額のみをその年度の費用とする考え方。対応しない金額は翌期以降に持ち越される。

貸倒引当金と繰入額

■引当金のしくみ

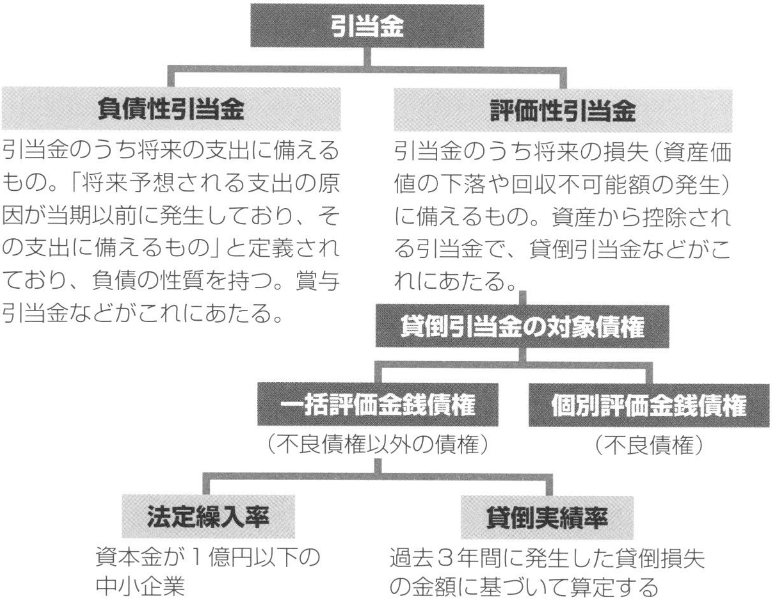

引当金

負債性引当金

引当金のうち将来の支出に備えるもの。「将来予想される支出の原因が当期以前に発生しており、その支出に備えるもの」と定義されており、負債の性質を持つ。賞与引当金などがこれにあたる。

評価性引当金

引当金のうち将来の損失（資産価値の下落や回収不可能額の発生）に備えるもの。資産から控除される引当金で、貸倒引当金などがこれにあたる。

貸倒引当金の対象債権

一括評価金銭債権（不良債権以外の債権）

個別評価金銭債権（不良債権）

法定繰入率

資本金が１億円以下の中小企業

貸倒実績率

過去３年間に発生した貸倒損失の金額に基づいて算定する

■貸倒実績率

{(①＋②－③－④)×(12／過去３期の各事業年度の合計月数)}÷⑤

①過去３期の貸倒損失の合計額
②過去３期の個別評価分の引当金繰入額
③過去３期の個別評価分の引当金戻入額
④適格組織再編成による引き継ぎを受けた貸倒引当金の金額
⑤過去３期の一括評価金銭債権の合計額÷事業年度数（３年）

■法定繰入率

貸倒実績率を原則とするが、資本金が1億円以下の中小企業は法定繰入率を適用することが可能。その率はその法人の主たる事業の区分によって下記の表のように定められている。

主たる事業	繰入率
卸・小売	1.0%
製造業	0.8%
金融保険業	0.3%

主たる事業	繰入率
割賦小売業	0.7%
その他の事業	0.6%

実質基準の貸倒引当金

POINT
◆貸倒れが確実な債権には個別に引当金が設定できる
◆対象債権は個別評価金銭債権と呼ぶ
◆債権額の50％相当額を引当金に繰り入れる

回収不可能額を個別に評価する実質基準

P76で説明したように、貸倒損失という損害はこれを立証することが容易ではありません。しかし裁判所など公的機関が関与すれば、いずれ損害が発生することは確実です。そして裁判に持ち込まれるようなケースでは決着までにかなりの時間を要するため、回収不能の事実が発生してから債権の切り捨てが確定するまでに相当な年数がかかることも珍しくありません。

そこでその損失額を、回収不能が確定する事業年度に全額負担させるのではなく、将来の確実な損失の発生を認知した年度において50%引き受けるしくみが作られました。それが**実質基準の貸倒引当金**です。

その対象債権を「**個別評価金銭債権**」と呼び、一定の事実が発生した年度においてその債権額の2分の1を引当金として損金計上します。そして貸倒れが確定した年度にこれを戻し入れ、同時に貸倒れ額を全額損金に算入すれば、結果として認知事業年度と損失確定事業年度の双方で損失を半分ずつ負担することになります。つまり**未来の損害を傍観しない制度**ともいえます。

繰入限度額

個別評価金銭債権にかかる貸倒引当金の繰入限度額は、次ページに示すとおりです。以前は債権償却特別勘定と呼ばれていたもので、**繰入額は原則として回収不能が見込まれる債権金額の50%相当額**であることがわかります。

個別評価金銭債権にかかる貸倒引当金は、次ページに示す事由が生じた事業年度においてその繰入が認められますが、それら事由とはいずれも将来に貸倒損失が発生することを確実視させるものです。たとえば「更生手続開始の申し立て」は、将来において貸倒損失の計上理由である「更生計画の認可決定」が起きることの必然性を予感させるものです。

MEMO 会社更生法：自力での再建が困難な株式会社について、事業の更生を目的としてなされる更生手続を定めるために制定された法律。更生価値のある大会社に適用される。

実質基準の貸倒引当金

■実質基準の貸倒引当金の考え方

貸倒損失を「将来の損失の発生を認知した事業年度」と「貸倒れが確定した事業年度」で50%ずつ引き受ける。

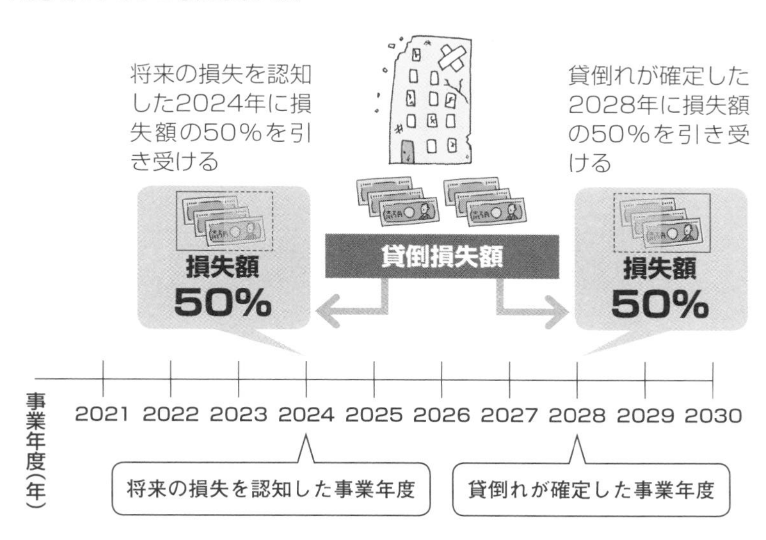

■個別評価金銭債権

金銭債権のうち、不良債権化したものを個別評価金銭債権と呼ぶ。繰入限度額は、回収困難となった原因に応じて大きく3つに分類されている。

区　分	対象となる不良債権	繰入限度額
①法律基準	• 民事再生・会社更生法等によって分割払いとなった債権	6年目以降回収予定の債権
②実質基準	• 1年以上の債務超過の状態が続き、事業好転の見通しがなく、回収の見込みがない債権	取立て見込みがないと判断される金額
③形式基準	• 民事再生法、会社更生法等による手続開始の申立て、手形交換所による取引停止処分となった債権	金銭債権の1/2
	• 外国政府・中央銀行などに対する債権で、弁済を受けることが困難な金額	金銭債権の1/2

棚卸に基づき計上する商品勘定

POINT
◆期末棚卸高はあらかじめ選択した方法で評価する
◆仕掛品も期末棚卸高に計上しなければならない
◆税務調査では期末棚卸高・仕掛高の注目度が高い

売上原価の計算方法

売上総利益（いわゆる粗利益）は、売上高から売上原価を差し引いて算出しますので、売上原価の計算は当期の所得金額に大きく影響します。今期中の仕入数量を、すべて今期中に売り切ってしまうのであれば、仕入金額がすなわち売上原価になりますから話はシンプルです。しかし、仕入れたもののうち期末時点で売れ残り（すなわち期末棚卸高）があるときは、**その残高は来期以降の売上原価となるため当期の仕入高からは除外しなければなりません**。逆に前期末に売れ残っていたものは、繰り越されて当期の売上原価に回ってきます。すなわち**売上原価とは、期首商品棚卸高に当期仕入高を加算し、そこから当期末の棚卸高を除外した金額として算出される**ことがわかります。

このような事情から、決算期末には必ず棚卸をして、売れ残っている商品を種類別に数量カウントする必要があります。問題はその数量に乗じる単価です。その評価にはいくつかの方法がありますが、税法では**最終仕入原価法を原則的な評価方法としています**。一番最近に仕入れた1単位当たりの単価を期末残数量に乗じた金額を期末の棚卸高として計算する方法で、極めてシンプルでわかりやすい評価方式です。このほかにも次ページに示すような評価方法がありますが、最終仕入原価法以外の評価方法を採用する場合には税務署に対して事前の届け出が必要です。

棚卸計上漏れには要注意

期末棚卸高は、これを過少計上すれば簡単に所得金額を少なくできるため、脱税の温床となりやすい科目です。このため**税務署は棚卸高の評価および計算には特に目を光らせています**。悪意がなくても、たとえば仕入先に預けてある商品を期末数量から漏らしてしまうと計上漏れになってしまいます。そのため、その集計には細心の注意が必要です。

MEMO 最終仕入原価法以外の評価方法を選択する場合には、「棚卸資産の評価方法の届出書」を提出する。提出期限は設立事業年度の確定申告期限まで。2期目以降は変更の届け出となる。

期末棚卸高の評価方法

■売上原価の計算方法

売上原価は下記算式により計算するが、算式中の「商品棚卸高」は、原則として最終仕入原価法により評価する。

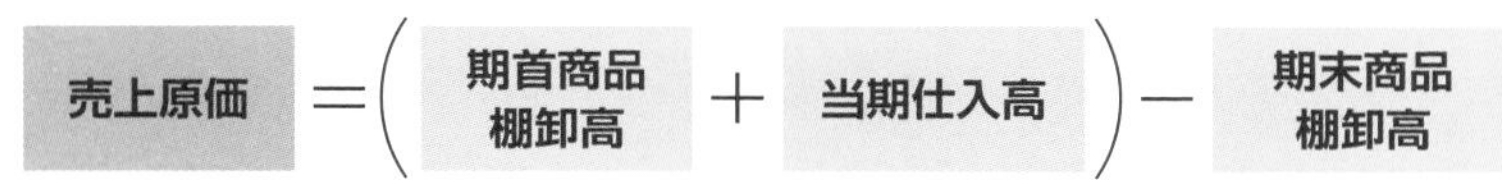

■税法上認められている評価方法

商品の評価方法は上記のように、「最終仕入原価法」を原則とする。ただし、「棚卸資産の評価方法の届出書」を税務署に提出することで、以下の評価方法に変更することが可能である。

評価方法	内　容
個別法	個々の商品の実際の取得価額によって評価する方法
先入先出法	先に仕入れたものから順番に払い出しがなされたと仮定して評価する方法
総平均法	期首棚卸資産の取得価額と当期仕入資産の取得価額の合計額を、同資産の総量で除する評価方法
移動平均法	新しく資産を仕入れるごとに平均取得価額を改定する評価方法
売価還元法	原価率を求め、期末棚卸資産の売価に原価率を乗じて評価する方法

評価方法を変更したい場合には、その事業年度開始日の前日までに税務署へ届出書を提出する必要があります。

Check

棚卸資産の価値が下落しても、その損失を損金算入することは原則として認められていない。ただし災害により著しく損傷し、あるいは著しく陳腐化した資産については、損金経理により帳簿価額を減額することを条件に評価損の計上が認められる。この場合、帳簿価額を置き換える時価について議論になる可能性がある。したがって可能な限り、決算期末までに売却･廃棄等の処分をしてしまうのが安全確実である。

当期の収益に対応しない仕掛品

POINT
- ◆期間収益に対応する費用だけが期間費用となる
- ◆期間費用から除外された金額は仕掛品となる
- ◆期末残数量の集計には細心の注意が必要

費用は「費用収益対応の原則」で計上する

費用収益対応の原則とは、**その事業年度の収益に対応する費用だけがその事業年度において費用として認められる**、とする考え方です。現代の会計理論は発生主義に基づいており、収益も費用も当期に発生したものが当期に認識されるというのが原則ですが、収益には実現基準という要件があります。確実性を求めるため、収益の認識は実現のときまで待つということです。そこで費用についても、**実現した収益に貢献した金額だけを当期の費用とし、それ以外の金額については、翌期以降に繰り越す処理が行われます**。

たとえば、単価10万円の商品を10個仕入れた場合、仕入高という費用は100万円ですが、今期中に売れたのが9個で残りの1個は来期回しになったら、期末に10万円を仕入高から除外します。これがこの原則の考え方です。

税務調査で指摘される事項

いわれてみれば当たり前のことなのですが、税務調査では費用と収益のマッチングの問題が実に頻繁に指摘されます。というのは費用収益対応の原則は商品にのみ適用されるわけではないからです。たとえば商品展示会の運営を請け負う広告代理店が、会場の設営費や人件費、協力会社への外注費などを支払った場合、その展示会が来期になってから開催されるため顧客への請求は今期中には発生しないとしたら、**支払ったそれら経費はすべて仕掛品として期末に資産計上しなければなりません**。なぜならそれら費用は、これに対応する売上高が今期中には全く計上されないからです。

このことは書籍制作のプロダクション、ソフトウェア開発のシステム会社などさまざまな業種において発生します。期間費用から資産勘定に振り替える場合、一般には「**仕掛品**」という科目を使いますが、商品の棚卸と異なり、その計上をうっかり忘れがちです。細心の注意が必要です。

MEMO 仕掛品：作りかけの状態のもの、という意味。工業製品などでは製作途上のものをこう呼ぶが、税務では期間費用のうち翌期以降の売上に対応する金額も仕掛品と呼ぶ。

期間損益を正しく計算するしくみ

■費用収益対応の原則とは

期間損益の計算において、収益と費用の因果関係を重視する考え方。その事業年度の収益に対応する費用だけが、その事業年度で費用として認められる。

単価10万円の商品 10個	今期に売れた個数 9個	残り1個
仕入高100万円	仕入高90万円	仕入高10万円
費用	実現した収益に対する費用	仕入高から期末に除外

■商品だけではない費用収益対応

当期中に発生した費用でも、当期中の売上に対応するものでなければ仕掛品として資産に計上する。これは商品のみではなく、販売費や一般管理費においても同様。

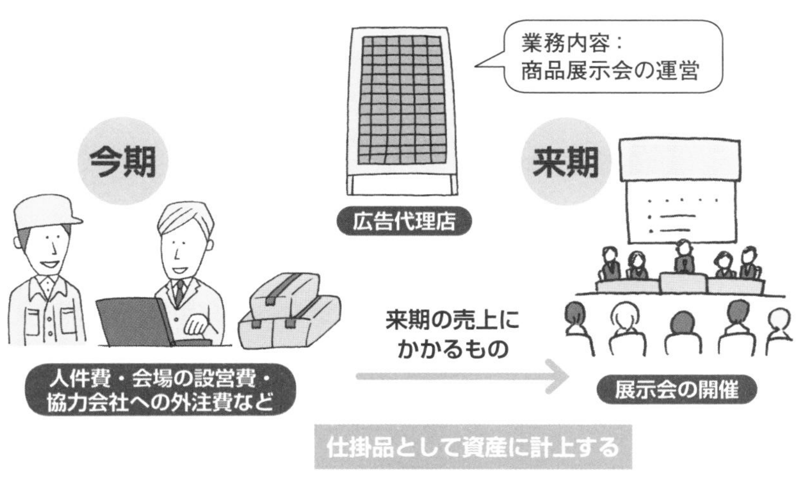

来期での展示会での展示開催のため、これらの費用は仕掛品として期末に計上

固定資産（減価償却の基本）

POINT
- ◆減価償却は取得価額を耐用年数にわたり費用化する手続
- ◆償却方法には定率法と定額法がある
- ◆耐用年数は資産の種類ごとに定められている

資産を経費化する減価償却

資産の取得価額を、**その資産の利用期間にわたって徐々に経費化していく手続を減価償却**といいます。この場合、利用可能期間の見積もり方によって1年当たりの償却費は変化する（長く使えると想定すれば1年当たりの償却費は少なくなる）ので、その判断を企業の自由に任せたら課税の公平が維持できません。このため決算上の償却費計上額は企業の自由ですが、税務上は資産の種類ごとにあらかじめ耐用年数を定め、減価償却費として損金算入を認めるのはその耐用年数を基に計算した金額を上限とすることになっています。

減価償却の方法

減価償却の方法も下記のいずれかから選択することとし、**事前の届け出をしない場合には定率法**（建物、建物附属設備、構築物、生物、無形資産については定額法）で償却しなければなりません。

① **定額法：取得価額×定額法償却率**

② **定率法：（取得価額－償却済額）×定率法償却率**

上記の償却率は、次ページに示すように償却方法ごとに定められています。したがって税務上の減価償却費は、誰が計算しても同じ金額が損金算入額として算出されます。たとえばパソコン（耐用年数4年）を250,000円で購入した場合、定額法による初年度の減価償却費は250,000円×0.250により、62,500円となります。ただし減価償却費は決算調整事項ですから、会社が確定決算で上記金額を損金経理した場合に限り損金に算入されるのであって、償却計算をしていない場合には損金算入は認められません。

また事業年度の中途で資産を取得した場合には、1年分の減価償却費をその事業年度の月数で除し、これに事業供用日から期末までの月数（1月未満の端数は切り上げ）を乗じた金額をその事業年度の減価償却費とします。

MEMO 耐用年数：減価償却資産が利用できる年数。利用可能期間とほぼ同義。税務上は耐用年数省令により資産の種類ごとに詳細に定められており、これに基づき償却限度額を計算する。

減価償却と償却率

■主な資産の耐用年数

建　物

- 鉄筋コンクリート造事務所 ……………… 50年
- 木造住宅 ………………… 22年

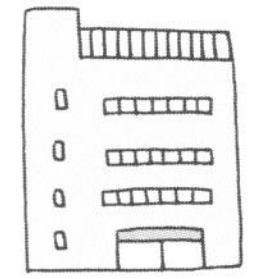

器具備品

- エアコン ……………………6年
- パソコン ……………………4年
- 看板 …………………………3年

車　両

- 普通自動車 …………………6年
- 軽自動車 ……………………4年

資産の種類ごとに
耐用年数が決まっています。

■定額法と定率法の償却率

償却費は、下記の表の償却率を用いて計算する。

耐用年数(年)	平成19年3月31日以前取得	平成19年4月1日以後取得	平成24年4月1日以後取得		
	旧定額法償却率	定額法償却率	定率法の償却率	改定償却率	保証率
2	0.500	0.500	1.000	—	—
3	0.333	0.334	0.667	1.000	0.111
4	0.250	0.250	0.500	1.000	0.125
5	0.200	0.200	0.400	0.500	0.108
6	0.166	0.167	0.333	0.334	0.099
7	0.142	0.143	0.286	0.334	0.087
8	0.125	0.125	0.250	0.334	0.079
9	0.111	0.112	0.222	0.250	0.071
10	0.100	0.100	0.200	0.250	0.066
11	0.090	0.091	0.182	0.200	0.060
12	0.083	0.084	0.167	0.200	0.056
13	0.076	0.077	0.154	0.167	0.052
14	0.071	0.072	0.143	0.167	0.049

(注)平成24年3月31日以前に取得した資産の定率法償却率はP215を参照。
本書では改定償却率と保証率の解説は割愛します。

資産の取得価額と償却限度額

POINT
◆減価償却の基礎となる価額は取得価額
◆取得価額には本体価格のほか付随費用も含む
◆取得価額に含めなくてよい付随費用もある

付随費用も含まれる取得価額

減価償却とは資産の取得価額を耐用年数に割り振る手続ですから、計算のベースはあくまで取得価額です。ただし一口に取得価額といってもいわゆる本体代金だけがそこに計上されるのではありません。購入代価のほかにも引き取り運賃や運送保険料、購入手数料など、その**資産の購入のために要した費用はすべて取得価額に計上しなければなりません**。これら付随費用を支出年度の経費としてしまってはいけないのです。また機械の据付費など、その資産の利用開始までに要した費用も取得価額に加算することとされています。

また自ら建設等した資産については、建設のための原材料費、労務費及び経費、事業の用に供するために直接要した費用の額の合計額が取得価額とされます。なお贈与等により無償で財産を取得した場合には、その資産の受贈時の時価を受贈益として贈与を受けた事業年度の収益に計上しますので、その金額が資産の取得価額として認識されることになります。

ただし次のものは取得価額に含めなくても構いません。

① 固定資産の取得のための借入金の利子
② 不動産取得税などの租税公課
③ 登録免許税など登記に要する費用
④ 購入契約を破棄して別の資産を取得する場合の違約金

現在の償却限度額の考え方

かつての償却費計算では、有形減価償却資産については取得価額の10%を残存価額として設定し、その残存価額まで償却が進んだら、さらに5%に達するまで償却費を計上するということが行われていました。しかし現在ではそのような考え方は改められ、すべての資産について備忘価額を1円残すまで償却計算を進めることができることとされています。

MEMO 不動産取得税：不動産を取得したときに課税される地方税（道府県税）。不動産の取得という事実に対し一度だけ課税される。ただし住宅用の土地建物などには軽減特例がある。

取得価額と償却限度額

■資産の取得価額

取得価額は資産の本体代金だけでなく、取得するまでに要した付随費用を含むこととされている。

パソコンの取得価額

パソコンの取得価額は、①の購入代価だけでなく、②や③の費用についても計上する必要がある。

①購入代価
②運送保険料、引き取り運賃、荷役費、購入手数料、関税、その他購入に要した費用
③据付費、電気配線工事、インターネット配線工事費、その他の事業の用に供するために直接要した費用

■残存価額と備忘価額

平成19年度の税制改正で残存価額が廃止された。改正前後の取扱いは下記のとおりとされている。

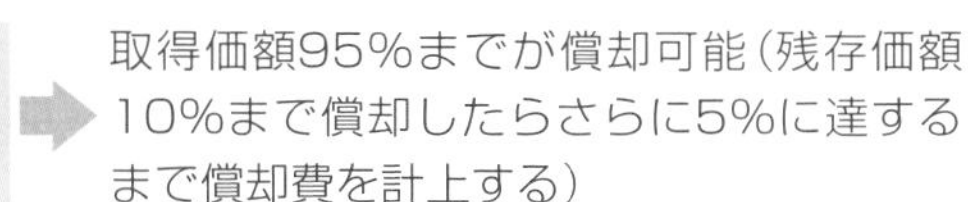

平成19年3月31日以前に取得した減価償却資産 ➡ 取得価額95%までが償却可能（残存価額10%まで償却したらさらに5%に達するまで償却費を計上する）

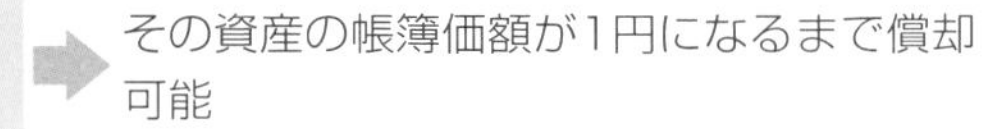

平成19年4月1日以降に取得した減価償却資産 ➡ その資産の帳簿価額が1円になるまで償却可能

Check

主な減価償却の方法には定額法と定率法があるが、それぞれに特徴と長所短所がある。定額法は、その名のとおり毎期の償却額が同額となる償却方法であり、償却の計算が簡便であることと、毎期の償却費が同額であるため経費予算が立てやすいことがメリットである。これに対して定率法は、取得当初は償却費が多額に計上され、年を経るごとに逓減していく。取得価額の早期償却で、早い年度の節税効果が大きいというメリットがある。

少額減価償却資産の特例

POINT
◆少額の減価償却資産には全額損金算入の特例がある
◆10万円未満の資産は無条件で損金算入できる
◆一定の要件を満たせば30万円未満でも一時償却が可能

減価償却の例外規定

減価償却の計算は、今まで説明してきたように、すべての資産について無差別かつ機械的に行われます。しかしあまり少額なものにまでその手続きを強要しても実務的なメリットがありません。そこで少額の資産についてはその計算を省略する下記の特例が用意されています。

① 全額損金算入

取得価額が10万円未満の資産については、資産計上せず、取得時に全額を費用とすることができます。その他の適用要件はありませんので、あえて資産計上して通常の償却をするか、一時の経費として全額を処理するか、すべての法人においていずれかを選択することができます。

② 一括償却資産として処理

取得価額が10万円以上の資産については、通常の減価償却をするのが原則ですが、取得価額が20万円未満であれば、一括償却資産とすることができます。これは取得価額20万円未満の資産を一括して、3年で均等償却する制度であり、月数按分もしなければ途中での除却滅失等についても配慮しません。一律に取得価額の3分の1の金額を3年間にわたって損金処理していくものです。ただし通常の減価償却を選択することもできます。

③ 30万円未満の資産の特例

取得価額が20万円を超えたら通常の減価償却をする以外に選択肢はないのですが、**青色申告法人である中小企業者**（資本金1億円以下）で従業員数が500人以下の法人については、さらにもう一つ特例が用意されています。

すなわち取得価額が30万円未満の資産についてその全額を損金に算入できるというものです（同一事業年度内で300万円を上限）。ただし過度の節税防止の観点から、貸付用資産は2022年4月1日以降取得分から適用除外となっています。

MEMO 青色申告法人：青色申告の承認を受けている法人。青色申告とは税務署に事前に届け出をして帳簿の備え付け記録等の義務を履行すれば、さまざまな特典が受けられる制度。

減価償却の例外規定

■減価償却の対象

減価償却の対象（減価償却資産）となるのは「有形固定資産」と「無形固定資産」であり、主な資産は下記のとおりである。なお、土地は有形固定資産だが、時が経過しても減価しないため、減価償却資産ではない。

有形固定資産	建物、構築物、車両運搬具、機械装置、器具備品など
無形固定資産	商標権、特許権、実用新案権、意匠権、ソフトウェアなど

■減価償却の例外

少額な資産については、減価償却の手続きを省略できる特例がある。

取得価額	償却方法
①10万円未満の資産	**全額損金算入** ・10万円未満の資産は全額経費として処理が可能 ・資産計上して通常の償却をするか、全額を経費として処理するか法人が自由に選択できる
②10万円以上20万円未満の資産	**一括償却資産として処理** ・10万円以上20万円未満の資産は一括償却できる ・3年間にわたり1/3ずつ均等に償却する ・資産計上して通常の償却をするか、1/3ずつ3年間で償却するか法人が自由に選択できる
③30万円未満の資産	**全額損金算入** ・青色申告の承認を受けている中小企業者（資本金1億円以下）で従業員数が500人以下である法人が対象 ・30万円未満の資産なら全額損金算入が可能 ・ただし、損金算入額は年間300万円が上限とされている

資本的支出と修繕費

POINT
◆固定資産の修理支出は原則として一時の損金となる
◆ただし資産の価値を高める金額は資産計上を要する
◆両者の区分には一定のルールがある

資本的支出と修繕費

建物や器具備品などの固定資産は時の経過とともに劣化しますから、古くなった資産には必ず修繕が発生します。この場合、その費用が畳替えや電球の交換、ペンキの塗り替えなどの現状維持のためのものであれば、**その支出額は修繕費として全額を支出時の損金とすることができます**。

これに対して、和室を洋室に改装したり車のエンジンを最新式のものに交換したりするようないわゆる大規模修繕が行われる場合には、新たな減価償却資産を購入するのと同等の効果を生みますので、支出額の全額を損金とするわけにはいきません。そこで**そのような費用を資本的支出と呼び**、新品の資産を取得するのと同様に資産計上して、減価償却の対象とすることになっています。

区分が困難な場合

ところが実務では、修繕費なのか資本的支出なのかの区別がはっきりせず、その支出の経理処理に困ることがあります。そこでまず支出額が20万円未満または修理の周期がおおむね3年以内であることが明らかなものは修繕費に区分してよいこととされています。さらに、その区分が困難な場合でも、**下記の基準に該当するときは修繕費とすることが認められています**。

① 支出額が60万円未満であるとき
② 支出額が支出の対象となった固定資産の前期末における取得価額のおおむね10%以下であるとき

また、ある支出が修繕費か資本的支出か明らかでない場合において、継続してその支出額の30%相当額とその修理をした固定資産の前期末取得価額の10%相当額とのいずれか少ない額を修繕費とし、残余の金額を資本的支出として経理しているときは、その経理が認められることとされています。

MEMO 資本的支出：収益的支出と対になる言葉。資本的支出は貸借対照表に、収益的支出は損益計算書に連動すると考えれば理解しやすい。すなわち前者は資産計上を要する支出を指す。

資本的支出と修繕費の区分

■全額を損金とできる修繕費

古くなった固定資産の維持

固定資産の現状維持のための支出額は、修繕費として支出時に損金算入が認められる。

■減価償却の対象となる修繕費

大規模な修繕

機械の部品などをより性能の高いものに交換したり、用途変更のための改装をするなど、大規模修繕の場合には資本的支出の扱いとなる。

■資本的支出か修繕費かの区分が困難な場合

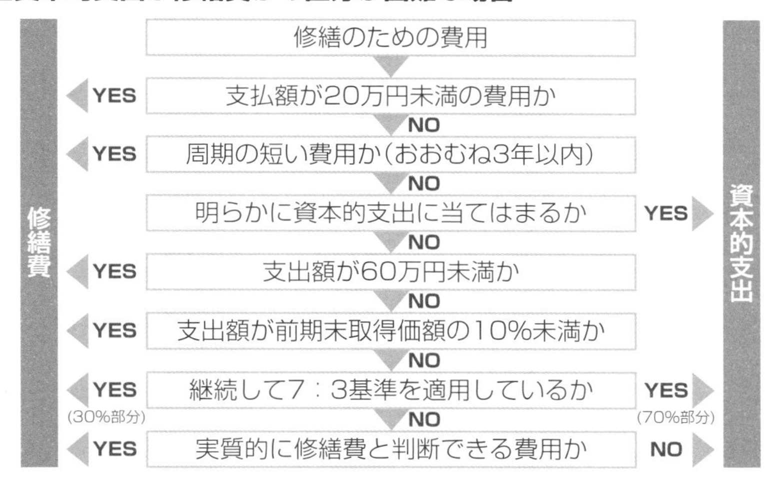

Check

簿記には借方と貸方があり、借方には資産の増加、負債の減少、費用の発生が、貸方にはその逆の取引が記録される。つまり資産の増加と費用の発生は同じジャンルに属することを示唆しており、固定資産の購入も修繕費の支出も、長い期間で見れば同じ「費用支出」なのである。これを1年という期間で人為的に区切るために、前者については減価償却という手続で複数年度にわたり費用化する手続が必要になり、重要性の乏しい少額なものは単年度で費用処理される。

会計上の繰延資産

POINT
- ◆効果が1年以上におよぶ支出を繰延資産という
- ◆会計上のものと税法固有の繰延資産がある
- ◆会計上の繰延資産は随時償却できる

会計上の繰延資産

支出に対する役務の提供を受けたけれども、その支出の効果が1年以上におよぶ費用を繰延資産といいます。支出に対する役務の提供を既に受けている点において、前払費用とは区別されます。

たとえば会社を設立し事業を開始するまでの間には、創立費や開業費などの費用が発生しますが、これら支出の効果は理論的にはその会社が存続する全期間におよぶといえます。会社の誕生という特別の出来事があったからこそ、会社は無期限に活動を続けられるからです。そこでそのような費用を支出した事業年度のみに負担させるのではなく、その後の一定の期間に割り振って費用化するのが合理的だという考え方から、繰延資産という概念が誕生しました。したがって名称は「資産」ですが、中身は費用そのものです。

会計上の繰延資産の税務での取り扱い

旧商法時代には繰延資産は限定的に列挙されていました。しかし現行の会社法はその規定を廃止し会計慣行に委ねることにしています。現在、企業会計基準委員会により会計上の繰延資産は下記の5つと定義されています。

① **創立費**…会社設立登記までに要した費用
② **開業費**…会社設立登記後、営業開始までに要した費用
③ **開発費**…新技術、新資源の開発、新市場の開拓に要した費用
④ **株式交付費**…株式募集のための広告費など株式の発行に要した費用
⑤ **社債等発行費**…社債募集のための広告費など社債の発行に要した費用

なお上記企業会計基準委員会は、これら繰延資産の償却期間を①～③は5年、④は3年、⑤は社債の償還期限内としています。ただし税務においては、これら資産は随時償却が認められており、したがってその取得価額の範囲内で自由に償却費を計上することができます。

MEMO 企業会計基準委員会：我が国の財務会計基準機構の内部組織である会計基準設定主体。かつての企業会計審議会の後継組織として、民間団体として組織された。

会計上の繰延資産の取り扱い

■会計上の繰延資産の考え方

法人が支払った費用のうち、支出の効果が1年以上におよぶものを繰延資産と呼ぶ。

設立したばかりの会社

繰延資産

- 創立費
- 開業費
- 開発費
- 株式交付費
- 社債等発行費

会社を設立するのに要した費用（創立費）

事業を開始するまでにかかった費用（開業費）

■会計上の繰延資産の取扱い

会計上の繰延資産は下記の5つが定義されている。長期間にわたって効果が続くという考え方から、複数年度にわたって徐々に費用化する処理が行われる。

種類	区分	償却期間
創立費	定款作成費用、設立登記の登録免許税、発起人の報酬、創立総会の費用、創立事務所の賃借料など	5年
開業費	開業準備のために特別に支出した広告費、接待費、旅費など	5年
開発費	新技術や新経営組織の採用、資源や市場の開拓のために特別に支出する調査費、コンサルタント料、広告費など	5年
株式交付費	株式募集のための広告費など	3年
社債等発行費	社債募集のための広告費など	償還期限内

Check

繰延資産には会計上のものと税法上のものとがある。このように会計と税務で取り扱いが異なる場合、圧倒的に影響力があるのは税法の規定である。なぜなら、日本の会社の大部分を占める非上場会社では、決算書情報の利用者が限られているため、会計基準の遵守が必ずしも必要とされず、申告調整を利用して会計と税務を区別するメリットがないからである。したがって多くの会社において、税務ルールにダイレクトに適合した決算書が作成されている。

税法固有の繰延資産

POINT
◆会計上の繰延資産のほかに税法固有の繰延資産がある
◆建物賃借の際に支払う権利金などがこれに該当する
◆税法上の繰延資産には償却期間が設定されている

税法固有の繰延資産

前項で説明したように、会計基準上は5つの繰延資産が定義されています。しかし**税法はこれとは別に数多くの繰延資産を規定しており、それら資産については詳細な償却期間が設定されています**。

税法固有の繰延資産の定義とその償却期間は次ページに示すとおりです。たとえば「建物を賃借するために支出する権利金等」には、不動産を賃借するときに一般に取引慣行として支払われる礼金などが含まれます。また、敷金や保証金などの退去時に返還されることが予定されている預け金のうち「償却」と称して返還されない部分の金額も、この権利金等に該当します。これらの支出は、それを支払わなければその建物を賃借することができないわけで、その意味では創業費や開業費と似た性格を持つといえます。そこで税法はこれを繰延資産と規定し、5年（契約期間が5年未満の時はその契約期間）で償却することとしています。

繰延資産の償却費は決算調整事項ですので、法人が償却費として損金経理した金額のうち「償却限度額以内の金額」が損金に算入されます。したがってその支出を全額費用処理してしまった場合には、償却可能限度額を超える部分の金額については税務調整が必要です。別表4で加算調整し、処分は留保として別表5(1)に同額を当期増加額として記載します。そして翌期以降、各事業年度の償却限度額に相当する金額を順次損金に算入していきます。

少額な繰延資産の取り扱い

税法上の繰延資産に該当してもその支出額が20万円未満であるときは、支出額の全額を損金経理することによりその全額を損金算入することができます。なお減価償却資産の場合には、一時に損金算入ができる少額資産の金額は10万円未満とされており、上限額が異なりますのでご注意下さい。

MEMO 権利金：土地や家屋などを賃借する際、借主が貸主に支払う金銭。契約終了時に返還されない点において敷金や保証金と異なる。したがって敷金等の償却部分も権利金となる。

税法上の繰延資産の取り扱い

■税法上の繰延資産の定義と償却期間

税法上の繰延資産には数多くの種類がある。それら繰延資産には、償却期間が個別に設定されており、その期間内で均等に償却する。

種類	区分	償却期間
公共的施設等の設置又は改良のために支出する費用	負担者が施設などを専用で使用する場合	施設の耐用年数の70%の年数
	上記以外	施設の耐用年数の40%の年数
共同的施設等の設置又は改良のために支出する費用	負担者等の共同の用、協会等の本来の用に供される場合	施設の耐用年数の70%の年数
	商店街等のアーケード、日よけ、すずらん灯、アーチ等の負担者の共同の用に供されるとともに併せて一般公衆の用にも供されるものである場合	5年(その施設の耐用年数が5年未満の場合はその耐用年数)
建物を賃借するために支出する権利金等	建物の存続期間中、貸借できる状況にある場合	建物の耐用年数の70%の年数
	借家権として転売可能な場合	建物の見積残存耐用年数の70%の年数
	上記以外	5年(契約による賃借期間が5年未満の場合はその期間)
広告宣伝用資産の贈与費用等	代理店・特約店等に広告宣伝用資産を贈与した場合(看板、陳列ケース、什器、ネオンサイン等)	その資産の耐用年数の70%の年数(最長5年)
その他	同業者団体の加入金など	5年

COLUMN 4

個人所得・個人財産の調査

税務調査で誤りを指摘されても、それがコラム3でご説明した「期ズレ」などであれば、調査現場の雰囲気は比較的穏やかです。誤りはどこにでも生じるものであり、それを会社が認めて修正申告に素直に応じるなら、調査官が声を荒らげる必要もないからです。

しかし、利益を隠蔽していると思われる証拠が発見されると、調査官の顔つきは途端に険しくなります。利益が翌期以降に計上される「期ズレ」と、利益を永遠に隠してしまおうとする仮装隠蔽行為とでは、物事の本質が全く異なるからです。

たとえば、「取引先から回収してきた売上代金の小切手を、社長が自分の個人口座に入金してしまう」「実際には業務に全く関わっていない経営者の親族や愛人への手当を従業員の給料に混在させている」「慰安旅行の代金が福利厚生費に計上されているが実態は家族旅行だった」「会社の備品として購入したパソコンや家電製品が私生活で使われている」等々。これらの行為は明らかな「仮装隠蔽」であり、調査官としては、これを見逃すわけにはいきません。

そこで、このような事実が確認された場合には、経営者の個人財産に調査の手がおよぶことになります。「会社の調査に来たのに、なぜ個人の預金通帳まで見せなければならないんだ」と腹を立てる経営者もいますが、税務調査はそもそも性悪説に立って行われるものですから、身の潔白は自ら証明しなければなりません。「経営者個人の預金口座に、会社の取引先からの不審な入金はないか」、「個人財産の形成状況は会社から得ている役員報酬の金額と比較してアンバランスではないか」。これらの点に疑問を持たれたら、個人の財産を開示させられることを覚悟しなければなりません。

中小企業の経営者は、建前上は会社とは別人格ですが、税務署や金融機関などの外部の人からは、表裏一体のワンセットとして見られているということを承知しておかなければなりません。

PART 4

損益計算書科目と税務調整

この章では、決算書を構成する重要な書類である損益計算書の科目について説明します。科目ごとの注意点や税務調整のしくみなどについて学びましょう。

役員給与① 定期同額給与

POINT
◆一般社員と役員とでは会社との契約が異なる
◆役員給与は利益操作の手段に利用されやすい
◆そのため損金算入には厳しい条件が付されている

役員への制約

役員とは取締役、監査役、執行役、理事などを指します。また、相談役、顧問などの肩書きの人で、その法人の経営に従事している人も役員に含まれます。これらの人は、会社経営に関して「弱い立場」の一般従業員とは異なり、会社を支配する「強い立場」にあるので、**課税の公平の見地から一般社員とは区別してさまざまな制約が設けられています。**

その制約のうち最も大きなものは、給料の損金算入に関する条件です。一般社員を雇用する場合、雇用契約に基づいて支払われる給与に関して税務上のクレームがつくことはまずありません。極論すれば、正しい労働の対価であれば、いついくらの給料を支払っても問題とされることはないのです（一般社員に恣意的な給与が支給されること自体、そもそもあり得ませんが）。これに対して**役員給与の場合には、正しい対価であっても次に掲げる条件を満たさなければ損金に算入することができません。**

定期同額給与

損金算入が認められる役員給与とは、下記の条件を満たすものです。

①**支給時期が1月以下の一定期間ごとである給与で次に掲げるもの**：
- 毎回の支給額が同額であるもの
- その事業年度開始の日から3ヶ月以内に給与の改定が行われた場合には、改定前と改定後のそれぞれの期間の支給額が同額であるもの
- 経営の著しい悪化、役員の地位変更などにより期中で給与改定が行われた場合には、改定前と改定後のそれぞれの期間の支給額が同額であるもの

②**事前確定届出給与**：あらかじめ支給日と支給金額を届け出た給与

③**業績連動給与**：非同族会社の業務執行役員に支給される一定の給与

中小企業では、①の定期同額が最も一般的な制約条件となります。

MEMO 委任契約：当事者の一方が法律行為をすることを相手方に委託し、相手方がこれを承諾することを内容とする契約。成果物を求めない点で請負契約と異なる。

役員給与の損金算入要件

■損金算入できる役員給与のしくみ

役員に対する制約の中で一番大きなものは、給与の取り扱いについてである。役員給与は下記の1～3のように定められており、この条件を満たさない給与は、損金算入が認められない。

1 定期同額給与

1年間継続して同じ月額の給与を支払うこと。原則として、給与の増減差額は損金とは認められないが、株主総会で給与の改定が承認された場合は、その増減額は損金に算入できる。

株主総会で役員給与改定を承認

損金算入できる給与の増額

事業年度開始

20万円

60万円

株主総会

80万円

1月 2月 3月 4月 5月 6月 7月 8月 9月 10月 11月 12月

2 事前確定届出給与

役員給与は年俸制のため、通常「賞与」はないが、事前に税務署に届け出ていれば「賞与」も損金と認められる。

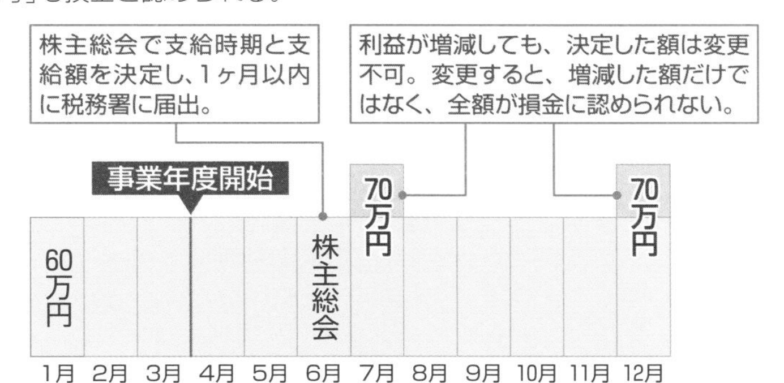
株主総会で支給時期と支給額を決定し、1ヶ月以内に税務署に届出。
利益が増減しても、決定した額は変更不可。変更すると、増減した額だけではなく、全額が損金に認められない。
事業年度開始
70万円
70万円
60万円
株主総会
1月 2月 3月 4月 5月 6月 7月 8月 9月 10月 11月 12月

3 業績連動給与

定額給与がルールの役員給与だが、条件に合えば利益や売上に連動して給与を支払うことが認められる制度。下記適用条件に注意が必要である。

- 同族会社ではないこと
- 有価証券報告書に記載されていること

役員給与② 不相当に高額な場合

POINT
- ◆定期同額でも不相当に高額な部分は損金不算入となる
- ◆不相当高額の判定には実質基準と形式基準がある
- ◆損金不算入給与は別表4で加算調整する

損金不算入の実質条件

前項で説明したように、役員給与を損金として認めてもらうためには、**毎月同額で支給することが条件**です。株主総会で給与の増額が承認されれば、総会後から支給額を変更するのは構いませんが、**変更後はやはりずっと同額で支給し続けなければ損金算入は認められません**。つまり、年俸制が原則であり、業績に応じて手当を払ったり、盆暮れに賞与を支給したりするなどの支給方法は役員給与としてはふさわしくないということです。

ただし、きちんと定期同額で支払ったとしても、**その金額が不相当に高額であれば、やはり損金算入は認められません**。支払うことは自由だけれども会社の経費としては認めないということで、源泉所得税も法人税も課税されるダブルパンチとなってしまいます。「不相当に高額」がいくらかは、事実認定が難しく自己判断はつきにくいのですが、職務内容や会社収益、一般社員の給与水準などに照らして判断します。業界の平均額や一般社員とのバランスなどを検討して、あまり突出した金額とならないように配慮することが必要です。

形式基準にも注意

なお上記の実質基準に対して、形式基準で損金不算入となることがあるので注意が必要です。役員給与の年間支給合計額が、**定款や株主総会の決議などにより定められた役員給与の限度額を超えるときは、その超える部分の金額は明確に損金不算入となります**。実際には、自分が所有し経営する同族会社だとしても、法律上は株主の自分が役員である自分の給与に上限を設けているわけですから、それを超えてはいけません。専門家任せで登記書類を作っているようなケースでは、十分な注意が必要です。

なお、不相当に高額と判定された部分の役員給与は、決算書では修正のしようがないので、**申告書別表4にて加算調整(社外流出)します**。

MEMO 定款：会社の社名や本店所在地、営業目的、組織構成、取締役および監査役等の構成員、決算期などの基本規則を定めたもの。会社設立時に作成し、公証役場で認証を受ける。

損金算入の実質基準と形式基準

実質基準と形式基準で判断する

役員給与を損金に算入するためには、年俸制であることが原則である。しかし、いくら原則に従っていても、不相当に高額な給与だと損金としては認められない。

- 業績によって増減する給与
- 夏と冬の特別賞与
- 不相当に高額な定額給与

損金不算入

- 定期同額の給与
- 株主総会の増額の承認を受けて変更した給与
- 職務の対価として相当な給与

損金算入

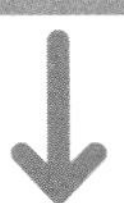

別表4
損金算入が認められない給与については、別表4にて加算調整する。

不相当に高額な定額給与は、損金算入が認められないので法人税と源泉所得税が課税されてしまいます。

実質基準

下記のデータから役員報酬が妥当であるかどうかを判断するのが、実質基準の考え方。

- その役員の職務内容
- 会社の収益
- 一般社員の給与額
- 同業界の事業規模などが似ている他社の平均給与額

形式基準

下記の条件に合致していることが、役員給与の損金算入を認める形式基準。

- 支給する役員報酬の総額が、株主総会の決議や定款で定めた役員報酬限度額以内となっていること

役員退職給与の取り扱い

POINT
- ◆役員退職金は原則として損金に算入される
- ◆株主総会決議があった事業年度に支給するのが原則
- ◆不相当に高額な部分の金額は損金に算入されない

損金算入時期

役員退職金の支給は、株主総会の承認事項です。取締役の私利私欲で多額の退職金が支給され、会社に損害を与えられては困るので、「**株主の承認**」という「歯止め装置」が設けられています。税務においても、役員退職金の損金算入が認められるためには、**その支給を承認した旨の株主総会議事録の存在が大前提**となります。小さな会社では議事録の整備がされていない事例も少なくありませんが、書類の整備保存には細心の注意を払いたいものです。

役員退職金の損金算入時期は、原則として、**株主総会の決議等によって退職金の額が具体的に確定した日の属する事業年度**です。ただし、法人が退職金を実際に支払った事業年度において損金経理をした場合は、その支払った事業年度において損金の額に算入することも認められます。たとえば、創業者に対する高額の退職金を1事業年度で払いきれない場合には、数年に分割して、その支払った都度の損金とすることも可能です。

退職金の適正額

役員退職給与は、毎年の役員給与と同じように、不相当に高額な部分については損金に算入できません。しかしその適正額の判断は、金額が大きいだけに容易ではありません。一般には「**最終給与月額×在任年数×功績倍率**」が適正額の上限といわれますが、功績倍率についても明確な指標が定められているわけではないのです。役員退職金規程が整備されているなら問題ありませんが、たとえば、オーナー社長が引退する場合などは超法規的になることもあり、その判断には苦労することでしょう。業界の先例や最近の平均支給額など、揃えられる資料を準備しておきたいものです。なお形式的には退職しても、「陰の権力」を行使し続ける場合には、退職の事実そのものを否定され、損金算入を否認される危険性がありますので、十分な注意が必要です。

MEMO 代表取締役などが会長などに分掌変更して退職金を受け取る場合には、報酬額が50%以上減額されるなど、実質的な退職の事実がないと退職金の損金算入を否認される危険がある。

適正な役員退職金の判断

■役員退職金と株主総会の関係

役員の退職金について、取締役などが勝手にその支給を決定することはできない。株主総会の承認が必要である。

株主総会議事録
株主総会
STOP!!
取締役
承認の議事録
株主の承認
役員退職金が損金として認められるためには、株主総会での「株主の承認」と承認を記す「議事録」が必要。
役員退職金
代表取締役から会長などへの分掌変更の場合には、報酬の激減などの事実がないと否認される危険性がある。
退職する役員

■適正な役員退職金の判断方法

役員退職金が損金と認められるためには「適正額」の判断が必要である。一般に下記の計算式が用いられるが、明確な指標はなく、役員給与の実質基準と同様に、同業界の水準なども考慮に入れての判断が必要である。

一般的な適正額

適正な退職金額 ＝ 最終給与月額 × 在任年数 × 功績倍率

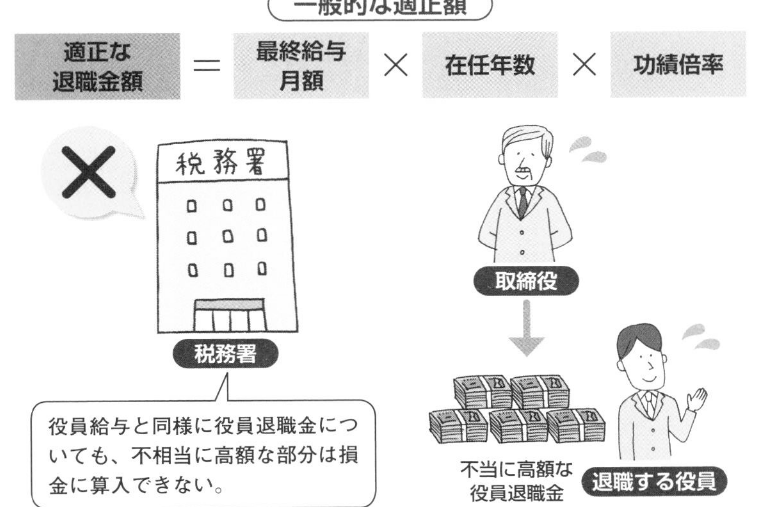

税務署
税務署
役員給与と同様に役員退職金についても、不相当に高額な部分は損金に算入できない。
取締役
不当に高額な役員退職金
退職する役員

使用人給与を巡る問題

POINT
- ◆特殊関係親族は役員とみなされることがある
- ◆使用人兼務役員の使用人分給与には制約はない
- ◆経済的利益などの現物給与は源泉徴収の対象となる

2つの顔がある使用人兼務役員

使用人兼務役員とは、部長、支店長、支配人などの使用人としての職制上の地位を有する役員で、**常時使用人としての職務に従事している人**を指します。たとえば、取締役営業部長や取締役支店長などの肩書きのある人がこれに相当し、いわば一人の人に役員と一般社員の2つの顔があるということになります。したがって、使用人の地位とは無関係な代表取締役、専務取締役、常務取締役、監査役、会計参与などは使用人兼務役員ではありません。

使用人兼務役員に支給される給与については、これを**役員給与**と**使用人分の給与とに分割**して、前者については定期同額給与のみが損金に算入されるという制約を受けますが、後者については通常の経費として処理されます。

特殊関係親族の取り扱い

使用人に支給される給与には、原則として損金算入の制約はありません。しかし、**役員の親族や生計の支援を受けている者など役員と特殊関係にある者に支給される金額については、役員給与と同様に、不相当に高額な金額は損金に算入されません**。税務調査ではたびたび問題となる事項ですが、社長の妻や子供、特殊関係にある女性などに給料が支払われている場合、その人が会社の業務にどの程度従事しているのかがつぶさに調べられ、勤務実態がないケースなどでは、支給額の全額の損金算入を否認されることもあります。

現物給与の問題

特殊関係人以外の、一般社員の給与が否認されることは滅多にありませんが、源泉徴収の問題では指摘を受けることが少なくありません。たとえば、社員への無利息または低利による融資、自己負担額のない社宅の貸与、豪華な旅行への招待などが行われた場合には、**給与の支給があったものとみなして、源泉徴収税額の追徴が行われることがあります。**

MEMO 現物給与：役員や一般社員に、金銭以外で支給される経済的利益。住宅の貸与、金銭の貸し付け、記念品の支給などさまざまな形態があり、一定レベル以上のものは給与として課税される。

使用人給与

使用人給与の取扱い

使用人兼務役員に支払われる給与は、役員としての給与と、経費として処理される使用人分の給与の２つに分割して、その損金性が判断される。

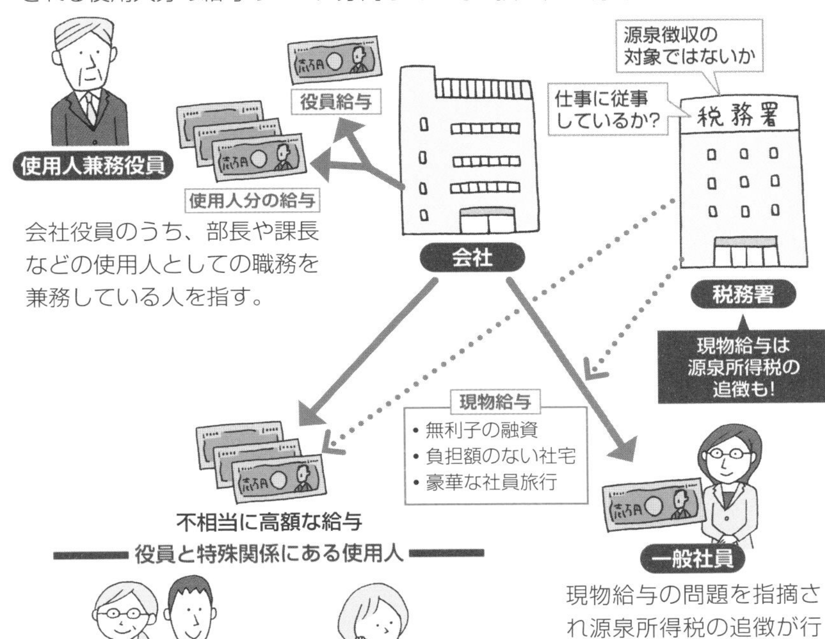

役員と特殊関係にある人や親族は役員とみなされることもある。支給金額については、業務への従事度合や勤務実態などの調査の結果、損金に認められないこともある。

Check

たとえば従業員の永年勤続表彰をする場合、社会一般的にみて相当な金額以内であり、勤続年数がおおむね10年以上である人を対象とし、同じ人を2回以上表彰する場合には5年以上の間隔があいている、などの条件を満たせば福利厚生費処理ができるが、そうでない場合には給与支給があったものとみなされる。この他にも、従業員への金銭貸し付け、社宅貸与、食事支給、交通費支給などさまざまなケースごとに規定が設けられている。

交際費課税

POINT
◆交際費は損金算入の制約を受ける
◆飲食代などでは交際費から除外できるものもある
◆中小企業は交際費課税が軽減されている

交際費の扱い

交際費とは、交際費、接待費、機密費などの費用で、法人が**取引先や事業関係者などに対して行う接待、慰安、贈答などの費用**を指します。交際費の支出により利益が減れば、納税額も比例して減るので、損金算入はいわば飲み代を国から補助されているようなものです。また通常は、支出側の経費は相手方の収入となりますが、接待を受けた人に、その経済的利益を課税することは物理的に不可能です。このような背景から、**交際費についてはその全部または一部の損金算入を認めないとするしくみが制度化されてきました。**

このように交際費は、税務上厳しい扱いを受けますので、交際費に該当するかどうかは税務上大きな問題です。具体的には、次ページのような取り扱いがありますので、その区分に注意して勘定科目を設定して下さい。

損金不算入額の計算

交際費の損金不算入額は、従来は、大企業においては全額損金不算入、中小企業の場合は年800万円までを損金算入枠とし、それを超える部分は損金不算入という取り扱いでした。しかし長引く不況の中で「景気活性化策を導入すべき」との意見があり、現在では**飲食代については資本金が100億円を超える法人を除き50%を損金と認める**ことになっています。

交際費の損金不算入額は、下記の算式で計算します。

①**資本金1億円以下の中小法人**
　a.**交際費の額－800万円×その事業年度の月数／12**
　b.**交際費の額－接待飲食費×50%**
　上記のうちいずれか低い金額

②**資本金1億円超の大法人**
　交際費の額－接待飲食費×50%（資本金100億円超の法人は交際費全額）

MEMO 交際費では、隣接費用との区別が節税の鍵となる。たとえば、カレンダーや手帳などを贈与する費用は広告宣伝費、事前に支払基準が明示されているリベートなどは販売促進費となる。

交際費の考え方と特例

■飲食費の取扱い

交際費のうち、1人当たり10,000円以下（注）の飲食費は交際費から除外することが可能。ただし、社内飲食費は除き、所定の記録が保存されているものに限る。

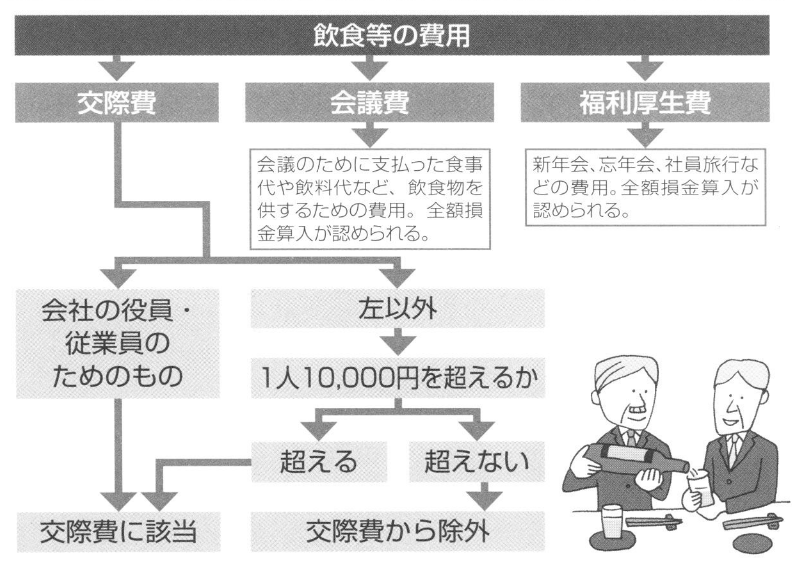

（注）令和6年3月31日以前の支出は5,000円以下。

■交際費の損金算入の特例

消費拡大による経済の活性化の観点から交際費の損金算入についての改正が行われ、現在では飲食代の50%相当額は、損金算入が認められる取扱いとなっている。

原　則

交際費は全額損金不算入。

特例措置

資本金が100億円を超える法人を除き飲食代の50%に相当する金額が損金として認められる。つまり**交際費の額－接待飲食費×50%が損金不算入**

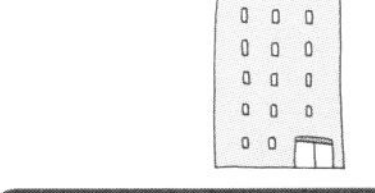

資本金１億円以下の法人

原　則

上限800万円までは損金算入が認められる。

特例措置

①交際費の額－800万円×その事業年度の月数／12
②交際費の額－接待飲食費×50%
①②のうち低い金額が損金不算入となる

寄付金課税

POINT
◆一般寄付金の損金算入額は小さい
◆公的な寄付は全額損金算入されるものもある
◆寄付金とみなされて課税される取引がある

無償の譲渡である寄付金

寄付という行為は、相手先に反対給付を求めない無償の譲渡を指します。反対給付がないということは、つまり事業に役立つ支出ではないことを意味しますから、営利法人にとっての寄付は、ほぼ損金性がないといわなければなりません。しかし、国として公益性の高い寄付を推奨したいという考えもあります。そこで、**公益性の低い寄付金はほとんど損金に算入せず、公的な寄付金には大きな損金算入枠を与える**というしくみが導入されています。それが、寄付金の損金不算入という制度です。

寄付金の損金算入限度額

寄付金の損金算入限度額は、「**一般寄付金**」と「**公益の増進に著しく寄与する法人に対するもの**」とに区別して、それぞれについて次ページの算式で計算することとされています。一般寄付金の場合、たとえば資本金基準は1,000分の2.5ですから、資本金が1,000万円なら資本金基準額はわずか25,000円しかないわけで、損金算入限度額がいかに小さいかがわかります。

寄付とみなされる取引もある

自ら進んで寄付をしたわけではないのに、寄付金の支出があったものとみなされることがあります。社外の人に特別な利益供与をした場合などです。

たとえば、帳簿価額1,000万円、時価4,000万円の土地を取引先に3,000万円で譲渡した場合、キャッシュベースで考えれば1,000万円で買ったものを3,000万円で売ったので、利益は2,000万円です。しかし税務では時価の4,000万円に着目し、4,000万円の譲渡対価から1,000万円を相手に寄付したので3,000万円しか入金がなかったと考えます。つまり譲渡益3,000万円と、寄付金1,000万円が両建てになるのです。

MEMO 不良債権について貸倒損失処理をするとき、回収不能が確定していない、あるいは回収努力が十分に行われていないなどのケースでは、借方科目が寄付金と認定されることがある。

寄付金課税のしくみ

■寄付金の区分

法人が支出する寄付金は、ほとんどが損金として認められない。しかし、特定の団体への寄付に関しては公益性の高い寄付を奨励するという国の考え方から、支出額の全額が損金に算入されるしくみが導入されている。

区　分	損金算入額
①国又は地方公共団体に対する寄付金	国や地方公共団体に対する寄付金および指定寄付金は、その支払った全額が損金に算入される
②指定寄付金	
③特定公益増進法人に対する寄付金	特定公益増進法人に対する寄付金は、次のいずれか少ない金額が損金に算入される (1) 特定公益増進法人に対する寄付金の合計額 (2) 特別損金算入限度額 〔資本金等の額 ×当期の月数 /12 × 1,000 分の 3.75 + 所得の金額 × 100 分の 6.25〕 × 2 分の 1 注：特定公益増進法人に対する寄付金のうち損金に算入されなかった金額は、一般の寄付金の額に含める
④特定公益信託の信託財産とするために支出した金銭	特定公益信託の信託財産とするために支出した金銭は寄付金とみなされ、そのうち一定の要件を満たすもの（認定特定公益信託）は、③の寄付金に含めて損金算入額を計算する
⑤認定 NPO 法人等に対する寄付金（※）	認定 NPO 法人等に対する寄付金（指定寄付金に該当するものを除く）は、③の寄付金に含めて損金算入額を計算する ※認定 NPO 法人等に対し、認定の有効期間内に支出する寄付金について適用される
⑥政治活動に関する寄付金	〔資本金等の額 ×当期の月数 /12 × 1,000 分の 2.5 + 所得の金額× 100 分の 2.5〕 × 4 分の 1 =〔損金算入限度額〕
⑦一般の寄付金（上記以外）	

Check

企業版ふるさと納税（地方創生応援税制）は、一定の地方公共団体に法人が寄付をした際に次の優遇措置が受けられる制度である（2025年3月31日まで）。

1.寄付額の全額が損金に算入できる
2.寄付額の20%を法人事業税から控除できる
3.寄付額の40%を法人住民税から控除できる（控除しきれない額は法人税から控除可）

1.の損金算入により約30%の法人税・法人住民税等の負担が軽減され、トータルでは寄付額の90%（30%+20%+40%）近くの税負担が軽減されることになる。

租税公課の取り扱い

POINT
◆法人税や住民税は損金に算入されない
◆法人事業税や印紙税、固定資産税は損金に算入できる
◆損金不算入の租税公課は申告調整の対象とされる

租税公課の2つの種類

租税公課には支払額が損金に算入されるものと、されないものがあります。後者の代表例には**法人税**、**法人地方税**、**法人住民税**などがあります。これら租税は、所得金額そのものを課税の対象としており、それに対する税負担は、いわば利益処分に相当するものであること、また、これら租税が損金に算入されたら、その分だけ課税対象額が侵食されてしまい、健全な課税システムが維持できないことなどが損金不算入の理由であると思われます。

これに対して、損金算入が認められる租税公課には、**固定資産税**、**法人事業税**、**印紙税**などがあります。これらは所得金額を課税の対象としておらず（事業税には所得を対象とする計算式が導入されていますが、外形標準課税など所得以外を課税標準とする考え方が本来的です）、損金算入を認めても特に問題がないからであると思われます。

なお、期限内の納税が完了しなかった場合に課される**延滞税**や**過少申告加算税**および**重加算税**などの**加算税**、**罰金**および**科料並びに過料**は、その制裁効果が減ずることを防止するため、すべて損金不算入とされています。

損金算入の時期

損金算入される租税公課は、それぞれ次の時点で損金に算入します。

①申告納税方式の租税

事業税など申告納税による租税は、**納税申告書を提出した事業年度の損金**とされます。

②賦課課税方式の租税

固定資産税など賦課課税方式の租税は、**賦課決定のあった日を含む事業年度**の損金とされます。ただし、納付開始日または実際に納付した時点で損金経理をした場合は、それが認められます。

MEMO 過少申告加算税：期限内申告をした内容に誤りがあった場合に、追加で納める税金に対して課される加算税。期限後申告の場合には無申告加算税、悪質な場合は重加算税が課される。

租税公課の取り扱い

■租税公課の区分

租税公課とは、「租税」と「公課」を合わせた言葉である。「租税」とは、国税や地方税などの税金を指し、「公課」とは国や地方公共団体などから課される会費・賦課金、反則金などを指す。その内容や性格により、損金に算入できるものとできないものがある。

租税公課

損金に算入できる

- 自動車税種別割
- 自動車重量税
- 法人事業税
- 事業所税
- 軽油引取税
- 印紙税
- 固定資産税
- 不動産取得税
- 登録免許税
- 利子税

損金に算入できない

- 法人税
- 法人住民税
- 制裁措置金の意味合いがある科料、反則金
- 延滞税などの加算税

損金算入できる税金は数多くあるので注意しましょう。

Check

賦課課税方式による税金は、原則として賦課決定のあった事業年度の損金とされる。固定資産税は1月1日現在の資産の所有者に対して課税され、各年の6月から翌年2月にかけて4回に分割して納付するルールとなっているので、納税通知書の届く6月に1年分を損金計上するのが原則とされる。ただし実際に納付したときに損金算入することも認められているため、納付の都度、費用計上してもよい。

受取配当金の益金不算入制度

POINT
- ◆受取配当金の益金不算入制度は法人擬制説が根拠
- ◆一般的な配当金はその20%を益金不算入にできる
- ◆支払利子があるときは受取配当金から控除する

益金不算入制度の趣旨

P38で説明したように、会社には**法人擬制説**という見方があります。これは、会社を株主の集合体とする考え方で、この説に立つと、「法人税が課税された会社所得が個人株主に配当されたときに、再び所得税が課税されるのは、一つの所得に対する国税の二重課税である」という考え方が成り立ちます。そこで、**個人株主に対しては、配当所得の原則として10%を所得税額から控除する「配当控除」という税額控除が導入されました**。これにより、法人税と所得税の二重課税が調整されるしくみです。

ただし、このしくみが理論的に整合性を保つためには、法人が得た所得に法人税が課税されるのは1回限りでなければなりません。しかし、現実には法人間配当が存在し、法人株主が受ける配当金には、その都度法人税が課税されます。そこで法人間配当については、受取り法人の配当金の全部または一部を益金不算入として、法人税が多重課税されない制度が導入されました。

益金不算入制度のしくみ

法人が内国法人から受ける配当金については、下記の金額が益金不算入とされます。

①**完全子会社から受ける配当金…その全額**
②**関連会社から受ける配当金…配当金の金額の全額または50%相当額**
③**上記以外の法人から受ける配当金…配当金の金額の50%または20%相当額**

なお、受取配当金の益金不算入額の計算をする事業年度において、支払利子があるときは、そのうち一定の金額を配当金の額から控除しなければならないこととされています。これは、「株式購入のための借入金利子を損金算入し、他方で受取配当金を益金不算入扱いするのは理屈に合わない」という考え方によるものです。

MEMO 配当控除：個人の確定申告において、総合課税を選択した配当所得の金額の原則として10%相当額を所得税額から控除する制度。分離課税を選択したときは適用されない。

受取配当金の益金不算入と配当控除

■二重課税調整のしくみ

株主に配当される配当金には、すでに法人税が課税されている。その課税済みの利益が個人株主に配当されると、今度は所得税が課税されてしまい二重課税となってしまう。それを防ぐための制度が配当控除である。

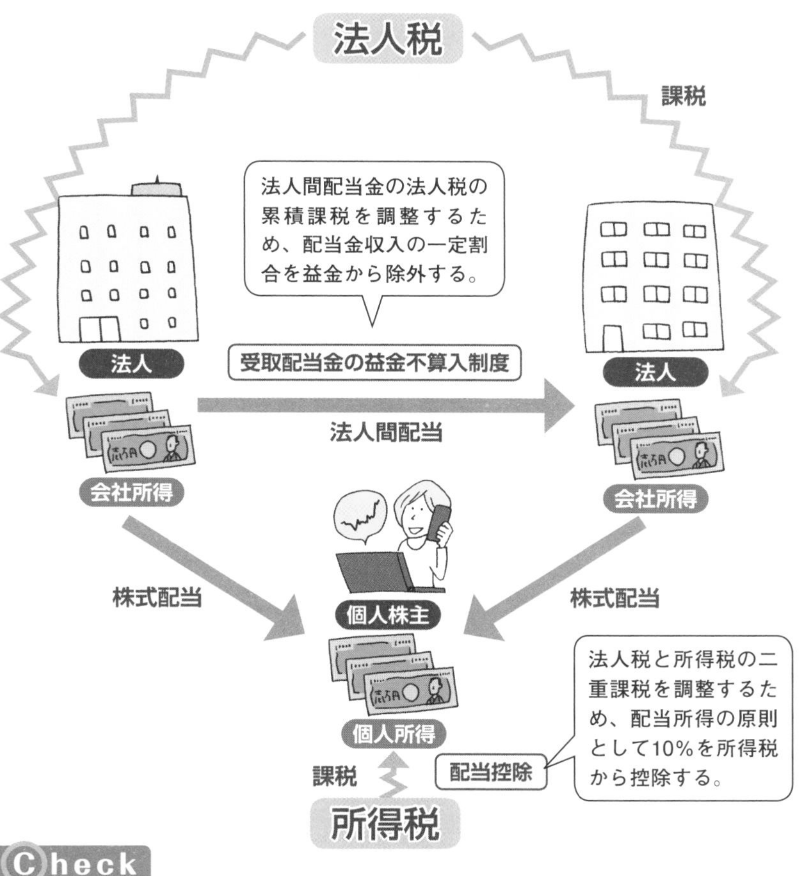

Check

個人所得税の計算においては、税負担を軽減させるしくみとして所得控除と税額控除の二種類が用意されている。前者は所得金額から控除され、その控除後の金額に対して税率を乗じる。これに対して後者は、算出された税額からダイレクトに控除するものであり、節税効果はかなり大きい。配当控除は税額控除なので、二重課税の調整措置として相応の効果を生じる。

欠損金の取り扱い

POINT
- ◆青色申告事業年度に生じた欠損金が控除対象
- ◆翌年以降10年間に繰り越すのが繰越控除
- ◆前期も青色申告なら繰り戻し還付を選択できる

欠損金に関する制度の趣旨

法人税は本来、単年度課税であり、その事業年度の所得のみが課税対象とされます。しかし、たとえばある事業年度に1億円の黒字が生じ、次年度が1億円の赤字だったら、2年を通算すれば所得は0なのに、単年度課税のままでは最初の1億円に多額の法人税が課税されてしまいます。そこで、そのような弊害を取り除くため、**欠損金を他事業年度の所得と通算するしくみが制度化されました。**それが欠損金の繰越控除と繰り戻しによる還付です。

なお、欠損金とは複雑な計算の結果として算出される極めて抽象的な概念であり、目に見えるものではありません。したがって、その通算を認めるには、所得計算のプロセスが帳簿書類からしっかり確認できることが必要です。

そこで本制度は**青色申告法人にのみ認められ**、白色申告の事業年度に生じた欠損金はその対象から除外されます。

繰越控除および繰り戻し還付

青色申告の特典である青色欠損金の繰越控除は、**青色申告の承認を受けている事業年度において生じた欠損金を、その翌事業年度以降10年間にわたって繰り越すことを認める制度**です。欠損金が1,000万円あり、翌事業年度以降の所得が毎期200万円だったら、5期にわたって繰越控除が行われ、その間は所得金額が0となり、法人税の納税義務は生じません。ただし、資本金が1億円を超える企業は、所得金額の50%しか通算の対象とすることができません。欠損年度において青色申告の適用を受けており、次年度以降連続して確定申告をしていれば、繰越先の年度は白色でも繰越控除は受けられます。

同じく特典である繰り戻し制度とは、**欠損金をその前事業年度に繰り戻し、既に納めた法人税の全部または一部の還付を受ける制度**です。欠損事業年度とその前事業年度ともに青色申告をしていることが要件とされています。

MEMO 繰り戻しの適用を受ける場合の還付金額は、「前事業年度の法人税額×繰り戻しの対象とする欠損金額／前事業年度の所得金額」により算出する。

欠損金の繰越控除と繰り戻し還付

■欠損金の繰越控除のしくみ

繰越控除とは、欠損金を翌年度以降に発生した利益と相殺することができる制度である。10年間の繰越控除が認められている（平成30年4月1日前開始年度において生じる欠損金の繰越期間は9年となる）。

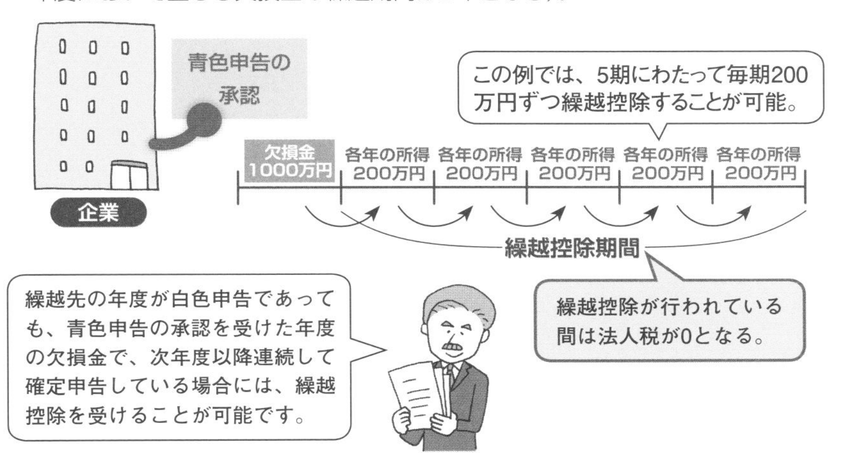
青色申告の承認
企業
この例では、5期にわたって毎期200万円ずつ繰越控除することが可能。
欠損金 1000万円
各年の所得 200万円
各年の所得 200万円
各年の所得 200万円
各年の所得 200万円
各年の所得 200万円
繰越控除期間
繰越控除が行われている間は法人税が0となる。
繰越先の年度が白色申告であっても、青色申告の承認を受けた年度の欠損金で、次年度以降連続して確定申告している場合には、繰越控除を受けることが可能です。

■繰り戻し還付のしくみ

繰り戻し還付とは、赤字を一期前の事業年度の所得と通算し、前期に納税した法人税の還付を受ける制度である。

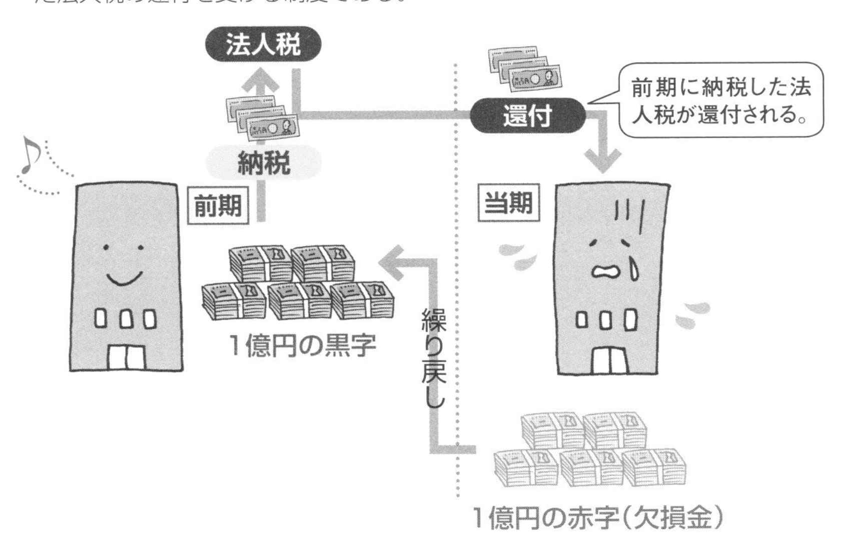
法人税
納税
還付
前期に納税した法人税が還付される。
前期
当期
1億円の黒字
繰り戻し
1億円の赤字（欠損金）

COLUMN 5

消費税の調査

平成元年に消費税が導入されて以来、法人税の税務調査では消費税が常にセットで調べられています。それは当然といえばあまりに当然のことで、たとえば、法人税において100万円の売上計上漏れが指摘されれば、同時に10万円(税率10%の場合)の消費税の申告漏れとなるからです。したがって、法人税について修正申告をする場合には、ほとんどの場合において消費税にも修正申告義務が生じます。ただしやっかいなのは、それが完全連動ではないことです。

その理由は、法人税と消費税の間に取引の認識時期の差があるためです。たとえば車両や備品を購入した場合、その取得価額は法人税の所得計算では減価償却を通じて、徐々に損金に算入されていきます。これに対して消費税の計算では、資産の購入時点で購入額に加算された消費税の全額を仕入税額控除の対象とします。期末棚卸高についても同様で、商品は仕入時点で仕入税額控除の対象とされるため、期末棚卸高に関して法人税の修正申告が生じても消費税の計算には影響がありません。

また消費税の調査においては、その税区分が重要な調査項目とされます。たとえば、店舗や事務所の支払家賃は課税仕入に該当しますが住宅家賃は非課税です。これをうっかり課税仕入に区分してしまうと、仕入控除税額が過大に計算されていることになり、修正申告の対象になってしまいます。同様に下請け外注費について、支払先が完全に独立していない場合には、請負契約ではなく雇用関係と認定されて源泉徴収漏れを指摘されることがありますが、それは同時に消費税の追徴課税に連動します。というのは、外注費は課税仕入ですが、給与は消費税対象外取引であり、税区分の変更により仕入税額控除が受けられなくなってしまうからです。

この辺りは専門的な内容で、一般の方が理解するのは容易ではありません。税理士等の指示に従って処理するようにしましょう。

PART 5

消費税の計算と申告

この章では、消費税について説明します。消費税は、法人税と同じ課税期間に対して納税額を計算することとされており、しかもその計算結果が法人税の納税額に影響します。したがって消費税についてひととおり理解しておくことは、法人税の実務にも役立ちます。そんな消費税のしくみや考え方、そして経理処理や決算処理の方法などについて学びましょう。

消費税の計算のしくみ

POINT
◆消費税は間接税であり重税感・負担感が少ない
◆事業者にとっては仕入税額控除の計算が非常に複雑
◆事前の手続きの選択が税負担に大きく影響する

大きな財源である消費税

所得税や法人税のような直接税は、その税率があまりに高いと「いくら稼いでも税金で取られてしまう」という重税感が蔓延してしまいます。そこで、税金をものの値段に上乗せして回収し、負担感なく販売者が納税を行うしくみ(間接税)が導入されています。消費税はその代表的な税目で、税収全体に占める比率は約33%と、税目別では最大の財源となっています。

消費税は、事業者がものやサービスの販売対価に上乗せし、回収して納める税金ですから、商売をしている人は法人個人を問わず、みな納税義務を負うというのが原則です。しかし、あまり小規模な事業者にまで納税義務を強制することは現実的ではないので、**年間の売上高が1,000万円以下の零細事業者は納税義務が免除されています**(小規模事業者の免税制度。P124)。

また消費税には、回収した税額をすべて納めるのではなく、自らが支払った税額を控除した残額だけを納めるという特徴があります。売上代金に加算した税額が100万円でも、仕入代金等に70万円の消費税を加えて支払えば差額の30万円だけを納税するということです。この「**自らが支払った税額を控除」することを仕入税額控除といいますが**、仕入、経費、資産購入など消費税が上乗せされる取引は無数にあるため、その集計が大変面倒です。

大切な手続規定

仕入税額控除の計算はとても複雑ですが、**一定の条件を満たせばこれを簡単に行える簡易課税**という制度を適用できます。また、前述の免税制度は零細事業者にはありがたいですが、あえて消費税を納める**事業者(課税事業者)**になった方が有利なときもあります。それらはすべて事前届出制で、その選択により最終的な税負担に大きな差が生じます。消費税は、その点で非常にリスクのある税金なので、事前の研究と対策が必要です。

MEMO 税収における直接税と間接税の比率のことを直間比率という。直接税の比率が高すぎると高額所得者の重税感が増し、間接税の比率が高すぎると経済的弱者に不利が生じる。

仕入税額控除とは

■仕入税額控除のしくみ

事業者が回収した消費税は、図のように自社が支払った分を控除して、その残額を国に納める。

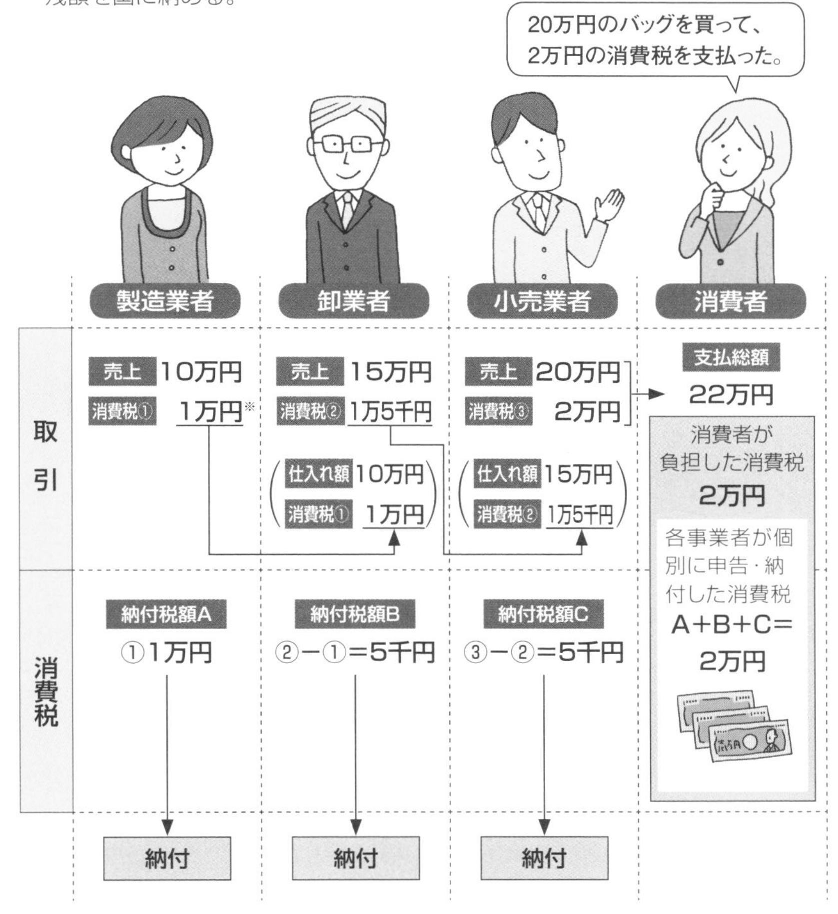

Check

消費税は事業者に中立な税金である。すなわち国に納める消費税額の経済的な負担者は消費者で、これを流通取引で回収・納付するのが事業者、という構造になっている。したがって事業者は、自らが回収した税額から自社が負担した税額を差し引いた残額のみを国に納付する。そうすることで、事業者は損も得もしないことになるのである。

課税・非課税・免税・不課税

POINT
- ◆消費税がかかる取引とかからない取引が混在する
- ◆納税額の計算が難しくなるのは税区分が原因
- ◆課税、非課税、不課税等の正しい理解が大切

計算が難しくなる理由

消費税は、1回の取引で生じる税額は少額ですが、年税額の計算は大変複雑です。すべての取引に必ず消費税がかかるなら、膨大な取引数でもコンピュータで瞬時に税額が計算できますが、同じ家賃でも店舗賃料は課税で住宅家賃は非課税というように、**消費税のかかる取引とかからない取引が混在する**ため、各仕訳に正しい税区分を登録しておかなければ、正確な税額計算ができないからです。現行法における消費税率は10%が原則ですが、飲食料品等に8%の軽減税率が適用されており、二段階税率になっていることも計算が複雑になる原因です。日常的に適正な税区分を行うことが何より大切です。

消費税の税区分

消費税は、**「日本国内で」「事業者が事業として」「対価を得て」行う取引に課税される**、と規定されています。これを裏返せば、海外の取引に日本の消費税はかかりませんし、また国内でもサラリーマン(事業者以外)がマイカーや住宅を売買する取引も、消費税の対象になりません。さらに贈与や寄付などの無償取引も「対価を得て」という要件に反するので無関係です。このような、そもそも消費税とは無縁な取引を「**不課税取引**」と呼びます。すなわちまず初めに**課税取引**と**不課税取引**という区分があるということです。

続いて**課税取引**の中には**非課税**、**免税**、**課税**という税区分があります。まず、土地という財産はいくら使っても減ることのない消費できない財産ですから、これに消費税を課すのは論理的に矛盾します。また建物の賃貸は課税取引ですが、庶民の生活基盤である住宅家賃は政策的に非課税としています。このように本来は課税取引でもあえて消費税を課税しない取引を**非課税取引**と呼びます。そして海外への輸出取引は免税取引というジャンルを設けて一区分とし、それ以外の取引をすべて課税取引としています。

MEMO 消費税は内国税なので輸出取引には課税されない。このため輸出事業者にとっての消費税申告は、仕入に含まれる消費税額の還付を受けるスタイルが一般的である。

取引の消費税区分

■税区分

消費税には、課税される取引と課税されない取引とがある。その「税区分」の判定は非常に複雑であり、「税区分」の判断を誤ると、その後の納税額の計算に大きな影響が生じる。「税区分」を正しく理解することがポイントである。

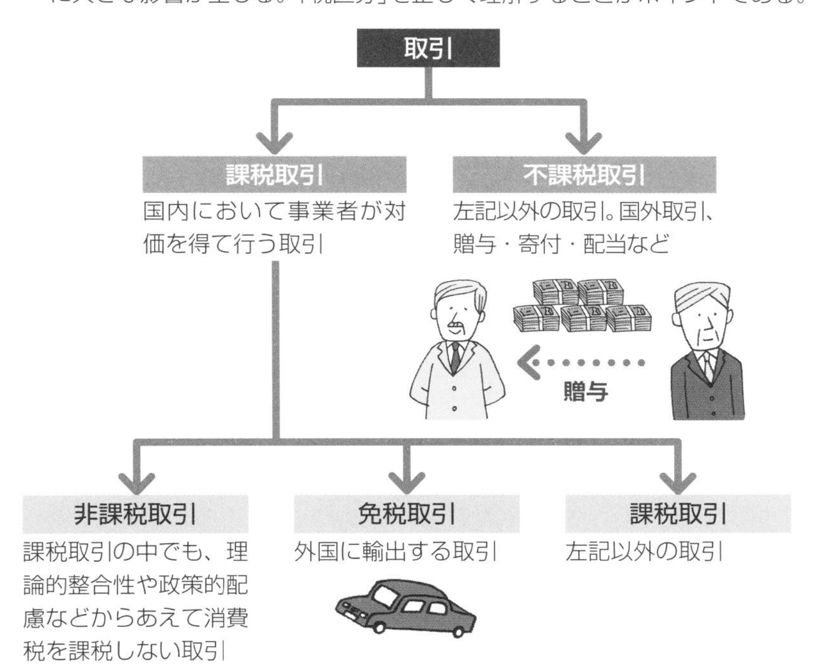

■消費税の税率

税目＼税率区分	標準税率	軽減税率（注）
消費税	7.8%	6.24%
地方消費税	2.2%	1.76%
合計	10.0%	8.0%

（注1）軽減税率は「飲食料品（外食等を除く）」及び「新聞（週2回以上発行に限る）」に適用される。

（注2）軽減税率の導入に伴い、「区分記載請求書等保存方式」が導入された。すなわち軽減税率の対象品目の売上がある事業者は、軽減税率の対象のもの（8%）とそれ以外のもの（10%）を区分した請求書を発行し、仕入および経費についてはその区分に基づく経理を行う必要がある。

小規模事業者の免税制度

POINT
- ◆2期前の課税売上高が1,000万円以下なら免税事業者
- ◆免税事業者は消費税の申告も納税も必要ない
- ◆あえて課税事業者を選択するという手もある

制度の趣旨

消費税は、国民に広く薄く負担してもらう税金ですから、事業者は全員が税額を国に納付する「課税事業者」であるべきです。しかし税金の回収や納付の事務負担がかなり大変なので、**小規模な事業者にはこれを免除する制度が設けられています。これが「小規模事業者の免税制度」です。**

小規模かどうかは、その年度の売上高で判定すべきですが、それでは事業年度開始の時点で、自社がこれに該当するかどうかがわからず、実務的に困ります。そこで**原則として2年前（基準期間といいます）の課税売上高により、これを判定する**こととし、その金額が1,000万円以下であれば消費税の申告も納付も必要ないこととされています。裏返すと、売上高が1,000万円を超えたら、その2年後から消費税の申告と納付が始まるということです。ただし、資本金額が1,000万円以上の法人は、設立当初で基準期間がない場合であっても必ず課税事業者に区分されますので注意が必要です。

また、基準期間の課税売上高が上記免税額以下でも、直前事業年度の上半期6ヶ月間（特定期間）の課税売上高、または支払給与の額が1,000万円を超えている場合には、その事業年度から課税事業者に区分されます。

課税事業者の選択

免税事業者は、消費税の申告とも納税とも無縁な、消費税に一切関係がないという扱いです。これは一見ありがたい制度ですが、その期間の回収税額よりも支払税額の方が多いとき（P127ページ②）には、課税事業者なら受け取れる還付金の権利も失ってしまうことになります。そこで、そのような状況に対応するために、「**消費税課税事業者選択届出書**」を提出すれば、免税事業者が**自ら進んで課税事業者になることを選択できる制度**が設けられています。

MEMO 基準期間：原則として前々事業年度を指す。なお基準期間が1年でない法人は、基準期間の課税売上高をその事業年度の月数で割った額に12を乗じて課税事業者の判定をする。

免税制度のしくみと届出書

■課税事業者判定のフロー

免税事業者の条件に合致しても、自ら進んで「消費税課税事業者選択届出書」を提出すれば、課税事業者となることも可能である。メリット・デメリットを踏まえて選択する。

当課税期間の基準期間における課税売上が1,000万円超 → YES：課税事業者

「消費税課税事業者選択届出書」を提出している → YES：課税事業者

特定期間の課税売上高が1,000万円超
（特定期間の給与等支払額によっての判定も可能） → YES：課税事業者

課税売上高と給与支払額のどちらで判断するかは納税者の選択に委ねられています。したがって課税売上高が1,000万円を超えても、給与等支払額が1,000万円を超えていない場合は、給与等支払額により免税事業者と判定することが可能です。

相続・合併・分割等の納税義務の免除の特例または新設法人の納税義務の免除の特例により課税事業者となる → YES：課税事業者

課税事業者　｜　免税事業者

Check

2023年10月1日から「適格請求書等保存方式（いわゆるインボイス制度）」が導入された（詳細はP130を参照）。本制度導入後に仕入税額控除の適用を受けるには「適格請求書」等の保存が義務づけられ、免税事業者など適格請求書発行事業者以外の者から行った課税仕入は、原則として仕入税額控除を受けることができなくなった。このため免税事業者は、消費税相当額の値引きを要求されるあるいは取引対象から除外されるなど、商取引上不利な扱いを受ける可能性があるといわれている。ただし2023年10月1日から2026年9月30日までの間に行われた免税事業者等からの課税仕入れについては、経過措置として、インボイス制度導入前の課税仕入れに係る消費税額の80%（2026年10月1日から2029年9月30日までの間は50%）相当額について仕入税額控除の適用を受けることができる。

原則課税制度

POINT
- ◆消費税は事業者に中立な税金
- ◆原則課税では回収税額と支払税額の差額を納税する
- ◆経理には税込みと税抜きという2つの方法がある

納税額の計算のしくみ

消費税の納税額は、**その課税期間中に顧客から回収した消費税額(a)から同期間中に支払った消費税額(b)を控除した残額**、として算出するのが基本的な考え方です。そして、この考え方に基づいて納税額を算出するやり方を**原則課税と呼びます**。消費税は事業者に中立な税金であり、消費税の納税により事業者が損をしたり得をしたりすることはないというのが建前ですから、この原則課税の方法により計算すれば、a>bのときは(a－b)がその事業者の納税額となり、反対にa<bのときは(b－a)が事業者に還付されます。

消費税額の把握のしかた

後述するように、消費税の経理の方法には「税込み」と「税抜き」の2通りがあります。どちらでやっても納税額は同じ金額になりますが、上述の回収した税額および支払った税額の集計のしかたが異なります。**税込み経理では、経理の段階で消費税の存在を意識しません。**本体価格1万円、消費税額1,000円の商品を販売したら、11,000円を売上として認識します。ということは、顧客から回収した消費税額は、その課税期間中の総売上高(雑収入等を含む)の110分の10相当額である、ということになります。支払った税額の方も、その期間中の消費税が課税された支出をすべて合計し、その総額から消費税額を逆算して算出する、というやり方になります。

これに対して**税抜き経理では、本体価格の1万円だけを売上に計上し、回収した1,000円の消費税額は別途「仮受消費税」という勘定科目に集計します**。したがって、仮受消費税勘定の残高を見れば、その時点までに回収した消費税額をリアルタイムで確認できます。同様に、支払った消費税は「**仮払消費税**」に集計していきますので、最終的な納税額はこの2つの勘定残高の差額ということになります。

MEMO　仮受消費税：税抜き経理方式を採用している場合に、顧客から受け取った消費税額を計上するための勘定科目。仕入等に上乗せして支払った消費税額は、仮払消費税に集計する。

原則課税制度のしくみ

■原則課税制度とは

消費税は納税によって事業者に損得が生じないように、「原則課税制度」という方法で納税額を算出することを原則としている。

顧客から回収した消費税額(a) ー 支払った消費税額(b) ＝ 事業者の納付額

①回収した消費税が、支払った消費税より多い場合

顧客から回収した消費税額(a) ー 支払った消費税額(b) ＝ 事業者の納付額

②回収した消費税が、支払った消費税より少ない場合

支払った消費税額(b) ー 顧客から回収した消費税額(a) ＝ 還付額(事業者に還付される)

■2つの消費税経理法

消費税の経理には「税込み」と「税抜き」の2つの方法がある。最終的に納税額は同じになるが、経理のプロセスに違いがある。

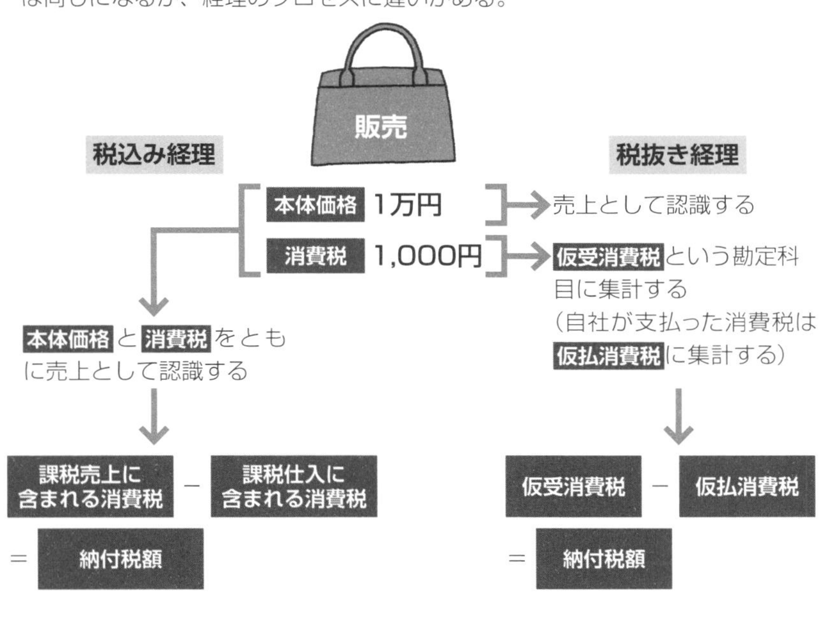

簡易課税制度

POINT
- ◆簡易課税は納税額の計算を簡便にした制度
- ◆みなし仕入率を使うため益税を生じることがある
- ◆簡易課税の適用には事前届出などの要件がある

仕入税額集計の負担軽減策

既に述べているように、消費税の計算で最も大変なのは仕入税額の集計作業です。「商品仕入」から「各種経費の支払」、さらには「固定資産の取得」に至るまで、消費税を伴う支出は無数に存在し、しかも消費税がかかる取引とかからない取引、標準税率の取引と軽減税率の取引とが混在するため、仕入税額を正しく集計するのは至難の業といわなければなりません。

そこで、その負担を軽減するしくみが導入されています。仕入税額を個別に集計するのではなく、**売上にかかる税額に一定の率を乗じた金額を仕入税額とみなして納税額を計算する**、という極めてシンプルな方式です。売上の消費税額は集計が容易なので、この計算方法によれば消費税の納税額は短時間で算出することができます。計算が簡易なので、**簡易課税制度**と名付けられています。

簡易課税制度の厳しい適用要件

ただし、この計算方式には大きな問題点があります。それは仕入税額を一定の率で機械的に計算してしまうため、**実際の仕入税額との間に差異を生じてしまう**ということです。たとえば、その期間の売上にかかる消費税額が500万円でみなし仕入率が80％だとしたら、納める消費税額は100万円（500万円－500万円×80％）になりますが、実際の仕入税額が350万円だったら、この制度の適用を受けた事業者は50万円（500万円×80％－350万円）も得をしてしまいます。そこで簡易課税の適用に当たっては、このような「**益税**」を極力排除するため、下記のような工夫がされています。

①みなし仕入率を業種ごとに細かく設定する（右ページ上段参照）
②簡易課税の適用を受けられる事業者に一定の規模制限を設け、かつ、事前の届出をした場合にのみその適用を認める（右ページ中段参照）

MEMO 益税：消費者が支払った消費税の一部が、国庫に納められず、合法的に事業者の手元に残ってしまう部分の金額。簡易課税の適用によって生じ、事業者の利益となる。

簡易課税制度のしくみ

■みなし仕入率

仕入税額の集計作業を軽減するしくみを取り入れたのが、「簡易課税制度」。売上にかかる消費税額に、下記の「みなし仕入率」を乗じて仕入税額を計算する。

事業区分	みなし仕入率
第一種事業（卸売業）	90%
第二種事業（小売業）	80%
第三種事業（鉱業、建設業、農業、林業、漁業、ガス業、電気業、製造業等）	70%
第四種事業（飲食店業等）	60%
第五種事業（飲食店業以外のサービス業等）	50%
第六種事業（不動産業）	40%

■簡易課税制度の適用要件

簡易課税制度の適用を受けるには、下記の要件を満たす必要がある。

①手続要件：下記のa.の書類をb.の期限までに納税地を管轄する税務署に提出する

a. 提出書類名：「消費税簡易課税制度選択届出書」

b. 提出期限：適用を受けようとする課税期間の開始の日の前日まで

②売上規模要件：基準期間の課税売上高が5,000万円以下である

■簡易課税で得するケース

事例

預かった消費税額　500万円

支払った消費税額　350万円

業種は小売業（みなし仕入率80%）

①－②
＝**50万円有利**

①原則課税の場合

納税額＝500万円－350万円
＝**150万円**

②簡易課税の場合

納税額＝500万円－500万円×80%
＝**100万円**

簡易課税制度をやめる場合には、「消費税簡易課税制度選択不適用届出書」を提出します。

インボイス制度

POINT
- ◆2023年10月1日からインボイス制度が導入された
- ◆仕入税額控除を受けるには適格請求書の保存が必要
- ◆適格事業者以外は取引上不利な扱いを受ける可能性がある

インボイス制度とは

P121で説明したように、消費税には仕入税額控除という制度があります。計算期間中に顧客から回収した税額から、自社が支払った税額（仕入税額）を控除した残額のみを納税すればよいというしくみです。**2023年10月1日から、その仕入税額控除を受ける条件が厳格化され、適格請求書（インボイス）等を保存しなければ適用が受けられなくなりました。**すなわち消費税の納税額が増えてしまう可能性があるということです。

適格請求書とは

適格請求書とは、売手が買手に発行する書類で、事業者の登録番号や適用税率、消費税額などが記載されたものです。転嫁される消費税額を正確に伝達するための手段とされます。**適格請求書を発行できるのは事前に申請して登録した「適格請求書発行事業者」に限られます**ので、消費税を適切に転嫁する商取引に参加したい事業者は、早めにその手続きを取る必要があります。また仕入先から発行された適格請求書は7年間保存しなければなりません。

ただし公共交通機関の運賃や自動販売機で購入する商品などは適格請求書を発行することが実務的に困難ですので、3万円未満の取引に限り、その保存がなくても仕入税額控除が受けられます。また簡易課税制度を選択している場合も、適格請求書の保存は必要ありません。

インボイス制度の導入により免税事業者からの仕入については仕入税額控除が受けられなくなりました。その急激な負担増加に配慮して、制度導入後6年間は一定割合の仕入税額控除が受けられる経過措置が設けられています。

また一定の条件に該当すれば1万円未満の取引にインボイスの保存を義務づけない、売上税額の一律2割を納税額とすることができる、等の経過措置の適用を受けることができます。

MEMO 区分記載請求書等保存方式：軽減税率制度により複数税率が存在するため、区分経理に対応した帳簿及び区分記載請求書等を保存する方式。インボイス制度導入までの経過措置。

適格請求書の記載方法と経過措置

■適格請求書とは

適格請求書には下記の事項が記載されていることが必要。

適格請求書

❶適格請求書発行事業者の氏名または名称及び登録番号

❷取引年月日

❸取引内容（軽減税率の対象品目である旨）

❹税率ごとに区分して合計した対価の額（税抜きまたは税込み）及び適用税率

❺税率ごとに区分した消費税額等

❻書類の交付を受ける事業者の氏名または名称

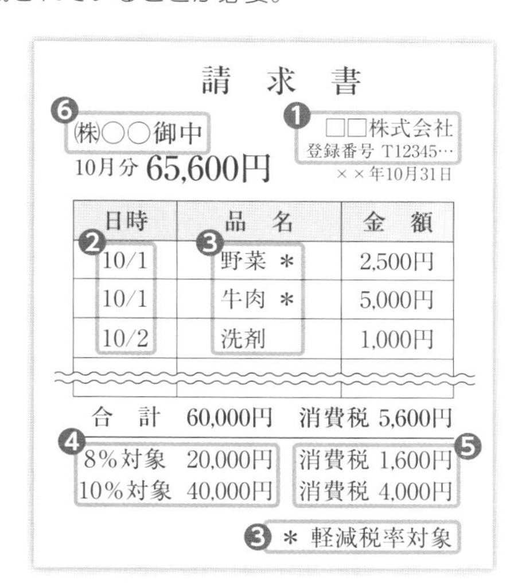

■免税事業者等からの課税仕入に係る経過措置

- 適格請求書保存方式の開始後は、免税事業者から行った課税仕入は、原則として仕入税額控除の適用を受けることができない。
- ただし、制度開始後6年間は、免税事業者等からの課税仕入についても、仕入税額相当額の一定割合を仕入税額として控除できる経過措置が設けられている。

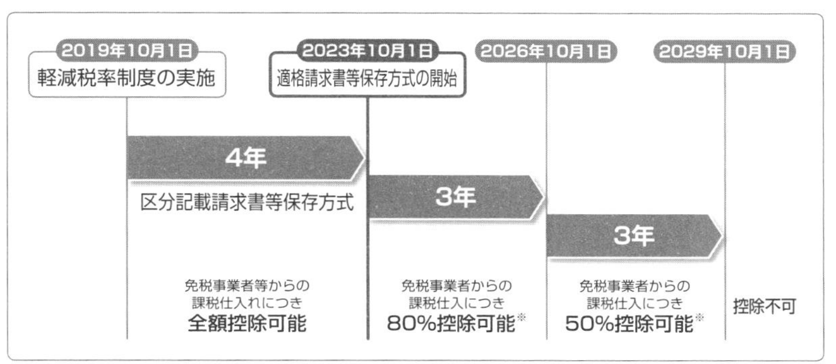

※この経過措置による仕入税額控除の適用に当たっては、免税事業者等から受領する区分記載請求書と同様の事項が記載された請求書等の保存とこの経過措置の適用を受ける旨（80%控除・50%控除の特例を受ける課税仕入である旨）を記載した帳簿の保存が必要です。

消費税の決算処理

POINT
◆決算には3ステップがあり第1は精算表の完成である
◆第2段階で消費税額を計算し税引前利益が確定する
◆最後に法人税等を計算して決算は完成する

決算手続の3段階

決算には、①税金以外の科目の残高確定、②消費税の計算、③法人税等の計算という3つのステップがあり、この順序を間違えると正しい納税額の計算ができません。①**は、修正前試算表を元に現預金から借入金等に至るまでのすべての勘定残高を確定させる作業**です。これを精算表という書式で行い、決算を仮確定させます。この段階で処理が済んでいないのは消費税と法人税等の納税額の計算のみで、その影響を除いた利益金額がここで確定します。

続いて、②は上記仮確定の試算表をベースに消費税の納税額を計算するプロセスです。算出された消費税額は未払消費税勘定に計上し、消費税の精算までを織り込んだ当期利益金額が確定します。

最後は③の法人税等の計算です。上記2段階を経ることによって当期の税引前利益金額が確定しますので、その金額をスタートに申告調整を行って所得金額を算出し、納めるべき法人税、法人住民税、法人事業税等の額を確定させます。そして、その金額を、借方＝法人税等、貸方＝未払法人税等として経理すれば、すべての決算作業が完了します。一口に決算といっても、手順には上記のような3つのステップがあります。

消費税の決算経理

第2ステップで確定した消費税額は、**税込み経理の場合には借方を租税公課として貸方に未払消費税勘定を計上し、税抜き経理の場合には仮払消費税と仮受消費税を相殺して未払消費税を計上**します。この場合、貸借に端数の差額が生じたときは、これを雑益または雑損失に計上して調整します。また中間納付した消費税額があるときは、税込み経理であれば納付時に借方を租税公課勘定として計上すればよく、税抜き経理の場合には仮払金等に計上しておき、上記仮払・仮受消費税の精算の仕訳に反映させます。

MEMO 試算表：総勘定元帳の各勘定の記録が、正確に行われているかどうかを検証するために作成する集計表。借方と貸方の合計額が一致すれば転記が正しいと確認できる。

消費税の決算処理のしくみ

■決算処理の3ステップ

決算手続きには以下の手順がある。この手順を守ることが全体の納税額の計算のポイントである。

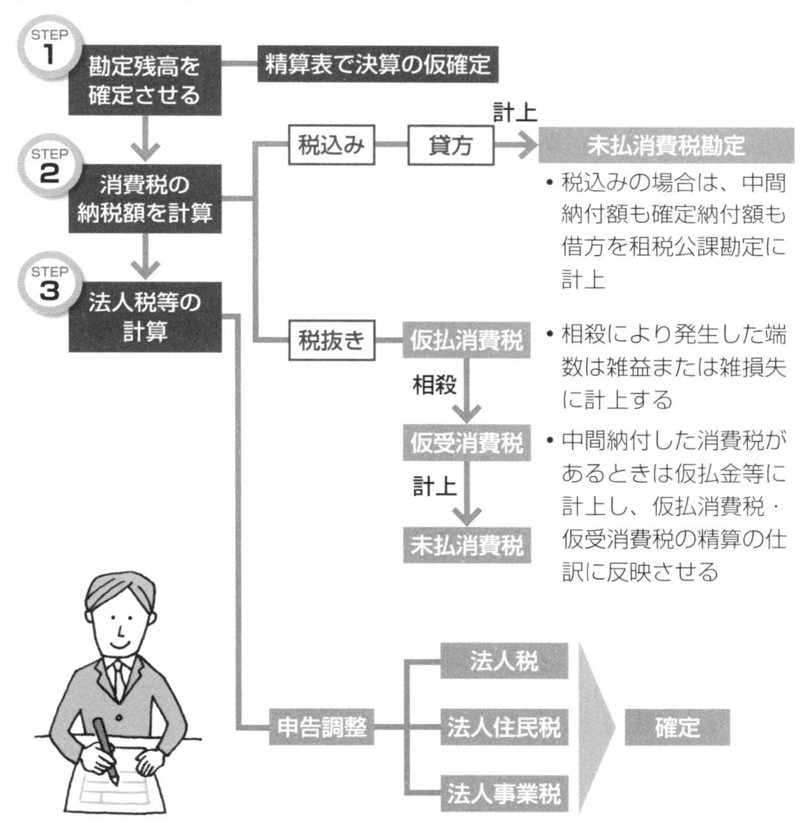

Check

法人税等の納税額は、消費税の精算処理を済ませてからその計算を行うという順序を守ることが大切である。なぜなら消費税額の精算過程では、必ず当期利益に影響を及ぼす損益仕訳が発生するからである。税込み経理の場合には、確定消費税額はその全額を租税公課勘定に経理するし、税抜き経理の場合でも、納税額は100円未満の端数を切り捨てるため、仮受消費税と仮払消費税の残高相殺により、必ず雑収入等に振り替える金額が生じるからである。

消費税に関する各種届出手続

POINT
- ◆消費税にはさまざまな届出書がある
- ◆「選択」の文字がある届出書は要注意
- ◆適用を受けたい事業年度の前期末が提出期限

大きな鍵を握る届出書

消費税には名前のよく似た届出書がたくさんあります。たとえば「消費税課税事業者届出書」と「消費税課税事業者選択届出書」。一見すると同じもののようですが、後者には**選択**という2文字が入っており、これが重大な意味を有しています。

前者は、基準期間の課税売上高が1,000万円を超えて課税事業者となった場合に税務署に提出するものであり、消費税の課税関係を明確にするのが主な目的なので、極論すればこの書類を提出しなくても納税額の計算上不利な取り扱いを受けることはありません。しかし後者は免税事業者が自らの意思で課税事業者になるために届け出るものであり、**その提出を忘れると、もらえるはずの還付金が受け取れなくなってしまいます**。経済的に大変大きな損失に直結する、重要な書類なのです。

選択届出は忘れずに

消費税に関する各種届出書（次ページ、P214参照）では、その**書式名に「選択」の文字があるものは特に注意が必要です**。簡易課税制度の適用を受けるには「消費税簡易課税制度**選択**届出書」の提出が必要であり、その選択を取りやめたいときにはやはり「消費税簡易課税制度**選択不適用**届出書」を提出しなければなりません。その提出をうっかり忘れると、何十万円、何百万円という税額が増えたり減ったりする事態が起こります。消費税はこの点が最も恐ろしく、税理士でもハッとする専門家泣かせの税金です。

なお上述の選択にかかる届出書の提出期限は、一律にその課税期間の開始の日の前日とされています。つまり消費税に関するさまざまな選択は、**すべてその適用を受けたい事業年度の前期末日までに行わなければ適用が1年遅れになってしまうのです**。この点、くれぐれも注意しましょう。

MEMO 課税期間の特例：消費税申告は年1回が原則だが、輸出業者など早期に還付を受けたい事業者はこの課税期間を短縮し、3ヶ月又は1ヶ月ごとに区分した期間ごとに申告できる。

消費税に関する届出書

■消費税の代表的な届出書と提出期限

消費税に関する届出書は、その適用を受けたい場合には必ず提出が必要。また、適用を取りやめたい場合にも、所定の期限までにその旨の届出が必要なので注意が必要である。

届出書名	届出が必要な場合	提出期限等
消費税課税事業者届出書（基準期間用）	基準期間における課税売上高が1,000万円超となったとき	事由が生じた場合速やかに
消費税課税事業者届出書（特定期間用）	特定期間における課税売上高が1,000万円超となったとき	事由が生じた場合速やかに
消費税の納税義務者でなくなった旨の届出書	基準期間における課税売上高が1,000万円以下となったとき	事由が生じた場合速やかに
消費税簡易課税制度選択届出書	簡易課税制度を選択しようとするとき	適用を受けようとする課税期間の初日の前日まで
消費税簡易課税制度選択不適用届出書	簡易課税制度の選択をやめようとするとき	適用をやめようとする課税期間の初日の前日まで
消費税課税事業者選択届出書	免税事業者が課税事業者になることを選択しようとするとき	選択しようとする課税期間の初日の前日まで
消費税課税事業者選択不適用届出書	課税事業者を選択していた事業者が免税事業者に戻ろうとするとき	選択をやめようとする課税期間の初日の前日まで
適格請求書発行事業者の登録申請書	事業者が適格請求書発行事業者の登録を受けようとするとき	提出日から15日以降の登録を受ける日として事業者が希望する日を記載して提出

COLUMN 6

源泉所得税の調査

「法源同時調査」という言葉があります。法人税の調査においては、源泉所得税の調査が同時に行われることを指したものです。長引く不況の中で、赤字法人の比率は全体の65%前後となっており、法人税の調査をして誤りを発見しても、税収増にはなかなか結びつきません。これに対して源泉所得税は、申告法人の所得に関係なく納税額が計算されるため税収が上がる重要な調査項目とされています。

会社は給与、退職金、税理士や弁護士・社会保険労務士の報酬などさまざまな支払いをしています。そして、そこには源泉徴収義務という制度があり、一定の支払額からは所得税を天引きして国に納めなければなりません。これを怠ると、その税額を最終的に負担するのは支払いを受ける人ですが、直接的には源泉徴収義務者である会社に納税義務が課せられ、不納付加算税などの加算税も追徴されてしまいます。源泉徴収というのは、法人にとって非常に怖い制度なのです。

法人税の調査では、人件費についてかなり厳密なチェックが行われます。人件費は経費の中でも大きな金額を占める勘定であり、その中に、実在しない社員への架空人件費を混在させる脱税手口が後を絶たないからです。そこでタイムカードや履歴書、給与の振込先口座などが詳細に調べられるわけですが、特定の社員だけが現金支給になっていたり、タイムカードがなかったりすると幽霊社員ではないかと疑われることになります。そして同時に、年末調整の内容など源泉徴収の計算が正しいかどうかも調査項目とされます。

さらに社外の取引先に対する支払いについても、源泉徴収漏れがないかどうかが調べられます。税理士報酬などは当然に源泉徴収の対象ですが、原稿料、講演料、外交員やホステス・モデルの報酬などについてうっかり源泉徴収をせずに支払ってしまうケースがあるようです。社外の人に、徴収漏れ税額の支払いを後日求めるのはなかなか大変ですから、くれぐれも注意しなければなりません。

PART 6

手続規定

この章では、法人税の申告手続について説明します。申告書の提出先や提出が義務づけられている書類の内容、申告を誤ったときの是正措置などについて学びましょう。

法人税の申告手続① 確定申告制度の概要

POINT
- ◆決算期末から2ヶ月以内に法人税申告書を提出する
- ◆個人と異なり税額の有無にかかわらず申告義務がある
- ◆申告期限の延長という特例制度もある

法人の確定申告義務

法人は、**決算期末から2ヶ月以内に所轄税務署に対して、法人税の確定申告をしなければなりません**。3月31日が決算期末であれば、5月31日までに申告書を提出しなければならないということです。

個人所得税の確定申告では、税額が生じる人には申告義務が課せられますが、所得がゼロまたは少額で納税額のない人には申告の義務はありません。また、会社員には年末調整という制度があり、確定申告に代わる手続きを会社がやってくれています。このため、日本には税務署に一度も行ったことがないという人が大勢います。これに対して**法人は、納税額の有無にかかわらず、毎期必ず申告することが義務づけられています**。これが個人と法人の大きな違いで、会社を設立したら税務署との距離が一気に縮まるのです。

個人所得税では、日本全国一斉に毎年2月16日から3月15日までが前年分の確定申告期間とされていますが、法人は上述のように決算期末から2ヶ月以内が申告期限とされています。法人は自らの決算期を自由に設定することが認められていますので、毎月どこかの会社が決算期末を迎え、その2ヶ月後に申告書を提出しているということになります。

申告期限の延長制度

実務上、**定時株主総会の開催期限は基準日（一般的には決算期末）から3ヶ月以内**とされています。このため上場企業のほとんどが3月を決算期末とし、6月末が株主総会ラッシュとなっているわけです。

そこで、法人税の取り扱いにおいても、①**定款に株主総会を決算期末から3ヶ月以内とする旨規定している**、②**税務署に申告期限の延長申請をする**、という条件を満たせば、申告期限を1ヶ月延長することができます。ただし、納税は公平を保つため、2ヶ月以内に見込みで行わなければなりません。

MEMO 法人は1年を超えない期間を一つの単位とし、その期間ごとに経営成績を集計して株主に報告する。この期間を会計期間または事業年度、その最終日を決算期末と呼ぶ。

確定申告制度のしくみ

■異なる確定申告の時期

確定申告（会社員は年末調整）には以下のように時期が定められている。

法人は決算期末から2ヶ月以内に確定申告!!

会社員	自営業者など	会社	税務署
12月の給与で年末調整が行われる。	2月16日～3月15日の間に確定申告。	決算期末から2ヶ月以内に確定申告。	

■株主総会の時期が延長申請のカギ

法人は決算期末から2ヶ月以内に法人税の確定申告をする必要があるが、定款で定めている株主総会の開催時期によっては、申告期限の延長が可能。

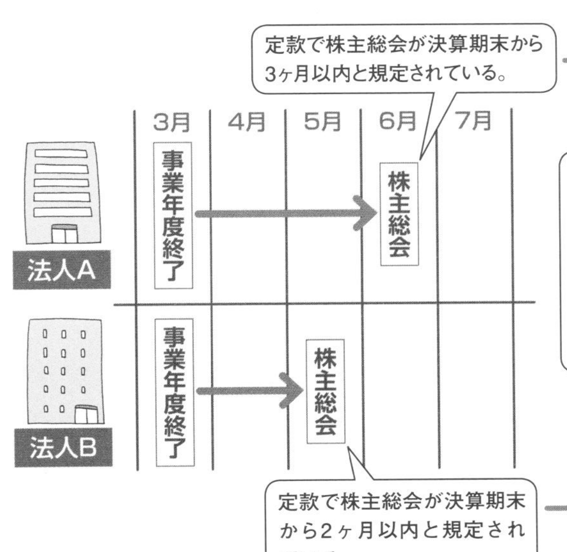

株主総会の招集が事業年度終了後3ヶ月以内の場合は、本来の申告期限までに決算が確定しないケースがある。その場合、申告期限の延長の特例申請が可能。

定款の「2ヶ月」を「3ヶ月」に変更すれば、申告期限の延長の特例申請が可能。

法人税の申告手続② 提出先等

POINT
- ◆申告書は本店所在地を管轄する税務署に提出する
- ◆申告書は決算書、勘定科目内訳明細書、別表で構成される
- ◆電子申告が普及している

申告書の提出先

法人税の申告書は、その法人の本店所在地を管轄する税務署に提出します。**各税務署がどのエリアを管轄しているかを知りたい場合には、インターネットで「税務署所在地・案内」を検索すればすぐにわかります**。たとえば、東京都世田谷区の場合、中央部地区は世田谷署が、玉川地区は玉川署が、そして北部地区は北沢税務署が管轄署となっています。人口が多いこのような地域では、一つの区内に複数の税務署が設置されていることがあります。

逆に、武蔵野税務署は、武蔵野市、三鷹市、小金井市の3市が担当エリアになっているというように、その範囲はさまざまです。勘に頼らず、一度は自社の所轄税務署をチェックしておきましょう。

申告書の構成

個人所得税の確定申告書は、一般的な申告内容であれば第1表と第2表の2ページしかありません。これに対して法人税の申告書は、作成しなければならない書類のボリュームが大変多く、会社を設立してはじめて申告する人は面食らうことでしょう。税務署に提出する法人税の申告書は、下記の書類で構成されています。

①決算書(貸借対照表+損益計算書+株主資本等変動計算書)
②勘定科目内訳明細書(①の書類の科目ごとの明細を記載した書類)
③申告書別表(所得金額や納税額を算出するプロセスを記載した書類)
④法人事業概況説明書(①の内容等を2ページに集約した書類)

書類の作成の仕方にもよりますが、これらを全部合わせるとざっと30ページ以上になります。経理や税法の知識のない人には、恐らく歯が立たないでしょう。なお、近年ではデータ処理の省力化のため電子申告が推奨されており、法人税におけるその普及率はかなり高まっています。

MEMO 電子申告：税金の申告や各種届出・申請手続を、インターネット等を通じて電子的に行うシステム。利便性が向上し普及が進んでいる。国税はe-Tax、地方税はeLTAXの愛称がある。

確定申告の申告手続き

■所轄税務署

法人税の申告先は、その法人の本店所在地を管轄する税務署。自社を管轄する税務署は、右記の国税庁ホームページを調べると確認できる。

市役所のように1市に必ず一つの税務署というわけではなく、3市を一つの税務署が担当している場合もあるので注意が必要です。

申告手続きの流れ

株主総会開催

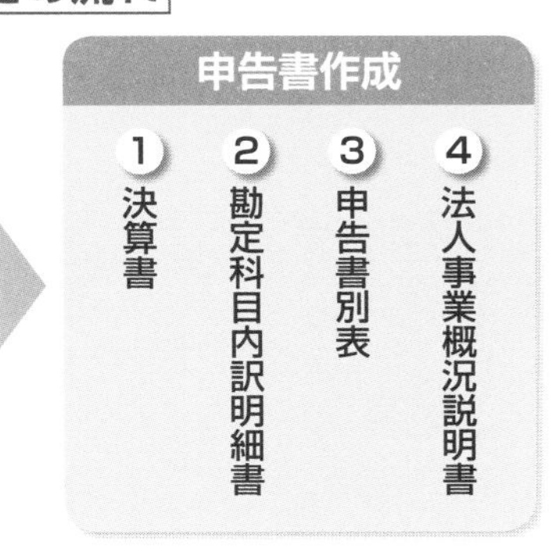

申告書作成
1 決算書
2 勘定科目内訳明細書
3 申告書別表
4 法人事業概況説明書

代表者の署名（注）

税務署へ提出（申告）

（注）電子申告をする場合は不要

Check

住民登録している住所と実際の居住地が異なる人がいるように、登記上の本店所在地と実際の事業所所在地が異なる法人は数多くある。このような場合、税務署からの郵便や連絡をスムーズに受け取るために異動届という書類を提出し、連絡先として実際の事業所所在地を届けておけば実務上困ることはない。

決算書と勘定科目内訳明細書

POINT
- ◆決算書は3つの計算書類で構成されている
- ◆決算書と勘定科目内訳明細書はセットで作成する
- ◆勘定科目内訳明細書には決算書各勘定の明細を記載する

決算書の構成

決算書は、貸借対照表・損益計算書・株主資本等変動計算書で構成されています。**貸借対照表は決算期末日現在の会社の財政状態を表す表**であり、借方には現金預金、商品、土地建物、車両など会社が所有する財産が、貸方には買掛金、借入金などの債務の一覧と株主資本がそれぞれ記載されます。

これに対して、**損益計算書は、その事業年度1年間の経営成績を報告する表**であり、売上高から売上原価、販売費・一般管理費などを差し引き、最終的にいくらの利益が出たかが記載されます。

株主資本等変動計算書は、その名のとおり、1年間の事業活動によって株主の資本がどのように増減したかを表す表ですが、上記2表の数値が連動的に記載されるだけのものなので、税務申告にはあまり影響がありません。

勘定科目内訳明細書は同時作成される

決算書は、本来は株主総会に提出して承認を得るために作成されるものですが、非上場の中小企業においては株主総会が形骸化していることもあり、どちらかというと税務申告がメインターゲットになっています。そして法人税の申告書には勘定科目内訳明細書を添付することが義務づけられているため、決算手続といえば、一つひとつの勘定科目について、その内訳書を作成しつつ、決算残高を確定させていく作業が中心となります。

勘定科目内訳明細書は、貸借対照表のすべての勘定科目（損益計算書は一部）の内訳明細を記載するものであり、たとえば、現金預金であれば貸借対照表にはその合計額が1行で記載されるだけですが、勘定科目内訳明細書には銀行別、口座別の残高を詳細に記載します。**したがって、勘定科目内訳明細書を作成すれば、各勘定残高が正しいかどうかがチェックできるわけです。**義務として作成するものですが、決算の正確性を確認できる重要な書類です。

MEMO 株主総会：株式会社の最高意思決定機関。原則として年に一度開催し、会社の基本的な方針や重要な事項を決定する（定時総会）。重要事項について随時審議する臨時総会もある。

法人税申告書の全体イメージ

■決算書・申告書を構成する書類

決算書は、貸借対照表、損益計算書、株主資本等変動計算書で構成されている。そしてこれら書類の主要な残高は、申告書に添付する勘定科目内訳明細書にその明細を記載する。申告書には、これに別表を加えて税務署に提出する。

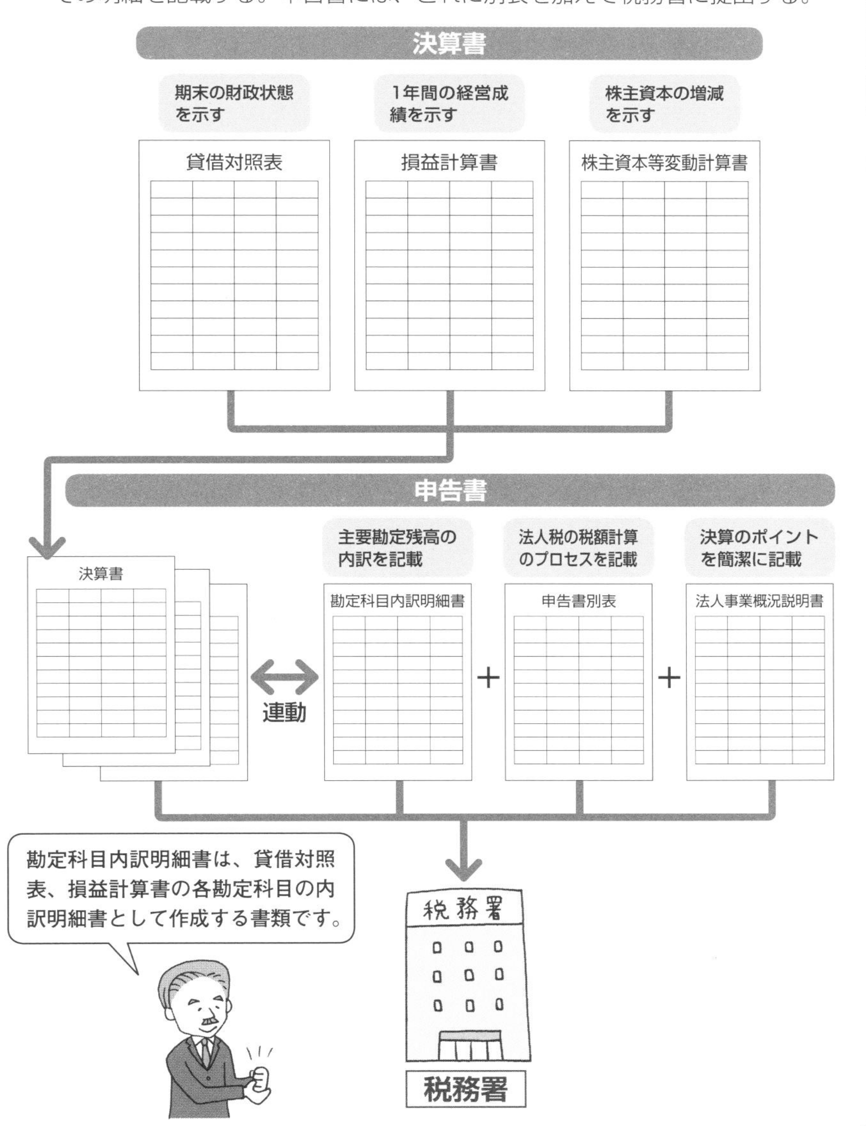

申告書別表の構成

POINT
- ◆別表には数多くの種類がある
- ◆別表のうち最も重要なのは1、4、5(1)
- ◆その他の別表は上記3表の付属書類といえる

別表の全体構成

申告書別表は、決算書の当期利益から法人税の課税所得を算出して法人税額を計算するために作成される書類です。別表には数多くの種類がありますが、**その中心は別表1、4、5(1)の3表であり**、その他の帳票は、すべてこれら3表の付属資料と位置づけることができます。

別表1は法人税額を計算するシート、別表4は税務上の損益計算書、別表5(1)は税務上の貸借対照表です。すなわち下記のイメージです。

①決算書の当期純利益を別表4で法人税の課税所得に変換し、
②同時に貸借対照表に記載されないBS科目を別表5(1)に追加し、
③別表1に①の金額を転記して法人税額を計算する

別表の種類

一般的な中小会社が使用する申告書別表としては、別表1から16までが用意されています。ただし、全部で16種類というわけではなく、たとえば別表5には5(1)と5(2)があるというように細分化されており、その全体数を数えてみると、よく利用されるものだけでもざっと40種類以上はあります。詳細について知りたいときは国税庁のホームページで確認できます。

実際の申告ではこれらのうちから自社の申告計算に必要なものをピックアップして使用するわけで、そのすべてを使用するわけではありません。別表のうち、主に使用するものを次ページに記載しましたが、上記3表以外で利用頻度が高いものとしては次のような書式があります。

- 別表2…同族会社等の判定に関する明細書
- 別表5(2)…租税公課の納付状況等に関する明細書
- 別表7(1)…欠損金の損金算入等に関する明細書
- 別表16(1)～(3)…減価償却資産の償却額の計算に関する明細書

MEMO 別表1は、内国法人は1を、外国法人は1の2をそれぞれ使用する。また、同じ書式でも、青色申告法人は青色の、それ以外は白色の用紙を使用する。

別表のしくみと主な別表一覧

■別表の記入イメージ

別表は、下記のように決算書や各別表相互間で連動するしくみとなっており、それぞれの金額を転記しながら作成する。

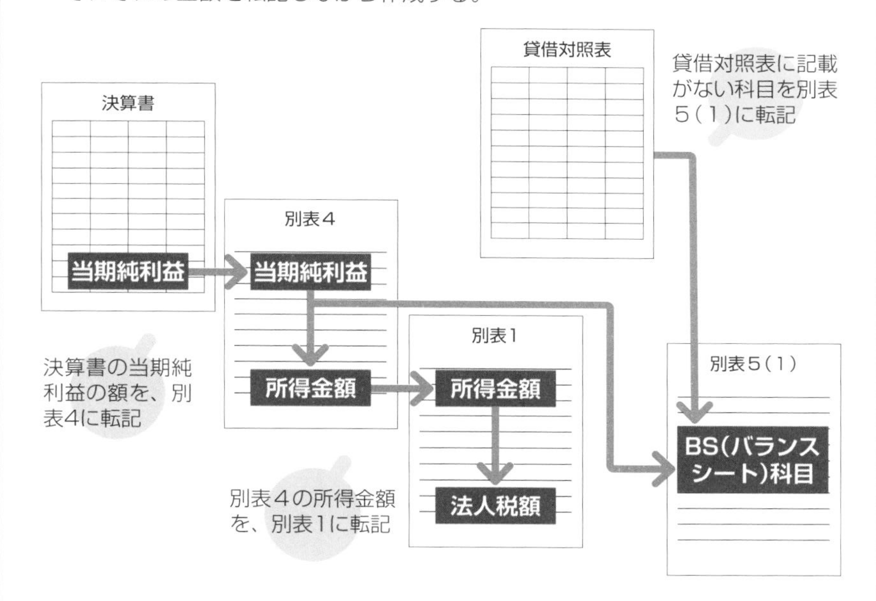

■中小企業が使用する主な別表

以下は、中小企業の使用する頻度が高い別表の一覧である。

別表	内容
別表1	各事業年度の所得に係る申告書 - 内国法人の分
別表2	同族会社等の判定に関する明細書
別表4	所得の金額の計算に関する明細書
別表5(1)	利益積立金額及び資本金等の額の計算に関する明細書
別表5(2)	租税公課の納付状況等に関する明細書
別表6(1)	所得税額の控除に関する明細書
別表7(1)	欠損金の損金算入等に関する明細書
別表8(1)	受取配当等の益金不算入に関する明細書
別表11(1の2)	一括評価金銭債権に係る貸倒引当金の損金算入に関する明細書
別表15	交際費等の損金算入に関する明細書
別表16(2)	旧定率法又は定率法による減価償却資産の償却額の計算に関する明細書

たとえば、別表5なら別表5(1)、別表5(2)など似たものがあります。間違えないように注意しましょう。

法人事業概況説明書

POINT
- ◆法人事業概況説明書は申告書の添付書類
- ◆A4表裏2ページで構成されるシンプルな書式
- ◆会社の全体概要が一覧できるように構成されている

会社のポイントを説明する法人事業概況説明書

法人税の申告書に添付しなければならない書類のひとつに、法人事業概況説明書があります。この書式はA4サイズ1枚の表裏2ページのもので、他の書類に比べれば、はるかにボリュームの少ないものです。しかし、これを記載するには案外時間がかかるやっかいな書類です。

それでは、なぜこのような書類の提出が求められるのでしょうか。それは、**一言でいえば税務署が短時間でその会社の概要を把握したいからです**。その会社はどんな事業をしていて、どのくらいの規模で、従業員が何人いて、どのくらいの利益を上げているか。こういった会社のプロフィールを知ろうと思えば、膨大な申告書資料の中から知りたい箇所をピックアップしなければなりません。とても大変な作業です。そこで、あらかじめ自己紹介カードのような形でデータを提出してもらい、税務調査の一助にしようとするのです。

したがって、記載内容に誤りがあってもそれがただちに納税額に影響したり処罰の対象になったりするわけではありません。しかし、税務署員が会社の全体像を知る上で参考にしている資料ですから、間違った内容を記入しないように十分に注意しましょう。

記載内容

法人事業概況説明書の書式は次ページに掲げるとおりですが、その中でも比較的重要なのは下記の箇所です。

- 期末従事員等の状況…会社の人的な規模を確認する
- 経理の状況…経理担当者の氏名、記帳の仕方などを確認する
- 貸借対照表と損益計算書の要約…決算内容が一目でわかる
- 帳簿類の備付状況…調査時にチェックすべき帳簿類がわかる
- 月別の売上高等の状況…一年間の損益の流れが一覧できる

MEMO 法人は帳簿を備え付けて取引を記録し、帳簿と取引関連書類をその事業年度の確定申告期限の翌日から7年間（欠損年度は欠損金の繰り越し年数）保存しなければならない。

法人事業概況説明書

■法人事業概況説明書の構成

法人事業概況説明書の実際の書式は以下のとおり。この書類は、ホチキス止めなどはせずに決算書に挟み込んで提出する。

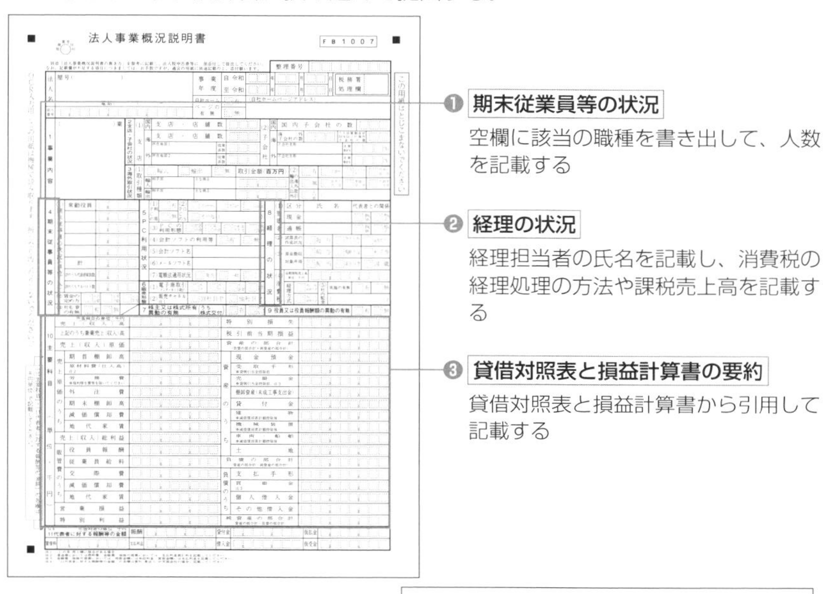
法人事業概況説明書

❶ **期末従業員等の状況**

空欄に該当の職種を書き出して、人数を記載する

❷ **経理の状況**

経理担当者の氏名を記載し、消費税の経理処理の方法や課税売上高を記載する

❸ **貸借対照表と損益計算書の要約**

貸借対照表と損益計算書から引用して記載する

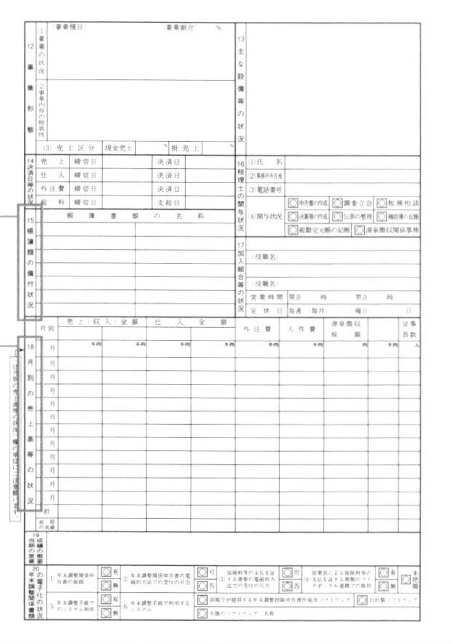

❹ **帳簿類の備付状況**

常備している帳簿類について記載する

❺ **月別の売上高等の状況**

月別の売上金額、仕入金額の明細を記載する

予定申告

POINT
- ◆前期の年税額が20万円を超えると予定申告義務が生じる
- ◆予定申告税額は原則として前期年税額の2分の1
- ◆地方税にも同様の制度がある

予定申告の制度の趣旨

法人も個人も、決算申告は年に一度です。したがって、国に税金が納められるのも年に一度ということになりますが、それは国の資金繰りの観点から見るとあまり好ましいことではありません。どんな場合でも、お金はコンスタントに入ってくるほうがいいに決まっているからです。また、税金を売掛債権とみなせば、その回収はなるべくこまめに行ったほうが安全です。このような考え方から、**予定申告**という制度が設けられました。

制度の内容

予定申告とは、1年決算法人の場合、**事業年度開始の日から6ヶ月を経過した日から2ヶ月以内に、前事業年度の年間法人税額の2分の1相当額を納めることを義務づける制度**です。

たとえば、7月決算法人の場合、事業年度が開始する8月1日から6ヶ月を経過した翌年1月末日から2ヶ月以内の3月31日までに、予定申告をしなければなりません。そして、たとえば前期の年税額が120万円であったとしたら、その2分の1の60万円が納付税額となります。ただし、予定申告税額が10万円以下の場合には申告義務が免除されます。つまり、前期の年税額が20万円以下の法人には、当期の予定申告義務が生じないということです。

上記の事例では、確定申告の期限は9月30日ですから、ちょうどその半年後の3月31日が予定申告期限となり、つまり6ヶ月に一度は法人税を納めるサイクルになります。なお、予定申告で納める法人税は、あくまで確定申告で計算される年税額の一部を予納するというしくみですから、仮にその年度の決算が赤字になったときは、予定申告税額はその全額が還付されることになります。法人税の予定申告制度は地方税にも連動していますので、**予定申告義務のある法人は法人住民税・法人事業税についても納付義務が生じます。**

MEMO 法人の予定申告に対し、個人所得税には予定納税という制度が設けられている。3月の確定申告で計算された年税額の3分の1相当額ずつを、7月と11月に納付するしくみである。

予定申告のしくみ

■予定申告とは？

予定申告では、法人税の中間申告（次項を参照）の納税額を前事業年度（前期）の法人税の額をもとに計算する。多くの会社は、法人税の中間申告をこの予定申告で行っている。以下は7月決算の法人の場合の例。

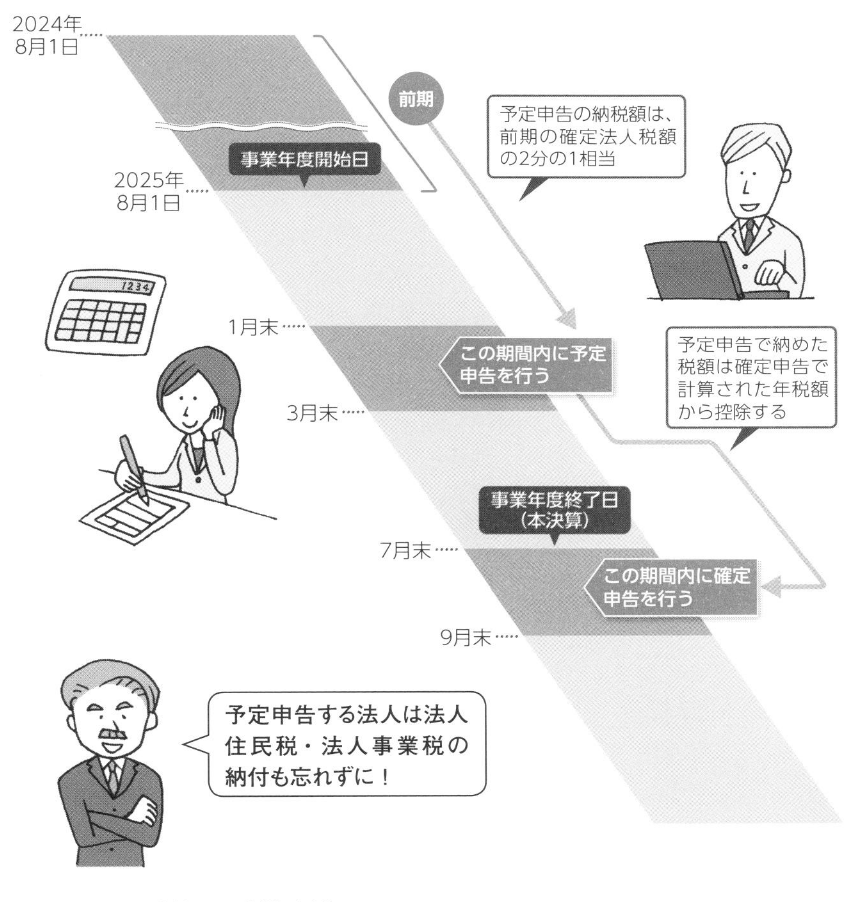
2024年
8月1日
前期
予定申告の納税額は、前期の確定法人税額の2分の1相当
事業年度開始日
2025年
8月1日
1月末
この期間内に予定申告を行う
3月末
予定申告で納めた税額は確定申告で計算された年税額から控除する
事業年度終了日（本決算）
7月末
この期間内に確定申告を行う
9月末
予定申告する法人は法人住民税・法人事業税の納付も忘れずに！

■予定申告税額の計算方法

予定申告の納税額は、以下の計算式で求める。

予定申告税額 ＝ 前事業年度の確定法人税 ÷ 前事業年度月数 × 6ヶ月

（例）前期の年税額が120万円だった場合の予定申告税額

⇒ 120万円÷12×6＝60万円

中間申告

POINT
◆予定申告に代えて中間申告をすることもできる
◆中間申告は仮決算に基づき納税額を算出する
◆業績が下降したときには納税額を減額できる

中間申告の制度の趣旨

前ページで説明したように、予定申告は前期の年税額の2分の1相当額を当期の確定申告に備えて予納するものですが、これは毎期同水準の業績が継続することを前提とした制度です。たとえば、今年100万円の税金を納めたのなら来年も同じくらいの納税額になるだろうから、50万円を前払いしておけば半年ごとに50%ずつの納付になる、という考え方です。

しかし、気候変動で業績が大きく変動する業種もありますし、それ以外でも災害の発生や役員の退職、不動産投資の失敗などで業績が大きく落ち込むこともあります。そして、そのような場合には前述の予定申告は非常に不都合です。苦しい資金繰りの中で納税をしても、決算が赤字になれば、納めた税金は結局還付を受けることになるからです。

そこで、そのようなケースに備えて、**今期上半期の実績に応じて中間納付額を算出できる制度が導入されています**。それが**中間申告**による納付です。

納税額の計算方法

この制度では、上半期6ヶ月を1年度とみなして仮決算を行い、通常の年税額を計算するのと同じやり方でその期間の納税額を算出します。減価償却費を6ヶ月分で計算することはいうまでもありませんが、棚卸や売掛金などの計算は、いわゆる本決算と全く同じです。提出書類も、決算報告書や勘定科目内訳明細書など本決算と同様の書類を添付します。手続きは面倒ですが、今期上半期の業績が悪いときには資金繰りの面からも利用したい制度です。

中間申告と予定申告はいずれかの選択制ですが、**仮決算により算出した法人税額が予定申告による税額を上回るときは、中間申告を選択することができません。**これは還付になると還付加算金という利息相当額を受け取れるため、それを目当てとした過度な納税を防止するための措置です。

MEMO 消費税にも中間申告の制度が設けられている。前期の年税額の大きさによりその回数が決められており、年1回(法人税と同時期)、年3回(四半期ごと)、年11回(毎月)がある。

中間申告のしくみ

■中間申告とは？

中間申告では、上半期6ヶ月を1年度とみなして仮決算を行い、その実績に基づいて納税額を算出する。以下は7月決算の法人の場合の例。

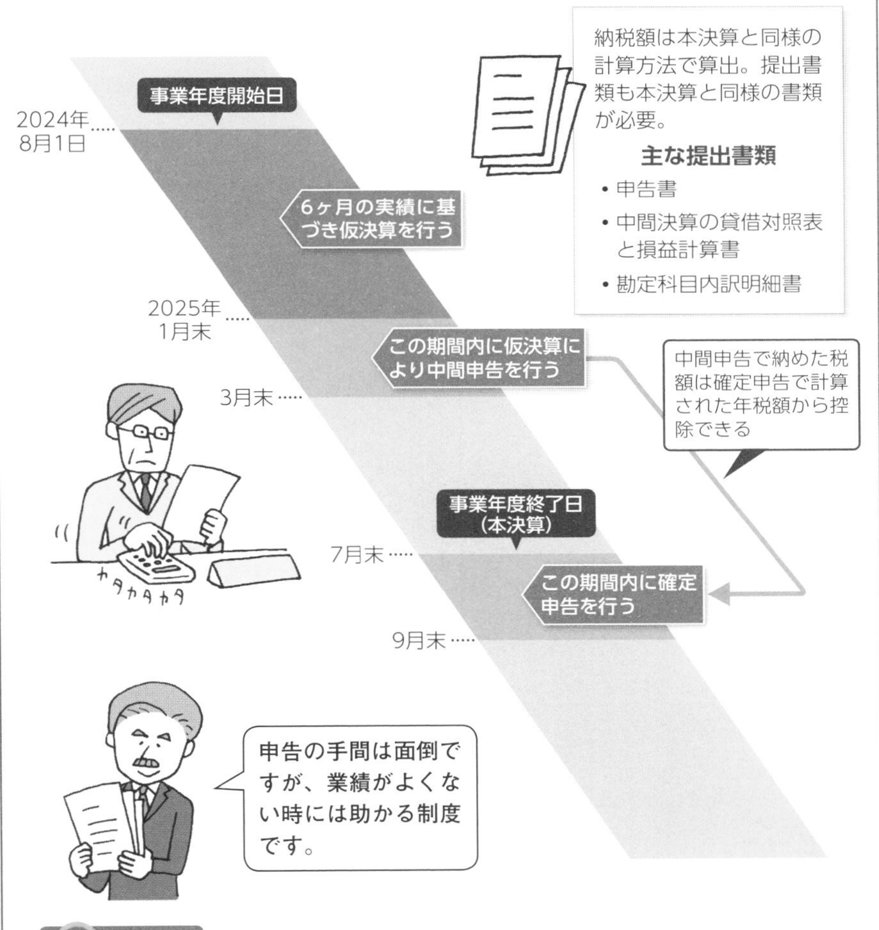

納税額は本決算と同様の計算方法で算出。提出書類も本決算と同様の書類が必要。
主な提出書類
• 申告書
• 中間決算の貸借対照表と損益計算書
• 勘定科目内訳明細書
事業年度開始日
2024年 8月1日
6ヶ月の実績に基づき仮決算を行う
2025年 1月末
この期間内に仮決算により中間申告を行う
3月末
中間申告で納めた税額は確定申告で計算された年税額から控除できる
事業年度終了日 (本決算)
7月末
この期間内に確定申告を行う
9月末
カタカタカタ
申告の手間は面倒ですが、業績がよくない時には助かる制度です。

Check

近年、電子申告の普及が進んでいる。個人所得税の確定申告ではまだ65%程度だが法人税では90%を超えており、今後はさらに普及が進むものと見込まれる（資本金が1億円を超える法人は2020年4月1日以後開始する事業年度から電子申告が義務化された）。一度利用してみると、税務署に書類を持参する手間は省けるし、作成する書類の部数も少なくて済み、非常に便利であることがわかる。

青色申告とは

POINT
- ◆事前の届け出により青色申告を選択できる
- ◆青色申告には帳簿の記録保存義務が課せられる
- ◆青色申告をするとさまざまな特典が受けられる

制度の趣旨

利益や所得は極めて抽象的な概念であり、これを目で見ることはできません。このため、所得を課税対象とする法人税や所得税においては、その計算が正しいことを第三者が後日確認できる方法を準備しておかなければなりません。そこで考え出されたのが、**青色申告**という制度です。

この制度の骨子は、**適正な帳簿を備えて整然と記録を行い、その帳簿を正しく保管している事業者には税制上の特典を与える**、というものです。国民に広く記帳慣習が浸透して納税モラルが向上し、申告納税制度が正しく運用されることを期待したものです。

制度の内容

「適正な帳簿記録を行う事業者」と「それ以外」とを区別するために、前者を青色申告者、後者を白色申告者と呼びます。申告用紙の色が、制度の名前の由来です。青色申告を行うためには、法人を新規に設立した場合は**設立の日から3ヶ月を経過した日と最初の事業年度終了の日とのうちいずれか早い日の前日まで、それ以外は青色申告の承認を受けようとする事業年度開始の日の前日まで**に、税務署に「**青色申告の承認申請書**」を提出しなければなりません。つまり、原則として申請の翌事業年度から適用可能です。

青色申告が認められたら、前述のように帳簿を備え付け、これに取引を正しく記録し、原則として7年間(欠損金が生じた年度については欠損金の繰越年数)これを保存しなければなりません。帳簿記録は複式簿記の方法によりますが、財務のパソコンソフトを利用すればその要件は自動的に満たすことができます。青色申告法人には、次ページに示すようにさまざまな特典が認められます。特に欠損金の繰越控除は、設立間もない法人にはありがたい制度です。事業が軌道に乗るまでの赤字を、その後の黒字と通算できるからです。

MEMO 青色申告制度は、第二次大戦後、アメリカ税制使節団の勧告(シャウプ勧告)により導入された。日本人は青色を好むとの情報から、正しい申告をする納税者を青色で識別したといわれている。

さまざまな特典のある青色申告

■青色申告の主な特典

青色申告は、事前に申請をして所定の帳簿記録を整えている法人に一定のメリットを与える制度である。主な特典は以下のとおり。

特典	特典内容
欠損金の繰越控除	青色申告の承認を受けている年度において生じた欠損金を、翌期以降10年間にわたって繰り越すことが可能。設立後間もない年度に赤字が生じても、これを事業が軌道に乗って黒字化した年度の所得と通算することができる。
欠損金の繰り戻しによる還付	欠損金が生じた事業年度において青色申告をしており、かつ、その前事業年度も青色申告をしていれば、欠損金を前事業年度の黒字と通算して既に納めた法人税の全部または一部の還付を受けることができる。
少額減価償却資産の即時償却	取得価額30万円未満の減価償却資産について、取得価額の全額を一時に損金算入が可能(貸付用資産を除く)。ただし、その適用は資本金が1億円以下の中小法人で、常時使用する従業員の数が500人以下の法人に限られ、また、その事業年度に一時償却できる総額は300万円が上限とされている。
更正の制限並びに更正の理由付記	税務署が青色申告法人に対して更正をする場合には、その法人の帳簿書類を調査し、これらの金額に誤りがあると認める場合でなければ、これを行うことができない。また、青色申告書に係る更正をする場合には、更正通知書にその更正の理由を付記することが義務づけられている。これらの制限は、青色申告法人の帳簿書類を尊重するために設けられているものである。

青色申告の承認を受けない場合は、自動的に白色申告の扱いになります。白色申告には上記の特典はありません。

納税と附帯税

POINT
- ◆税額が生じたら申告期限内に納付する
- ◆申告を怠ると加算税が課税される
- ◆納税を怠ると延滞税が課税される

申告納税制度

先進国である日本には「**申告納税制度**」が定着しています。これは、**自分が納める税金は自分で計算し、そして自ら納付するというしくみ**です。法人税についても、自社で計算した納税額は誰かに催促されることなく、自ら納付しなければなりません。そして、その**納税期限は事業年度終了の日の翌日から2ヶ月以内**、とされています。つまり、申告書の提出期限と納税期限は同日であり、同じ日に両方を行う必要はありませんが、決算期末から2ヶ月以内にはすべての手続きが完了していなければならないということです。

さまざまなペナルティ

申告納税制度は、高いモラルが求められる民主的な制度です。そのため、ルールを守らない人には相応のペナルティが課せられます。申告期限を過ぎてから申告書を提出した場合は、その日数にかかわらず、本来納めるべき税額の原則として15%相当額を「**無申告加算税**」として納めなければなりません。ちなみに期限内に申告書を提出したけれども、納税額が過少だったときは、追加納付額に対して原則として10%の「**過少申告加算税**」が課せられます。

さらに、**仮装や隠蔽という悪質な行為により納税が遅れた場合には、過少申告加算税に代えて原則として35%の、無申告加算税に代えて40%の「重加算税」が課せられます**。脱税に対する処罰は非常に厳しいことがわかります。

また、納めるべき税金を期限内に納付しなかった場合には、上記加算税に加えて「**延滞税**」も納めなければなりません。これは、期間に応じて計算される遅延利息に相当する税金です。その税額は、申告期限の翌日から2ヶ月以内までの期間については原則として年利7.3%、2ヶ月を超える期間については原則として年利14.6%とされています。なお、「**特例基準割合+7.3%**」という制度も導入されていますが、いずれにしても大変大きな負担です。

MEMO 特例基準割合：各年の前々年の9月から前年の8月までの各月における銀行の新規の短期貸出約定平均金利の合計を12で除して得た割合に、年1%の割合を加算した割合。

加算税の種類

■ペナルティの種類と内容

申告納税の期限を守らなかったり、納税額をごまかしたりすると、以下のペナルティ（加算税）が課される。

名称	課税要件	課税割合 （増差本税に対する）
過少申告加算税	期限内申告について、修正申告・更正があった場合	10%
		[期限内申告税額と50万円のいずれか多い金額を超える部分] 15%
無申告加算税	①期限後申告・決定があった場合 ②期限後申告・決定について、修正申告・更正があった場合	15%
		[50万円超300万円以下の部分] 20%
		[300万円超の部分]【令和5年度改正】 30%
不納付加算税	源泉徴収税額について、法定納期限後に納付・納税の告知があった場合	10%
重加算税	仮装・隠蔽があった場合	[過少申告加算税・不納付加算税に代えて] 35%
		[無申告加算税に代えて] 40%

加算税と延滞税のことを「附帯税」と呼びます。加算税と延滞税は地方税にも存在します。

Check

重加算税が課税される「仮装隠蔽」とは、具体的には①二重帳簿を作成している、②帳簿や原始記録などの書類を破棄している、③帳簿書類の改ざんや偽造、虚偽記載などにより経理を仮装している、④帳簿への記録をせず収入等を除外している、などの行為をいう。いわゆる脱税行為であり、これが発覚すると重加算税や延滞税が課税され、非常に重いペナルティとなる。

修正申告・更正の請求

POINT
- ◆申告を間違ったときは修正申告をする
- ◆税金の納め過ぎに気づいたら更正の請求ができる
- ◆いずれも遡及する期間は5年が原則とされている

計算誤りの是正措置

確定申告の計算を間違ってしまった場合、これを是正するにはいくつかのルートがあります。まず、税務調査により誤りを指摘され、納税者がこれを認めないときは、税務署は職権で**更正（提出された申告書を正すこと）または決定（申告書の提出がない納税者に税額を課すこと）**をします。

これに対して、納税者が自ら間違いを直すには「**修正申告**」または「**更正の請求**」という手続きを取ることができます。前者は**本来納めるべき税金より少なく申告してしまった場合、後者は正しい税額よりも多く納め過ぎてしまった場合**に、それぞれ正しい計算に修正するための方法です。

赤字申告のケースでは、赤字が過大であれば修正申告で、過少であれば更正の請求をしてそれぞれ直すことになります。

それぞれの得失

あまりよいたとえではありませんが、修正申告とは、進んで「自首する」ような手続きです。したがって、修正申告した内容について再び異を唱えることはできません。自首ですから期限はなく、**税務署に更正等を受ける前ならいつでも行うことができます**。税務署の調査によるのでなく、進んで修正申告をする場合には、過少申告加算税が免除されるなどの特典も用意されています。

これに対して更正の請求は、納めすぎの税金を返してもらうための救済措置です。申告納税制度の下では、自分が払う税金は2ヶ月という期間の中でゆとりを持って計算しているはず、という考え方があります。そこで、かつては、更正の請求は申告期限から1年間しか認めてもらえませんでした。しかし、税務調査があると5年遡って追徴されるのに、更正の請求が1年では不公平だという意見があり、現在では**救済措置も5年前まで遡れる**ことになっています。とても民主的な改正が行われたといえるでしょう。

MEMO 更正とは、税額計算等が法律の定めに従っていなかったときに正すこと。したがって、税務署が職権でこれを行えば「更正」、納税者からこれを求めれば「更正の請求」となる。

更正・決定・更正の請求・修正申告

■是正措置の一覧

申告の間違いに気づいた場合や税務署から間違いを指摘された場合には、以下のような是正措置がある。

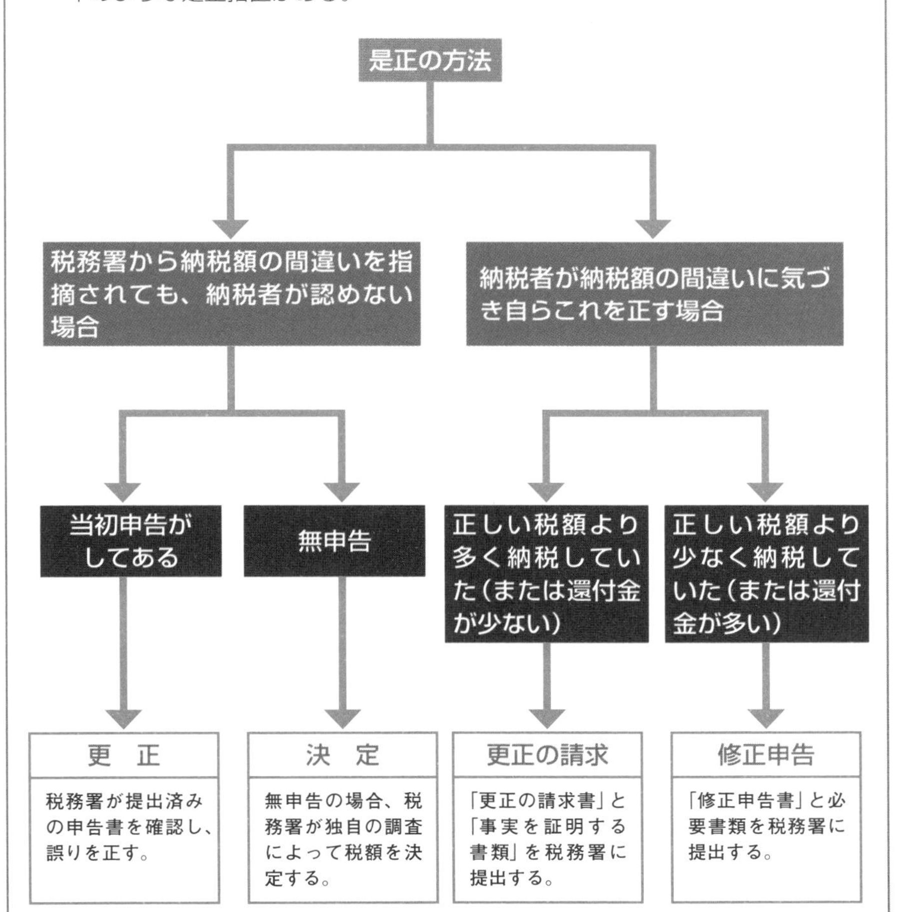

是正の方法
税務署から納税額の間違いを指摘されても、納税者が認めない場合
納税者が納税額の間違いに気づき自らこれを正す場合
当初申告がしてある
無申告
正しい税額より多く納税していた（または還付金が少ない）
正しい税額より少なく納税していた（または還付金が多い）
更　正
税務署が提出済みの申告書を確認し、誤りを正す。
決　定
無申告の場合、税務署が独自の調査によって税額を決定する。
更正の請求
「更正の請求書」と「事実を証明する書類」を税務署に提出する。
修正申告
「修正申告書」と必要書類を税務署に提出する。

申告の間違いに気づいたときは、まず法定申告期限を過ぎているかを確認しましょう。申告期限を過ぎていない場合は、確定申告書を修正して再提出すれば大丈夫です。

COLUMN 7

印紙税の調査

法人税の調査に備えて事前に一生懸命準備したつもりでも、意外なところで追徴を受けてしまうことがあります。それが印紙税です。法人税の調査では、既に述べたように、法人税だけでなく消費税、源泉所得税などさまざまな税目が調査の対象とされますが、印紙税も必ず調べられるので注意が必要です。

たとえば、取引先に対して不審な支払いがあった場合、調査官は取引相手との間に交わされた契約書の提示を求めます。どういう約束や認識の下に取引が行われているかは、契約書の文言を読んでみなければわからないからです。会社は、支払いの正当性を認めてもらおうと急いで契約書を調査官に見せますが、調査官からは想定外のコメントが発せられることがあります。「社長さん。この契約書、印紙が貼ってありませんねえ」と。

収入印紙の貼り忘れは、かなりの頻度で発生しています。上述のように、A社とB社が初めて取引をするときには、「基本契約書」などの書類を交わすことがありますが、これは印紙税の課税文書であり「継続的取引の基本となる契約書」として4,000円の印紙を貼付し消印しなければなりません。また、不動産の売買契約書にも、記載された金額に応じて税額は変化しますが、たとえば、1億円の取引であれば6万円（2027年3月末までは3万円）の印紙の貼付が義務づけられています。さらに、こちらは世の中の常識としてかなり浸透していると思いますが、売上代金の領収書には領収金額が5万円以上であれば、最低でも200円（最大は受取金額10億円超の場合の20万円）の印紙が必要です。

これらの貼付漏れを指摘されると、原則として本来の税額に加えてその2倍の過怠税が課されてしまうので、その負担は決して少なくありません。収入印紙が必要な文書を日頃からしっかりと理解し、もれなく貼付消印しておくことが大切です。

PART 7

法人税申告書の書き方・読み方

この章では、法人税申告書作成の流れを計算例を用いて説明します。法人税申告書の書き方・読み方について決算書から別表等への転記など、法人税額が算出されるまでの一連の手順を学びましょう。

◉法人税申告書別表と決算書の関係

<決算書>
損益計算書
損益計算書
自 令和○年5月1日
至 令和○年4月30日
株式会社○○○○○
(単位：円)
科　目
金　額
別表15
総勘定元帳
貸借対照表
貸借対照表
令和○年4月30日現在
株式会社○○○○○
(単位：円)
資産の部
負債の部
科　目
金　額
科　目
金　額
負債の部計
純資産の部
純資産の部計
資産の部計
負債・純資産の部計
別表8（1）
この図は、本書で使用する法人税申告書別表と決算書の関係を表したものです。どのようにして別表相互と決算書がつながっているのか確認しましょう。

[(注)本書で取上げた書式のみ記載]

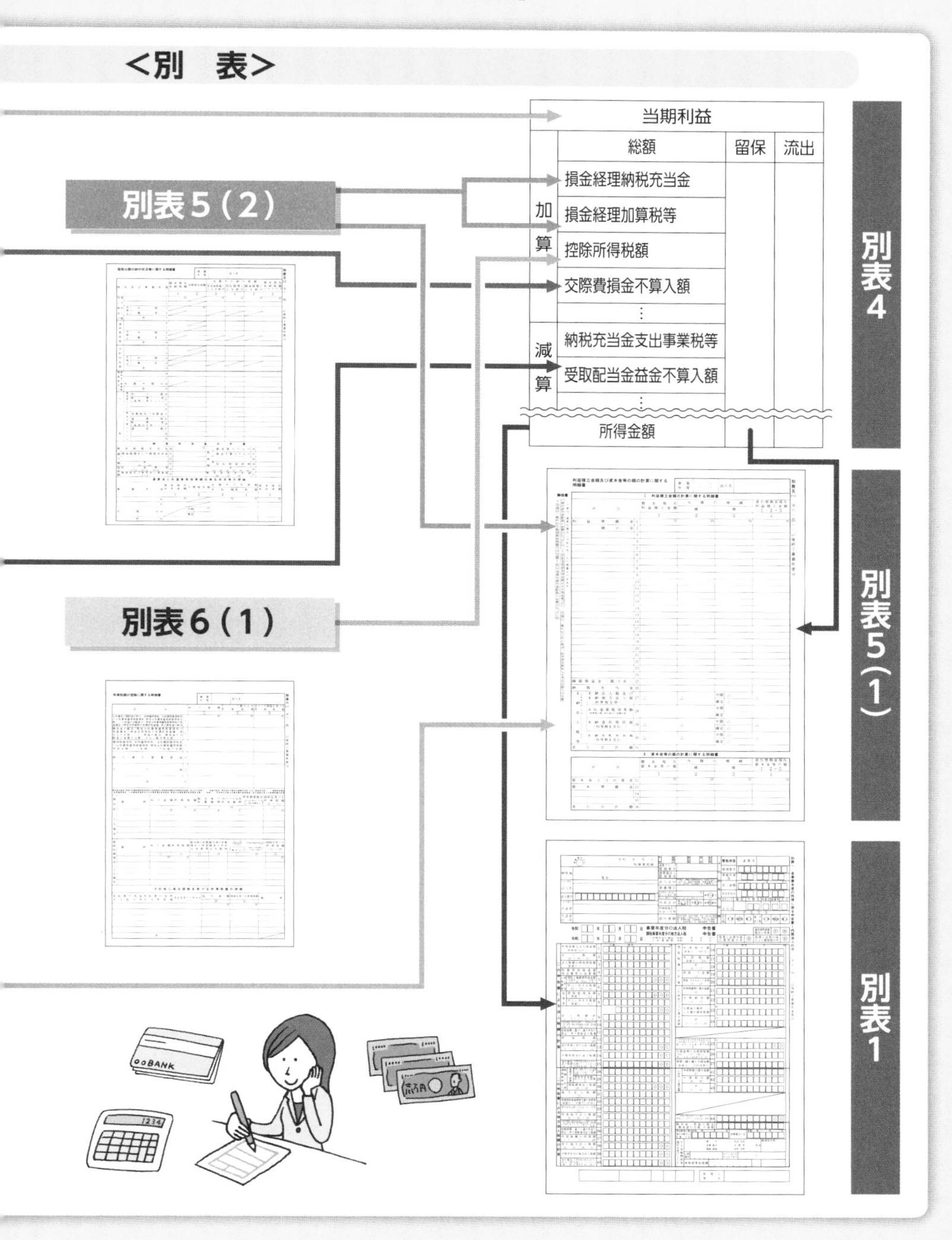

法人税申告書の作成手順

使用する決算書や別表等						
貸借対照表	損益計算書	販売費・一般管理費内訳書	総勘定元帳（租税公課）	総勘定元帳（法人税等充当金）	納税一覧表	別表1
別表1次葉	別表4	別表5（1）	別表5（2）	別表6（1）	別表8（1）	別表15

法人税申告は書き方よりも読み方を理解する

この章では法人税申告書の作成手順について、ある会社の申告書を徐々に完成させていくという具体例を用いて説明していきます。法人税申告書は、税務申告を初めて経験する人にとっては非常にハードルが高く、一般の人が1回で完成させるのは、不可能といっても過言ではないでしょう。そういう意味で、**本章でご理解頂きたいのは申告書の書き方というよりは、むしろ読み方です。**

申告書を自分が一から作成するのではなく、税理士などの専門家が作ってくれた申告書の、どこに何が書いてあるのかを知り、決算書上の各数値が申告書のどの部分に連動しているのかを理解することができれば、「ここに変更が生じたらあそこの数値を直さなければいけない」というような勘が働くようになります。そうなれば決算書と申告書の相関関係が立体的に把握できるわけですから、申告書作成の手順やその読み方もスムーズに理解できるようになります。そのような視点で、この章の事例を学んで下さい。

法人税申告書と別表

法人税の申告書には、数多くの別表が用意されていますが、実際にはそのすべてを使用するわけではありません。自社の申告内容に応じて、必要となる書式を取捨選択して記載します。

たとえば、「貸倒引当金の損金算入に関する明細書（別表11）」は、決算において貸倒引当金の設定をしていないのであれば、これを使用する必要はありません。同様に「欠損金の損金算入等に関する明細書（別表7）」、「受取配当等の益金不算入に関する明細書（別表8）」、「寄付金の損金算入に関する明細書（別表14(2)）」、「交際費等の損金算入に関する明細書（別表15）」、「減価償却資産の償却額の計算に関する明細書（別表16）」なども、該当する取引がある場合にのみ使用することになります。

別表記載の手順

別表の記載順序については、単一の決まりがあるわけではありません。会社決算上の当期利益から、①申告調整を通じて法人税の課税対象となる所得金額を算出し、②これに税率を乗じて納税額を計算する、のが別表作成のプロセスならびに目的ですから、前者については別表4と5(1)および5(2)を中心に連動する別表間で数値の行き来があり、その後に別表1を中心に税額計算を行うことになります。

つまり、別表4で所得金額を算出し、別表1で税額を計算するという大きな流れがあり、その作成プロセスにおいて別表５(１)、５(２)をはじめとするその他の帳票に適宜データが飛ぶというイメージです。これから実例を用いて説明する記載の順序は、あくまで一つの事例として理解して下さい。

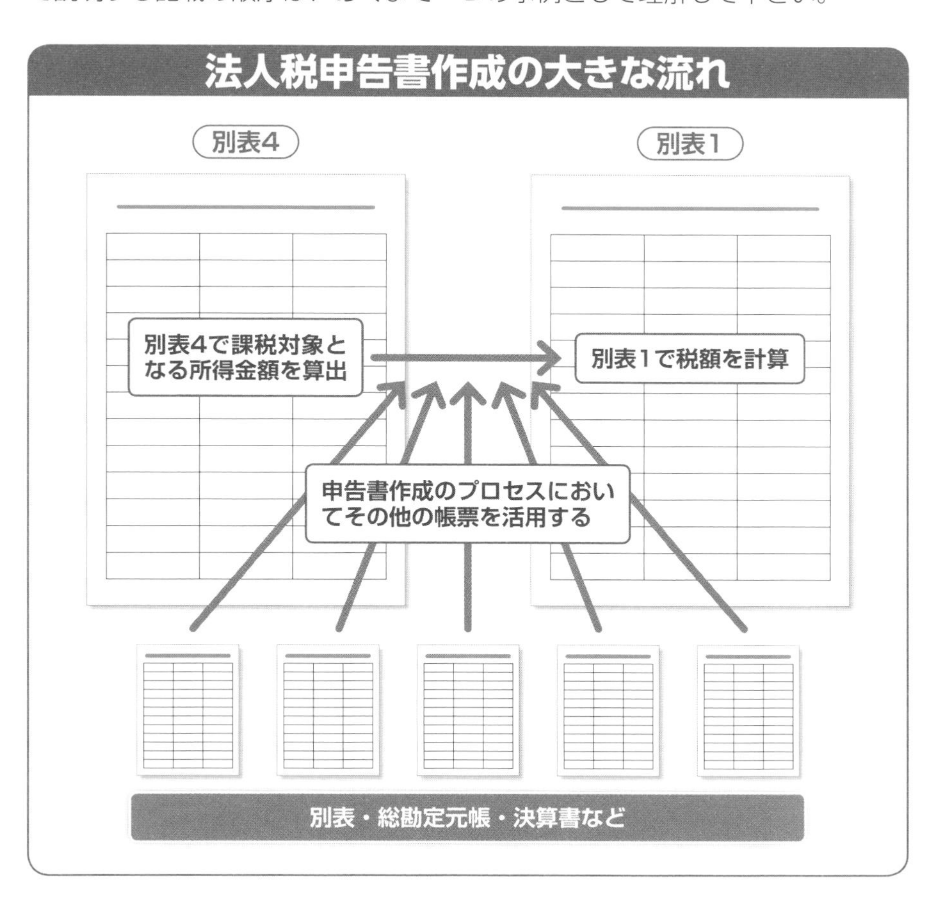
法人税申告書作成の大きな流れ
別表4
別表1
別表4で課税対象となる所得金額を算出
別表1で税額を計算
申告書作成のプロセスにおいてその他の帳票を活用する
別表・総勘定元帳・決算書など

決算書と申告書の接点

使用する決算書や別表等						
貸借対照表	**損益計算書**	販売費・一般管理費内訳書	総勘定元帳（租税公課）	総勘定元帳（法人税等充当金）	納税一覧表	別表1
別表1次葉	**別表4**	別表5(1)	別表5(2)	別表6(1)	別表8(1)	別表15

決算書と総勘定元帳のデータを転記する

パソコンが世の中に普及し、高性能なアプリケーションソフトが安価で手に入るようになった今日、法人税の申告書を手書きで仕上げる会社はかなりの少数派になってしまったのではないでしょうか。

そこでこの章の事例でも、財務のシステムで出力した決算書と総勘定元帳のデータを、法人税のシステムのどの部分に転記すればよいか、というポイントからスタートします。

当期純利益を別表4に転記する

まず初めに、損益計算書の最下段を見て下さい。ここに当期純利益として5,468,230円という金額が計上されています（次ページ1）。これが確定決算における利益金額ですから、ここから法人税の課税対象となる所得金額を導き出さなければなりません。**そこでその金額を、法人税申告書別表4の最上段の「当期利益又は当期欠損の額」の「総額①」欄に転記します**（次ページ2）。その事業年度中に株式の配当をしていれば**その配当金額を「社外流出③」欄に記載しますが、配当が行われていないときは、その総額を「留保②」欄にも記入します**（次ページ3）。

● 損益計算書の当期純利益を別表4へ転記

損益計算書

株式会社○○○○○

(単位：円)
自 令和○年5月1日
至 令和○年4月30日

科目	金額	
【売上高】		
売上高	18,144,000	18,144,000
【営業外費用】		
支払利息	3,004,255	3,004,255
経常利益		6,382,521
税引前当期純利益		6,382,521
法人税等充当額		914,291
当期純利益		5,468,230 ❶

損益計算書の当期純利益の金額を別表4「当期利益又は当期欠損の額」の「総額①」欄へ転記

所得の金額の計算に関する明細書(簡易様式)

事業年度	○・05・01 ○・04・30	法人名	株式会社○○○○○

別表四(簡易様式) 令六・四・一以後終了事

御注意
21 沖縄の認定法人の課税の特例等の規定の適用「52」の「①」欄の金額は、「②」欄の金額に

区分			総額 ①	処分 留保 ②	社外流出 ③	
当期利益又は当期欠損の額		1	5,468,230円 ❷	5,468,230円 ❸	配当	円
					その他	
加	損金経理をした法人税及び地方法人税(附帯税を除く。)	2				
	損金経理をした道府県民税及び市町村民税	3				
	損金経理をした納税充当金	4				
	損金経理をした附帯税(利子税を除く。)、加算金、延滞金(延納分を除く。)及び過怠税	5			その他	
	減価償却の償却超過額	6				
	役員給与の損金不算入額	7			その他	
	交際費等の損金不算入額	8			その他	
	通算法人に係る加算額(別表四付表「5」)	9			外※	
		10				

租税公課勘定の転記

使用する決算書や別表等	貸借対照表	損益計算書	販売費・一般管理費内訳書	総勘定元帳(租税公課)	総勘定元帳(法人税等充当金)	納税一覧表	別表1
	別表1次葉	別表4	別表5(1)	別表5(2)	別表6(1)	別表8(1)	別表15

損益計算書から租税公課の勘定を確認する

次に確認しなければならないのは、租税公課、法人税等充当金などの勘定です(経理の方法によっては仮払金勘定も関係します)。これら勘定科目は、後述しますが、税金の計算に大きく影響するからです。

まず、**損益計算書の「販売費・一般管理費内訳書」から租税公課勘定の金額を確認します**。1,593,200円という金額が記載されていますが、これは1年間に租税公課勘定に計上された金額の合計額です(次ページ1)。そして、その内訳は租税公課の総勘定元帳に記載されていますので、その明細を見て次のように種類別に集計します。

租税公課勘定の内訳を別表5(2)に転記する

1. 固定資産税、登録免許税などの単純に損金に算入できる金額。(P1682)

事例では、固定資産税が748,900円(187,900円+187,000円×3回)、登録免許税が10,600円、印紙税が400円、消費税(税込み経理なので決算で算出された年間納税額を計上したもの)が806,300円となっており、その総額は1,566,200円。この金額を、別表5(2)の「損金算入のもの」欄に「消費税他」と記入して「当期発生税額」及び「当期中の納付税額/損金経理による納付」欄に転記します(P1693)。

2. 加算税や延滞金などの罰金的性質を有するものが4項目。合計で27,000円。(P1684)

一方、加算税や延滞金など損金不算入のものは、別表5(2)の「損金不算入のもの」欄の「加算税及び加算金」、「延滞税」、「延滞金」の「当期発生税額」および「損金経理による納付」の欄にそれぞれ金額を転記します(P1695)。

ここで大切なことは、別表5(2)の「当期中の納付税額/損金経理による納付」欄の縦計(この事例では1,593,200円)が決算書の租税公課勘定の残高と一致していることを確認することです（P169 6）。この両者が一致していないとしたら、何らかの転記漏れまたは転記ミスが生じていることを意味し、所得金額が正しく計算できない可能性があります。必ず検算するように心掛けましょう。

● 損益計算書（販売費・一般管理費内訳書）から租税公課勘定を確認する

販売費・一般管理費内訳書

株式会社○○○○○　（単位：円）

自　令和○年５月１日
至　令和○年４月30日

科目	金額	
役員報酬	9,360,000	
給料手当	480,000	
支払手数料	416,016	
接待交際費	73,071	
通信費	159,104	
租税公課	1,593,200	
減価償却費	2,159,891	
修繕費	2,689,036	
雑費	130,964	
合計		17,061,282

1（租税公課 1,593,200）→ 租税公課勘定の金額の内訳を租税公課の総勘定元帳（P168）から見る。

●租税公課の総勘定元帳からその内訳を確認する

総勘定元帳

株式会社○○○○○　　　　　　　　　　　　　　租税公課

日付	伝票No.	摘要	相手科目名	借方	貸方	残高
5.23	振10	都民税利子割 不申告加算金	現金	A 4,300		
〃	〃	都民税利子割 延滞金	現金	4,800		9,100
		（月計）		9,100	0	
6.2	振1	源泉税 不納付加算税	現金	B 13,000		
〃	〃	源泉税 延滞税	現金	4,900		27,000
		（月計）		17,900	0	
7.28	振13	●●市 固定資産税	三菱UFJ当座	187,900		214,900
		（月計）		187,900	0	
8.25	振14	役員変更登録免許税	諸口	10,600		225,500
		（月計）		10,600	0	
9.29	振17	●●市 固定資産税	三菱UFJ当座	187,000		412,500
		（月計）		187,000	0	
12.12	振3	印紙代	三菱UFJ当座	400		412,900
12.31	振18	●●市 固定資産税	三菱UFJ当座	187,000		599,900
		（月計）		187,400	0	
3.1	振2	●●市 固定資産税	三菱UFJ当座	187,000		786,900
		（月計）		187,000	0	
4.30	振18	消費税	諸口	806,300		1,593,200
		（月計）		806,300	0	
		（年計）		1,593,200	0	
4.30		振替	損益		1,593,200	0
		以下余白				

罰金的性質のあるものは、5へ転記。

合計 27,000円 ― 4

合計 1,566,200円 ― 2

損金に算入できる金額は、3へ転記。

● 総勘定元帳の金額を別表5(2)へ転記

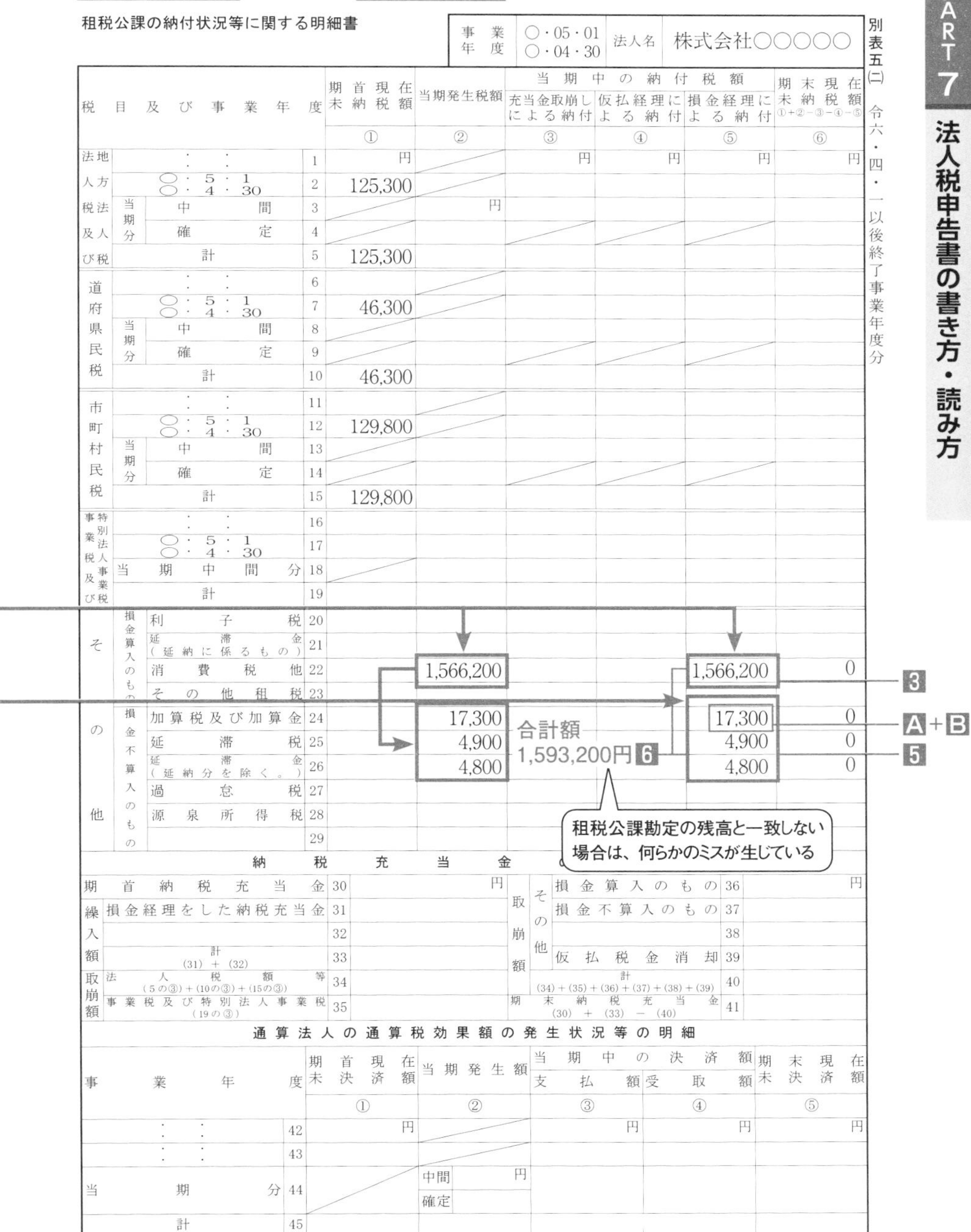

租税公課の納付状況等に関する明細書

事業年度	○・05・01 ○・04・30	法人名	株式会社○○○○○

別表五(二) 令六・四・一以後終了事業年度分

税目及び事業年度			番号	期首現在未納税額 ①	当期発生税額 ②	当期中の納付税額 充当金取崩しによる納付 ③	仮払経理による納付 ④	損金経理による納付 ⑤	期末現在未納税額 ①+②−③−④−⑤ ⑥
法人税及び地方法人税		・　・	1	円		円	円	円	円
		○・5・1 ○・4・30	2	125,300					
	当期分	中間	3		円				
		確定	4						
		計	5	125,300					
道府県民税		・　・	6						
		○・5・1 ○・4・30	7	46,300					
	当期分	中間	8						
		確定	9						
		計	10	46,300					
市町村民税		・　・	11						
		○・5・1 ○・4・30	12	129,800					
	当期分	中間	13						
		確定	14						
		計	15	129,800					
事業税及び特別法人事業税		・　・	16						
		○・5・1 ○・4・30	17						
		当期中間分	18						
		計	19						
その他	損金算入のもの	利子税	20						
		延滞金（延納に係るもの）	21						
		消費税他	22		1,566,200			1,566,200	0
		その他租税	23						
	損金不算入のもの	加算税及び加算金	24		17,300			17,300	0
		延滞税	25		4,900			4,900	0
		延滞金（延納分を除く。）	26		4,800			4,800	0
		過怠税	27						
		源泉所得税	28						
			29						

合計額
1,593,200円 6
3
A+B
5
租税公課勘定の残高と一致しない場合は、何らかのミスが生じている

納税充当金の計算

項目		番号	金額	項目		番号	金額
期首納税充当金		30	円	取崩額 その他	損金算入のもの	36	円
繰入額	損金経理をした納税充当金	31			損金不算入のもの	37	
		32				38	
	計 (31)+(32)	33			仮払税金消却	39	
取崩額	法人税額等 (5の③)+(10の③)+(15の③)	34			計 (34)+(35)+(36)+(37)+(38)+(39)	40	
	事業税及び特別法人事業税 (19の③)	35		期末納税充当金 (30)+(33)−(40)		41	

通算法人の通算税効果額の発生状況等の明細

事業年度	番号	期首現在未決済額 ①	当期発生額 ②	当期中の決済額 支払額 ③	受取額 ④	期末現在未決済額 ⑤
・　・	42	円		円	円	円
・　・	43					
当期分	44		中間 円 確定			
計	45					

法人税等充当金勘定の転記

使用する決算書や別表等	貸借対照表	損益計算書	販売費・一般管理費内訳書	総勘定元帳（租税公課）	総勘定元帳（法人税等充当金）	納税一覧表	別表1
	別表1次葉	別表4	別表5（1）	別表5（2）	別表6（1）	別表8（1）	別表15

貸借対照表から法人税等充当金勘定の確認をする

続いて、法人税等充当金（または納税充当金）勘定のチェックと転記です。次ページの決算書の貸借対照表の貸方には、その残高として289,700円が計上されていることがわかります（次ページ1）。これは期末の残高であり、総勘定元帳（P172）の同勘定の内訳を見てみると、期首残高の609,800円が期中に全額取り崩され、改めて期末に289,700円計上されるというプロセスをたどっています。

この期末残高の計上額については、P172およびP197で算出方法を説明しますが、まず期首残高と期中の取り崩し額を別表に転記する手順について確認しておきましょう。

期首残高と期中の取り崩し額を別表に転記する

まず、別表5（2）の下部の「納税充当金の計算／期首納税充当金」30欄に期首残高の609,800円（P173 2）を記入します。続いて期中の取り崩し額を、同表の「当期中の納付税額／充当金取崩しによる納付」欄の各税目の金額欄に、「法人税及び地方法人税125,300円（P173 3）」、「道府県民税46,300円（P173 4）」、「市町村民税129,800円（P173 5）」、「事業税及び特別法人事業税308,400円（P173 6）」、「その他租税177,891円（P173 7）」、「源泉所得税446,700円（P173 8）」と記入します。

なお、これら金額の期首残高①は前期末から繰り越されてきたものであり、前期の会社データが正しく更新処理されていれば、最初から残高として計上されているはずのものです。

そして、ここまでに記載した金額を、再び最下部「納税充当金の計算」の31欄（損金経理をした納税充当金）から40欄（取り崩し額の合計）までにそれぞれ転記し、期末の充当金残高289,700円を算出します。

● 貸借対照表の法人税等充当金を確認する

貸借対照表

株式会社○○○○○

（単位：円）
令和○年4月30日現在

資産の部		負債の部	
科目	金額	科目	金額
【流動資産】	6,391,771	【流動負債】	2,281,516
現金及び預金	5,917,313	未払金	1,619,341
仮払金	474,458	預り金	1 372,475
【固定資産】	305,851,115	法人税等充当金	289,700
（有形固定資産）	55,914,516	【固定負債】	257,981,000
建物	37,689,478	長期借入金	47,981,000
土地	18,225,038	社債	210,000,000
（無形固定資産）	30,544,198	負債の部計	260,262,516
借地権	30,544,198	純資産の部	
（投資その他の資産）	219,392,401	【株主資本】	51,980,370
投資有価証券	219,392,401	［資本金］	10,000,000
		［利益剰余金］	41,980,370
		（その他利益剰余金）	41,980,370
		繰越利益剰余金	41,980,370
		純資産の部計	51,980,370
資産の部計	312,242,886	負債・純資産の部計	312,242,886

期末残高

総勘定元帳の期首残高609,800円（P172）から改めて計上されたのが289,700円。その算出方法はP172参照。

● 総勘定元帳(法人税等充当金) から 別表5(2) に転記する

総勘定元帳

株式会社○○○○○　　　　法人税等充当金

日付	伝票No.	摘要	相手科目名	借方	貸方	残高
5.1		前期繰越				609,800 — 2
6.30	振20	法人税	諸口	89,100	合計 125,300円 — 3	
〃	〃	地方法人税	諸口	36,200		
〃	〃	事業税	諸口	308,400 — 6		
〃	〃	都民税	諸口	46,300 — 4		
〃	〃	市民税	諸口	129,800 — 5		
		(月計)		609,800	0	
4.30	振19	その他租税	諸口	177,891 — 7		
〃	〃	源泉所得税	諸口	446,700 — 8		
〃	〃	法人税等	法人税等充当		914,291	289,700 — 1
		(月計)		624,591	914,291	
		(年計)		1,234,391	914,291	
9.30		次期繰越				289,700
		以下余白				

法人税等充当金の繰入額914,291円は、下記のように計算されています。

① 今期の年税額　地方法人税45,900円＋事業税142,700円＋法人都民税24,400円＋法人市民税76,700円＝289,700円（P197「納税一覧表」参照）

② 法人税等充当金から支出した租税　その他租税177,891円＋源泉所得税446,700円＝624,591円

③ ①＋②＝914,291円

上記 総勘定元帳 の1～8が、次ページの 別表5(2) の1～8に転記される。

租税公課の納付状況等に関する明細書

事業年度	○・05・01 ○・04・30	法人名	株式会社○○○○○

別表五(二) 令六・四・一以後終了事業年度分

税目及び事業年度		No.	期首現在未納税額 ①	当期発生税額 ②	当期中の納付税額 充当金取崩しによる納付 ③	当期中の納付税額 仮払経理による納付 ④	当期中の納付税額 損金経理による納付 ⑤	期末現在未納税額 ①+②−③−④−⑤ ⑥
法人税及び地方法人税	・・	1	円		円	円	円	円
	○・5・1 ○・4・30	2	125,300		125,300 [3]			0
	当期分 中間	3		円				
	当期分 確定	4						
	計	5	125,300		125,300			0
道府県民税	・・	6						
	○・5・1 ○・4・30	7	46,300		46,300 [4]			0
	当期分 中間	8						
	当期分 確定	9						
	計	10	46,300		46,300			0
市町村民税	・・	11						
	○・5・1 ○・4・30	12	129,800		129,800 [5]			0
	当期分 中間	13						
	当期分 確定	14						
	計	15	129,800		129,800			0
事業税及び特別法人事業税	・・	16						
	○・5・1 ○・4・30	17		308,400	308,400 [6]			
	当期中間分	18						
	計	19		308,400	308,400			0
その他 損金算入のもの	利子税	20						
	延滞金（延納に係るもの）	21						
	消費税他	22		1,566,200			1,566,200	0
	その他租税	23		177,891	177,891 [7]			0
その他 損金不算入のもの	加算税及び加算金	24		17,300			17,300	0
	延滞税	25		4,900			4,900	0
	延滞金（延納分を除く。）	26		4,800			4,800	0
	過怠税	27						
	源泉所得税	28		921,158	446,700 [8]	474,458 [8]		0
		29						

納税充当金の計算

期首納税充当金	30	[2] 609,800円	取崩額 その他 損金算入のもの	36	[7] 177,891円
繰入額 損金経理をした納税充当金	31	914,291	取崩額 その他 損金不算入のもの	37	[8] 446,700
繰入額	32		取崩額 その他	38	
繰入額 計 (31)+(32)	33	914,291	取崩額 その他 仮払税金消却	39	
取崩額 法人税額等 (5の③)+(10の③)+(15の③)	34	[3]+[4]+[5] 301,400	取崩額 計 (34)+(35)+(36)+(37)+(38)+(39)	40	1,234,391
取崩額 事業税及び特別法人事業税 (19の③)	35	[6] 308,400	期末納税充当金 (30)+(33)−(40)	41	289,700 [1]

通算法人の通算税効果額の発生状況等の明細

事業年度	No.	期首現在未決済額 ①	当期発生額 ②	当期中の決済額 支払額 ③	当期中の決済額 受取額 ④	期末現在未決済額 ⑤
・・	42	円		円	円	円
・・	43					
当期分	44		中間 円 確定			
計	45					

源泉所得税の整理

使用する決算書や別表等	貸借対照表	損益計算書	販売費・一般管理費内訳書	総勘定元帳(租税公課)	総勘定元帳(法人税等充当金)	納税一覧表	別表1
	別表1次葉	**別表4**	別表5(1)	**別表5(2)**	**別表6(1)**	別表8(1)	別表15

二重課税を防止するしくみ

法人が受け取る預貯金の利子や配当金などからは、所得税が源泉徴収されています。その税率は15%ですが、2037年12月31日までは、これに復興特別所得税が本税の2.1%加算されるため、合計の徴収税率は15.315%(15%×(1＋2.1%))とされます。預金の利子を100万円受け取ったら、153,150円が天引き徴収されて、手取り額は846,850円になるということです。

この税額は、税目は所得税ですが、所得税も法人税もともに国税です。このため受取利息が法人の営業外収益に計上されて所得金額の一部を構成し、**これに法人税が課税されるのであれば、天引き徴収された源泉所得税は国税が二重課税されているということになります**。そこで全体の所得に対して計算された法人税額から、天引き徴収された所得税額を控除して、二重課税を防止するしくみになっています(源泉徴収された金額の分だけ、確定申告で納付する法人税が少なくなります)。

別表6(1)に利子・配当金・源泉徴収税額を記入する

その計算を明らかにするため、別表6(1)という書式に、受け取った利子や配当金、そこから控除された源泉徴収税額などを記入します。

この事例では、受取配当金が総額で6,014,744円あり、そこから15.315%の921,158円が源泉徴収されていたということですから、別表6(1)の①「収入金額」欄(次ページ**1**)と②「①について課される所得税額」欄(次ページ**2**)および③「②のうち控除を受ける所得税額」欄に、それぞれ該当する金額を記入します。これらの金額はこの事例では省略していますが、総勘定元帳の受取利息、受取配当などの科目のページから集計して転記します。

なお、控除された源泉所得税額は、その経理方法に応じて、別表5(2)の充当金取崩しによる納付③、仮払経理による納付④、損金経理による納付⑤のそれぞれの欄に記載します。ちなみにこの事例では、源泉徴収された税額のうち474,458円は還付されることになるため、その金額を仮払金に計上しておき（P176**3**）、翌期に還付金を受け取った時点で仮払金の戻し入れの処理をすることにしています。

加算調整

なお、上記の二重課税防止のための所得税額控除を受ける場合には、その天引きされた税額が租税公課などの勘定に計上されると、損金算入と税額控除のダブル控除を受ける結果となって法人税が不当に減少してしまいます。そこで、**税額控除を受ける金額については別表4(29)欄「法人税額から控除される所得税額」の欄に記入して加算調整することとされています**（P177**4**）。

● 別表6(1) に記入する

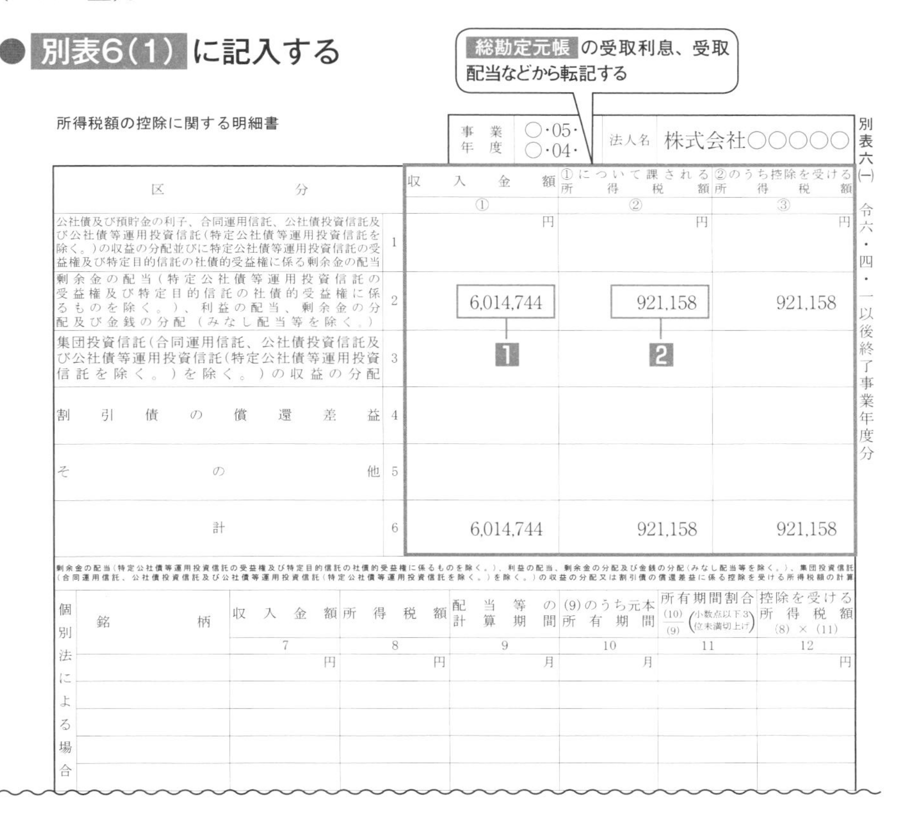

総勘定元帳の受取利息、受取配当などから転記する
1
2

所得税額の控除に関する明細書

事業年度	○・05・ ○・04・	法人名	株式会社○○○○○

別表六(一)　令六・四・一以後終了事業年度分

区分		収入金額 ①	①について課される所得税額 ②	②のうち控除を受ける所得税額 ③
公社債及び預貯金の利子、合同運用信託、公社債投資信託及び公社債等運用投資信託（特定公社債等運用投資信託を除く。）の収益の分配並びに特定公社債等運用投資信託の受益権及び特定目的信託の社債的受益権に係る剰余金の配当	1	円	円	円
剰余金の配当（特定公社債等運用投資信託の受益権及び特定目的信託の社債的受益権に係るものを除く。）、利益の配当、剰余金の分配及び金銭の分配（みなし配当等を除く。）	2	6,014,744	921,158	921,158
集団投資信託（合同運用信託、公社債投資信託及び公社債等運用投資信託（特定公社債等運用投資信託を除く。）を除く。）の収益の分配	3			
割引債の償還差益	4			
その他	5			
計	6	6,014,744	921,158	921,158

剰余金の配当（特定公社債等運用投資信託の受益権及び特定目的信託の社債的受益権に係るものを除く。）、利益の配当、剰余金の分配及び金銭の分配（みなし配当等を除く。）、集団投資信託（合同運用信託、公社債投資信託及び公社債等運用投資信託（特定公社債等運用投資信託を除く。）を除く。）の収益の分配又は割引債の償還差益に係る控除を受ける所得税額の計算

	銘柄	収入金額 7	所得税額 8	配当等の計算期間 9	(9)のうち元本所有期間 10	所有期間割合 (10)/(9)（小数点以下3位未満切上げ） 11	控除を受ける所得税額 (8)×(11) 12
個別法による場合		円	円	月	月		円

●控除された源泉所得税を 別表5(2) へ記入する

租税公課の納付状況等に関する明細書

事業年度	○・05・01 ○・04・30	法人名	株式会社○○○○○

別表五(二) 令六・四・一以後終了事業年度分

税目及び事業年度				期首現在未納税額	当期発生税額	当期中の納付税額 充当金取崩しによる納付	仮払経理による納付	損金経理による納付	期末現在未納税額 ①+②-③-④-⑤
				①	②	③	④	⑤	⑥
法人税及び地方法人税		・ ・	1	円		円	円	円	円
		○・5・1 ○・4・30	2	125,300		125,300			0
	当期分	中間	3		円				
		確定	4						
		計	5	125,300		125,300			0
道府県民税		・ ・	6						
		○・5・1 ○・4・30	7	46,300		46,300			0
	当期分	中間	8						
		確定	9						
		計	10	46,300		46,300			0
市町村民税		・ ・	11						
		○・5・1 ○・4・30	12	129,800		129,800			0
	当期分	中間	13						
		確定	14						
		計	15	129,800		129,800			0
事業税及び特別法人事業税		・ ・	16						
		○・5・1 ○・4・30	17		308,400	308,400			
		当期中間分	18						
		計	19		308,400	308,400			0
その他	損金算入のもの	利子税	20						
		延滞金(延納に係るもの)	21						
		消費税他	22		1,566,200			1,566,200	0
		その他租税	23		177,891	177,891			0
	損金不算入のもの	加算税及び加算金	24		17,300			17,300	0
		延滞税	25		4,900			4,900	0
		延滞金(延納分を除く。)	26		4,800			4,800	0
		過怠税	27						
		源泉所得税	28		921,158 **2**	446,700	474,458 **3**		0
			29						

合算すると**2**になる

納税充当金の計算

		No.	金額				No.	金額
期首納税充当金		30	609,800 円	取崩額	その他	損金算入のもの	36	177,891 円
繰入額	損金経理をした納税充当金	31	914,291			損金不算入のもの	37	446,700
		32					38	
	計 (31)+(32)	33	914,291			仮払税金消却	39	
取崩額	法人税額等 (5の③)+(10の③)+(15の③)	34	301,400		計 (34)+(35)+(36)+(37)+(38)+(39)		40	1,234,391
	事業税及び特別法人事業税 (19の③)	35	308,400		期末納税充当金 (30)+(33)-(40)		41	289,700

通算法人の通算税効果額の発生状況等の明細

事業年度		期首現在未決済額	当期発生額	当期中の決済額 支払額	受取額	期末現在未決済額
		①	②	③	④	⑤
・ ・	42	円		円	円	円
・ ・	43					
当期分	44		中間 円 確定			
計	45					

● 別表4 に記入して加算調整

所得の金額の計算に関する明細書(簡易様式)

事業年度	○・05・01 ○・04・30	法人名	株式会社○○○○○

別表四(簡易様式) 令六・四・一以後終了事業年度分

区分			総額 ①	処分 留保 ②	処分 社外流出 ③	
当期利益又は当期欠損の額		1	円 5,468,230	円 5,468,230	配当 その他	円
加算	損金経理をした法人税及び地方法人税(附帯税を除く。)	2				
	損金経理をした道府県民税及び市町村民税	3				
	損金経理をした納税充当金	4				
	損金経理をした附帯税(利子税を除く。)、加算金、延滞金(延納分を除く。)及び過怠税	5			その他	
	減価償却の償却超過額	6				
	役員給与の損金不算入額	7			その他	
	交際費等の損金不算入額	8			その他	
	通算法人に係る加算額(別表四付表「5」)	9			外 ※	
		10				
	小計	11			外 ※	
減算	減価償却超過額の当期認容額	12				
	納税充当金から支出した事業税等の金額	13				
	受取配当等の益金不算入額(別表八(一)「5」)	14			※	
	外国子会社から受ける剰余金の配当等の益金不算入額(別表八(二)「26」)	15			※	
	受贈益の益金不算入額	16			※	
	適格現物分配に係る益金不算入額	17			※	
	法人税等の中間納付額及び過誤納に係る還付金額	18				
	所得税額等及び欠損金の繰戻しによる還付金額等	19			※	
	通算法人に係る減算額(別表四付表「10」)	20			※	
		21				
	小計	22			外 ※	
仮計 (1)+(11)−(22)		23			外 ※	
対象純支払利子等の損金不算入額(別表十七(二の二)「29」又は「34」)		24			その他	
超過利子額の損金算入額(別表十七(二の三)「10」)		25	△		※	△
仮計 ((23)から(25)までの計)		26			外 ※	
寄附金の損金不算入額(別表十四(二)「24」又は「40」)		27			その他	
法人税額から控除される所得税額(別表六(一)「6の③」)		29	921,158		その他	921,158
税額控除の対象となる外国法人税の額(別表六(二の二)「7」)		30			その他	
分配時調整外国税相当額及び外国関係会社等に係る控除対象所得税額等相当額(別表六(五の二)「5の②」)+(別表十七(三の六)「1」)		31			その他	
合計 (26)+(27)+(29)+(30)+(31)		34			外 ※	
中間申告における繰戻しによる還付に係る災害損失欠損金額の益金算入額		37			※	
非適格合併又は残余財産の全部分配等による移転資産等の譲渡利益額又は譲渡損失額		38			※	
差引計 (34)+(37)+(38)		39			外 ※	
更生欠損金又は民事再生等評価換えが行われる場合の再生等欠損金の損金算入額(別表七(三)「9」又は「21」)		40	△		※	△
通算対象欠損金額の損金算入額又は通算対象所得金額の益金算入額(別表七の二「5」又は「11」)		41			※	
差引計 (39)+(40)±(41)		43			外 ※	
欠損金等の当期控除額(別表七(一)「4の計」)+(別表七(四)「10」)		44	△		※	△
総計 (43)+(44)		45			外 ※	
残余財産の確定の日の属する事業年度に係る事業税及び特別法人事業税の損金算入額		51	△	△		
所得金額又は欠損金額		52			外 ※	

4

(簡)

御注意

1 沖縄の認定法人の課税の特例等の規定の適用を受ける法人にあっては、別様式による別表四を御使用ください。

2 「52」の「①」欄の金額は、「②」欄の金額に「③」欄の本書の金額を加算し、これから「※」の金額を加減算した額と符合することになります。

別表4の記入を開始

使用する決算書や別表等							
	貸借対照表	損益計算書	販売費・一般管理費内訳書	総勘定元帳（租税公課）	総勘定元帳（法人税等充当金）	納税一覧表	別表1
	別表1次葉	別表4	別表5(1)	別表5(2)	別表6(1)	別表8(1)	別表15

別表4へ記入

租税公課の整理がついたところで、いよいよ別表4の記載に着手します。

既にP164で説明したように最上段の「当期利益又は当期欠損の額」の欄には、損益計算書最下段の5,468,230円が記入されています（次ページ**1**）。続いて、その下の4欄「損金経理をした納税充当金」には、損益計算書の下から2段目の「法人税等充当額」として計上した914,291円を記入し、さらに同額を「留保②」欄にも記入します（次ページ**2**）。また、同様に別表5(2)の31欄にも記入します（P180**2**）。

これは、**法人税や法人住民税などが損金に算入されない（その論理についてはP112参照）ため、これを引き当てるための納税充当金の繰入額も損金算入できないからです。**

別表5(2)の内容を別表4へ記入する

続いて別表5(2)で集計した、損金不算入の加算税や延滞税などを、別表4の5欄「損金経理をした附帯税、加算金、延滞金及び過怠税」欄に記入します。具体的には加算税17,300円、延滞税4,900円、延滞金4,800円の合計27,000円を5欄に記入するということです（次ページ**3**）。**ここに記入することで、これら附帯税が所得金額に加算されることになり、罰金としての制裁効果を減ずることがなくなります。**

なお、近年の改正により、中小企業では交際費の損金不算入額が発生する可能性はかなり低くなりましたが、念のため別表15「交際費等の損金算入に関する明細書」を作成しておきます（P181）。

内容は極めて単純で、決算書の販売費・一般管理費内訳書の接待交際費勘定の金額を別表15に転記するだけです（P181**4**）。

この事例における加算項目への記入は以上です。続いて減算項目に移ります。

● 別表4 に損益計算書の該当金額を転記する

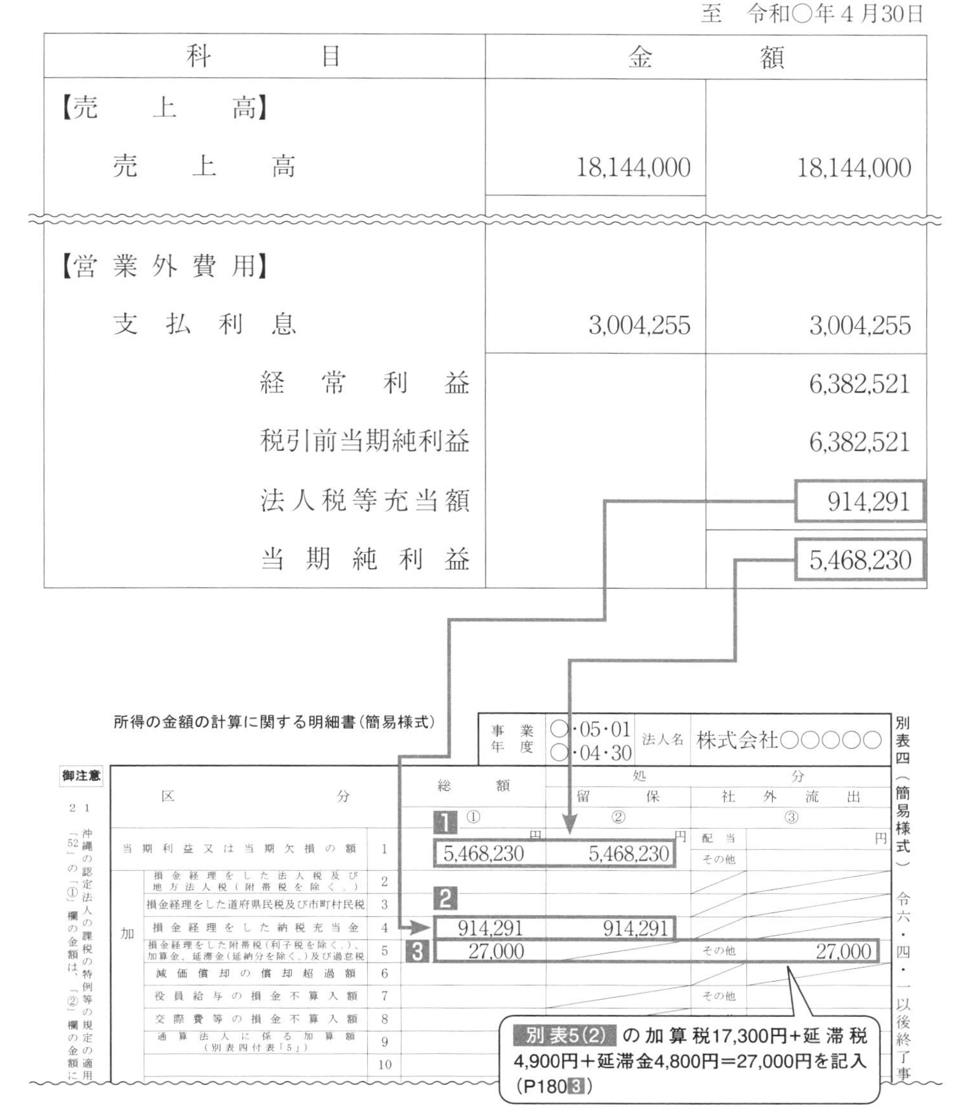

損益計算書

株式会社○○○○○

(単位：円)
自　令和○年５月１日
至　令和○年４月30日

科　　　目	金　　　額	
【売　　上　　高】		
売　　上　　高	18,144,000	18,144,000
【営業外費用】		
支　払　利　息	3,004,255	3,004,255
経　常　利　益		6,382,521
税引前当期純利益		6,382,521
法人税等充当額		914,291
当　期　純　利　益		5,468,230

所得の金額の計算に関する明細書(簡易様式)

事業年度 ○・05・01 ○・04・30　法人名 株式会社○○○○○

別表四（簡易様式）　令六・四・一以後終了事

御注意
1 沖縄の認定法人の課税の特例等の規定の適用
2 「52」の「①」欄の金額は、「②」欄の金額に

区　　分			総額 ①	処分 留保 ②	社外流出 ③	
当期利益又は当期欠損の額		1	円 5,468,230	円 5,468,230	配当	円
					その他	
加	損金経理をした法人税及び地方法人税（附帯税を除く。）	2				
	損金経理をした道府県民税及び市町村民税	3				
	損金経理をした納税充当金	4	914,291	914,291		
	損金経理をした附帯税（利子税を除く。）、加算金、延滞金（延納分を除く。）及び過怠税	5	27,000		その他	27,000
	減価償却の償却超過額	6				
	役員給与の損金不算入額	7			その他	
	交際費等の損金不算入額	8				
	通算法人に係る加算額（別表四付表「5」）	9				
		10				

1
2
3
別表5(2) の加算税17,300円+延滞税4,900円+延滞金4,800円=27,000円を記入(P180 3)

● 別表5(2) 31欄に納税充当金を記入する

租税公課の納付状況等に関する明細書

事業年度	○・05・01 ○・04・30	法人名	株式会社○○○○○

別表五(二) 令六・四・一以後終了事業年度分

税目及び事業年度			No.	期首現在未納税額 ①	当期発生税額 ②	当期中の納付税額 充当金取崩しによる納付 ③	仮払経理による納付 ④	損金経理による納付 ⑤	期末現在未納税額 ①+②-③-④-⑤ ⑥
法人税及び地方法人税		・ ・	1	円		円	円	円	円
		○・5・1 ○・4・30	2	125,300		125,300			0
	当期分	中間	3		円				
		確定	4						
	計		5	125,300		125,300			0
道府県民税		・ ・	6						
		○・5・1 ○・4・30	7	46,300		46,300			0
	当期分	中間	8						
		確定	9						
	計		10	46,300		46,300			0
市町村民税		・ ・	11						
		○・5・1 ○・4・30	12	129,800		129,800			0
	当期分	中間	13						
		確定	14						
	計		15	129,800		129,800			0
事業税及び特別法人事業税		・ ・	16						
		○・5・1 ○・4・30	17		308,400	308,400			
	当期中間分		18						
	計		19		308,400	308,400			0
その他	損金算入のもの	利子税	20						
		延滞金（延納に係るもの）	21						
		消費税他	22		1,566,200			1,566,200	0
		その他租税	23		177,891	177,891			0
	損金不算入のもの	加算税及び加算金	24		17,300			17,300	0
		延滞税	25		4,900			4,900	0
		延滞金（延納分を除く。）	26		4,800			4,800	0
		過怠税	27						
		源泉所得税	28		921,158				0
			29						

合計27,000円を別表4の5欄に記入 ― 3

納税充当金の計算

		No.	金額			No.	金額
期首納税充当金		30	609,800円	取崩額 その他	損金算入のもの	36	177,891円
繰入額	損金経理をした納税充当金	31	2 ― 914,291		損金不算入のもの	37	446,700
		32				38	
	計 (31)+(32)	33	914,291		仮払税金消却	39	
取崩額	法人税額等 (5の③)+(10の③)+(15の③)	34	301,400	計 (34)+(35)+(36)+(37)+(38)+(39)		40	1,234,391
	事業税及び特別法人事業税 (19の③)	35	308,400	期末納税充当金 (30)+(33)-(40)		41	289,700

損益計算書の「法人税等充当額」914,291円を記入

通算法人の通算税効果額の発生状況等の明細

事業年度	No.	期首現在未決済額 ①	当期発生額 ②	当期中の決済額 支払額 ③	受取額 ④	期末現在未決済額 ⑤
・ ・	42	円		円	円	円
・ ・	43					
当期分	44		中間 円 確定			
計	45					

● 別表15 を作成

販売費・一般管理費内訳書

株式会社○○○○○

(単位：円)
自　令和○年５月１日
至　令和○年４月30日

科目	金額	
役員報酬	9,360,000	
接待交際費	4 73,071	
通信費	159,104	
租税公課	1,593,200	
減価償却費	2,159,891	
修繕費	2,689,036	
雑費	130,964	
合計		17,061,282

交際費等の損金算入に関する明細書

事業年度	○·05·01 ○·04·30	法人名	株式会社○○○○○

支出交際費等の額 (8の計)	1	円 73,071	損金算入限度額 (2)又は(3)	4	円 73,071
支出接待飲食費損金算入基準額 (9の計)× 50/100	2				
中小法人等の定額控除限度額 ((1)と((800万円× ―/12)又は(別表十五付表「5」))のうち少ない金額)	3	73,071	損金不算入額 (1)－(4)	5	0

支出交際費等の額の明細

科目	支出額	交際費等の額から控除される費用の額	差引交際費等の額	(8)のうち接待飲食費の額
	6	7	8	9
交際費	円 73,071	円	円 73,071	円 0

別表十五　令六・四・一以後終了事業年度分

別表8(1)の作成

使用する決算書や別表等						
貸借対照表	損益計算書	販売費・一般管理費内訳書	総勘定元帳(租税公課)	総勘定元帳(法人税等充当金)	納税一覧表	別表1
別表1次葉	**別表4**	別表5(1)	別表5(2)	別表6(1)	**別表8(1)**	別表15

二重課税を調整する

別表8(1)では受取配当等の益金不算入額を計算します。その論理はP114で説明してありますが、**法人税と所得税の二重課税を調整するため、法人間の配当を無税で通過させるというのがこの制度の根拠です。**

この事例では、受取配当金のうち関連法人からの配当が2,964,151円、非支配目的株式からのものが495,500円であり、決算報告書に計上された6,014,744円とこれら金額との差額は証券投信の分配金等で構成されているという前提になっています。

別表8(1)の2欄と別表4の14欄に記入する

そこで、別表8(1)の14欄に、関連法人から受けた配当金の金額2,964,151円を記入します(次ページ1)。

関連会社株式の配当金は、その全額が益金不算入の対象となりますが、その株式取得資金に見合う支払利息は益金不算入額から除外するルールになっています。令和5年度の改正により、その支払利息の額は関連会社株式の配当金の4%相当額を原則とすることになりましたので、その金額を算出し(次ページ2)、これを控除した金額を益金不算入の対象とします。

なお当期に支払う利子等の額は、P165の損益計算書の「支払利息」から転記しています(次ページ3)。

また非支配目的株式の配当金については、益金不算入とできるのはその20%のみとされています。そこでその配当額495,500円(次ページ4)の20%と上記の金額を合わせた2,944,685円(2,964,151円−118,566円+495,500円×20%)が、最終的な益金不算入額として算出され(次ページ5)、これを別表4の14欄「受取配当等の益金不算入額」欄(P184 5)に記載します。

● 別表8(1) で受取配当金等の益金不算入額を計算する

受取配当等の益金不算入に関する明細書

事業年度	○・05・01 ○・04・30	法人名	株式会社○○○○○

別表八(一) 令六・四・一以後終了事業年度分

完全子法人株式等に係る受取配当等の額 (9の計)	1	円	非支配目的株式等に係る受取配当等の額 (33の計)	4	円 495,500
関連法人株式等に係る受取配当等の額 (16の計)	2	2,964,151	受取配当等の益金不算入額 (1)+((2)−(20の計))+(3)×50%+(4)×(20%又は40%)	5	2,944,685 **5**
その他株式等に係る受取配当等の額 (26の計)	3				

受取配当等の額の明細

完全子法人株式等	法人名	6					計
	本店の所在地	7					
	受取配当等の額の計算期間	8	・・ ・・	・・ ・・	・・ ・・	・・ ・・	
	受取配当等の額	9	円	円	円	円	円
関連法人株式等	法人名	10	△△△(株)				計
	本店の所在地	11					
	受取配当等の額の計算期間	12	・・ ・・	・・ ・・	・・ ・・	・・ ・・	
	保有割合	13					
	受取配当等の額	14	2,964,151 円 **1**	円	円	円	2,964,151 円
	同上のうち益金の額に算入される金額	15					
	益金不算入の対象となる金額 (14)−(15)	16	2,964,151				2,964,151
	(34)が「不適用」の場合又は別表八(一)付表「13」が「非該当」の場合 (16)×0.04	17	118,566 **2**				118,566
	同上以外の場合 (16)/(16の計)	18					
	同上以外の場合 支払利子等の10%相当額 (((38)×0.1)又は(別表八(一)付表「14」))×(18)	19	円	円	円	円	円
	受取配当等の額から控除する支払利子等の額 (17)又は(19)	20	118,566				118,566
その他株式等	法人名	21					計
	本店の所在地	22					
	保有割合	23					
	受取配当等の額	24	円	円	円	円	円
	同上のうち益金の額に算入される金額	25					
	益金不算入の対象となる金額 (24)−(25)	26					
非支配目的株式等	法人名又は銘柄	27	□□□(株)				計
	本店の所在地	28					
	基準日等	29	・・	・・	・・	・・	
	保有割合	30					
	受取配当等の額	31	495,500 円	円	円	円	495,500 円
	同上のうち益金の額に算入される金額	32					
	益金不算入の対象となる金額 (31)−(32)	33	495,500 **4**				495,500

支払利子等の額の明細

令第19条第2項の規定による支払利子控除額の計算	34	適用・(不適用)			
当期に支払う利子等の額	35	3,004,255 円 **3**	超過利子額の損金算入額 (別表十七(二の三)「10」)	37	円
国外支配株主等に係る負債の利子等の損金不算入額、対象純支払利子等の損金不算入額又は恒久的施設に帰せられるべき資本に対応する負債の利子の損金不算入額 (別表十七(一)「35」と別表十七(二の二)「29」のうち多い金額)又は(別表十七(二の二)「34」と別表十七の二(二)「17」のうち多い金額)	36		支払利子等の額の合計額 (35)−(36)+(37)	38	3,004,255

(注)上記各欄の「受取配当等の額」は、その区分ごとの内訳明細を別表8(1)付表一に記載します(本書では省略しています)。

● 別表4 の14欄「受取配当等の益金不算入額」へ記入する

所得の金額の計算に関する明細書（簡易様式）

事業年度	○・05・01 ○・04・30	法人名	株式会社○○○○○

別表四（簡易様式）　令六・四・一以後終了事業年度分

区分			総額 ①	処分 留保 ②	社外流出 ③	
当期利益又は当期欠損の額		1	円 5,468,230	円 5,468,230	配当 その他	円
加算	損金経理をした法人税及び地方法人税（附帯税を除く。）	2				
	損金経理をした道府県民税及び市町村民税	3				
	損金経理をした納税充当金	4	914,291	914,291		
	損金経理をした附帯税（利子税を除く。）、加算金、延滞金（延納分を除く。）及び過怠税	5	27,000		その他	27,000
	減価償却の償却超過額	6				
	役員給与の損金不算入額	7			その他	
	交際費等の損金不算入額	8			その他	
	通算法人に係る加算額（別表四付表「5」）	9			外※	
		10				
	小計	11	941,291	914,291	外※	27,000
減算	減価償却超過額の当期認容額	12				
	納税充当金から支出した事業税等の金額	13				
	受取配当等の益金不算入額（別表八（一）「5」）	14	2,944,685		※	2,944,685
	外国子会社から受ける剰余金の配当等の益金不算入額（別表八（二）「26」）	15			※	
	受贈益の益金不算入額	16			※	
	適格現物分配に係る益金不算入額	17			※	
	法人税等の中間納付額及び過誤納に係る還付金額	18				
	所得税額等及び欠損金の繰戻しによる還付金額等	19			※	
	通算法人に係る減算額（別表四付表「10」）	20			※	
		21				
	小計	22			外※	
仮計（1）+（11）−（22）		23			外※	
対象純支払利子等の損金不算入額（別表十七（二の二）「29」又は「34」）		24			その他	
超過利子額の損金算入額（別表十七（二の三）「10」）		25	△		※	△
仮計（（23）から（25）までの計）		26			外※	
寄附金の損金不算入額（別表十四（二）「24」又は「40」）		27			その他	
法人税額から控除される所得税額（別表六（一）「6の③」）		29	921,158		その他	921,158
税額控除の対象となる外国法人税の額（別表六（二の二）「7」）		30			その他	
分配時調整外国税相当額及び外国関係会社等に係る控除対象所得税額等相当額（別表六（五の二）「5の②」）+（別表十七（三の六）「1」）		31			その他	
合計（26）+（27）+（29）+（30）+（31）		34			外※	
中間申告における繰戻しによる還付に係る災害損失欠損金額の益金算入額		37			※	
非適格合併又は残余財産の全部分配等による移転資産等の譲渡利益額又は譲渡損失額		38			※	
差引計（34）+（37）+（38）		39			外※	
更生欠損金又は民事再生等評価換えが行われる場合の再生等欠損金の損金算入額（別表七（三）「9」又は「21」）		40	△		※	△
通算対象欠損金額の損金算入額又は通算対象所得金額の益金算入額（別表七の二「5」又は「11」）		41			※	
差引計（39）+（40）±（41）		43			外※	
欠損金等の当期控除額（別表七（一）「4の計」）+（別表七（四）「10」）		44	△		※	△
総計（43）+（44）		45			外※	
残余財産の確定の日の属する事業年度に係る事業税及び特別法人事業税の損金算入額		51	△	△		
所得金額又は欠損金額		52			外※	

今期の受取配当金等の益金不算入額を記入

5

簡

御注意

1 沖縄の認定法人の課税の特例等の規定の適用を受ける法人にあっては、別様式による別表四を御使用ください。

2 「52」の「①」欄の金額は、「②」欄の金額に「③」欄の本書の金額を加算し、これから「※」の金額を加減算した額と符合することになります。

別表5(2)と別表4の整理

使用する決算書や別表等						
貸借対照表	損益計算書	販売費・一般管理費内訳書	総勘定元帳(租税公課)	総勘定元帳(法人税等充当金)	納税一覧表	別表1
別表1次葉	**別表4**	別表5(1)	**別表5(2)**	別表6(1)	別表8(1)	別表15

事業税の取り扱い

別表5(2)の19欄の事業税の当期納付額を見ると、308,400円という当期の発生税額が充当金取り崩しにより納付されていることがわかります(P186**1**)。ここで大切なことは、**法人税と法人住民税(道府県民税と市町村民税)は損金に算入されないけれども、事業税は損金算入できる税金である、ということです**。したがって、仮に前者が損金経理により納付されていたら、その金額は加算調整しなければならず(具体的には別表4の2・3欄に記入)、それが充当金取り崩し、または仮払いにより経理されている場合には別表4での加減調整は発生しません。

同様に、後者の事業税が損金経理されていれば、そのままで問題ありませんが、事業税が充当金取り崩しや仮払金で経理されていたら、その金額は別表4で減算調整しなければ課税所得が過大に計上されてしまいます。

減算調整する

この事例では、事業税の308,400円は損金経理されていません。そこで、これを減算調整する必要があります。事業税308,400円、別表5(2)の23欄に記載された損金に算入できる「その他租税」の177,891円(P186**2**)、28欄に記載された源泉所得税446,700円(P186**3**)を合わせた932,991円を別表4の13欄「納税充当金から支出した事業税等の金額」欄に記入します(P187**4**)。

なお、源泉所得税の446,700円は損金不算入ですから、充当金取り崩しで処理されている(損金経理されていない)なら本来は申告調整する必要はないわけですが、P175で説明したように、源泉所得税は総額の921,158円が別表4の29欄で加算調整されています(P187**5**)。**そのため充当金取り崩しの処理額をここで減算し、プラスマイナスゼロとするわけです**。同様に仮払金経理された残額の474,458円(P186**6**)も減算の対象とします。

● 別表5(2) と 別表4 で加減調整する

租税公課の納付状況等に関する明細書

事業年度	○・05・01 ○・04・30	法人名	株式会社○○○○○

別表五(二) 令六・四・一以後終了事業年度分

税目及び事業年度			期首現在未納税額 ①	当期発生税額 ②	当期中の納付税額 充当金取崩しによる納付 ③	仮払経理による納付 ④	損金経理による納付 ⑤	期末現在未納税額 ①+②−③−④−⑤ ⑥
法人税及び地方法人税	・ ・	1	円		円	円	円	円
	○・5・1 ○・4・30	2	125,300		125,300			0
	当期分 中間	3		円				
	当期分 確定	4						
	計	5	125,300		125,300			0
道府県民税	・ ・	6						
	○・5・1 ○・4・30	7	46,300		46,300			0
	当期分 中間	8						
	当期分 確定	9						
	計	10	46,300		46,300			0
市町村民税	・ ・	11						
	○・5・1 ○・4・30	12	129,800		129,800			0
	当期分 中間	13						
	当期分 確定	14						
	計	15	129,800		129,800			0
事業税及び特別法人事業税	・ ・	16						
	○・5・1 ○・4・30	17		308,400	308,400			
	当期中間分	18						
	計	19		308,400	1 308,400			0
その他 損金算入のもの	利子税	20						
	延滞金(延納に係るもの)	21						
	消費税他	22		1,566,200	2		1,566,200	0
	その他租税	23		177,891	177,891			0
その他 損金不算入のもの	加算税及び加算金	24		17,300			17,300	0
	延滞税	25		4,900			4,900	0
	延滞金(延納分を除く。)	26		4,800			4,800	0
	過怠税	27			3	6		
	源泉所得税	28	5	921,158	446,700	474,458		0
		29						

合計 932,991円

別表4 の13「納税充当金から支出した事業税等の金額」に記入。

納税充当金の計算						
期首納税充当金	30	609,800円	取崩額 その他	損金算入のもの	36	177,891円
繰入額 損金経理をした納税充当金	31	914,291		損金不算入のもの	37	446,700
繰入額	32				38	
繰入額 計 (31)+(32)	33	914,291		仮払税金消却	39	
取崩額 法人税額等 (5の③)+(10の③)+(15の③)	34	301,400	取崩額	計 (34)+(35)+(36)+(37)+(38)+(39)	40	1,234,391
取崩額 事業税及び特別法人事業税 (19の③)	35	308,400	期末納税充当金 (30)+(33)−(40)		41	289,700

通算法人の通算税効果額の発生状況等の明細						
事業年度		期首現在未決済額 ①	当期発生額 ②	当期中の決済額 支払額 ③	当期中の決済額 受取額 ④	期末現在未決済額 ⑤
・ ・	42	円		円	円	円
・ ・	43					
当期分	44		中間 円 確定			
計	45					

別表4 へ記入する

所得の金額の計算に関する明細書（簡易様式）

事業年度	○・05・01 ○・04・30	法人名	株式会社○○○○○

別表四（簡易様式） 令六・四・一以後終了事業年度分

区分			総額 ①	処分 留保 ②	処分 社外流出 ③	
当期利益又は当期欠損の額		1	円 5,468,230	円 5,468,230	配当	円
					その他	
加算	損金経理をした法人税及び地方法人税（附帯税を除く。）	2				
	損金経理をした道府県民税及び市町村民税	3				
	損金経理をした納税充当金	4	914,291	914,291		
	損金経理をした附帯税（利子税を除く。）、加算金、延滞金（延納分を除く。）及び過怠税	5	27,000		その他	27,000
	減価償却の償却超過額	6				
	役員給与の損金不算入額	7			その他	
	交際費等の損金不算入額	8			その他	
	通算法人に係る加算額（別表四付表「5」）	9			外※	
		10				
	小計	11	941,291	914,291	外※	27,000
減算	減価償却超過額の当期認容額	12				
	納税充当金から支出した事業税等の金額	13	**4** 932,991	932,991		
	受取配当等の益金不算入額（別表八（一）「5」）	14	2,944,685		※	2,944,685
	外国子会社から受ける剰余金の配当等の益金不算入額（別表八（二）「26」）	15			※	
	受贈益の益金不算入額	16			※	
	適格現物分配に係る益金不算入額	17			※	
	法人税等の中間納付額及び過誤納に係る還付金額	18				
	所得税額等及び欠損金の繰戻しによる還付金額等	19			※	
	通算法人に係る減算額（別表四付表「10」）	20			※	
	仮払税金認定損	21	**6** 474,458	474,458		
	小計	22			外※	
仮計 (1)＋(11)－(22)		23			外※	
対象純支払利子等の損金不算入額（別表十七（二の二）「29」又は「34」）		24			その他	
超過利子額の損金算入額（別表十七（二の三）「10」）		25	△		※	△
仮計 ((23)から(25)までの計)		26			外※	
寄附金の損金不算入額（別表十四（二）「24」又は「40」）		27			その他	
法人税額から控除される所得税額（別表六（一）「6の③」）		29	**5** 921,158		その他	921,158
税額控除の対象となる外国法人税の額（別表六（二の二）「7」）		30			その他	
分配時調整外国税相当額及び外国関係会社等に係る控除対象所得税額等相当額（別表六（五の二）「5の②」）＋（別表十七（三の六）「1」）		31			その他	
合計 (26)＋(27)＋(29)＋(30)－(31)		34			外※	
中間申告における繰戻しによる還付に係る災害損失欠損金額の益金算入額		37			※	
非適格合併又は残余財産の全部分配等による移転資産等の譲渡利益額又は譲渡損失額		38			※	
差引計 (34)＋(37)＋(38)		39			外※	
更生欠損金又は民事再生等評価換えが行われる場合の再生等欠損金の損金算入額（別表七（三）「9」又は「21」）		40	△		※	△
通算対象欠損金額の損金算入額又は通算対象所得金額の益金算入額（別表七の二「5」又は「11」）		41			※	
差引計 (39)＋(40)±(41)		43			外※	
欠損金等の当期控除額（別表七（一）「4の計」）＋（別表七（四）「10」）		44	△		※	△
総計 (43)＋(44)		45			外※	
残余財産の確定の日の属する事業年度に係る事業税及び特別法人事業税の損金算入額		51	△	△		
所得金額又は欠損金額		52			外※	

㊎

御注意

21 沖縄の認定法人の課税の特例等の規定の適用を受ける法人にあっては、別様式による別表四を御使用ください。

「52」の「①」欄の金額は、「②」欄の金額に「③」欄の本書の金額を加算し、これから「※」の金額を加減算した額と符合することになります。

別表4の集計と別表5(1)の記載

使用する決算書や別表等	貸借対照表	損益計算書	販売費・一般管理費内訳書	総勘定元帳(租税公課)	総勘定元帳(法人税等充当金)	納税一覧表	別表1
	別表1次葉	別表4	別表5(1)	別表5(2)	別表6(1)	別表8(1)	別表15

別表4と別表5(1)を整理する

前項までで、別表4の記入が終わりました。1欄の5,468,230円をスタートとし、それに加算欄の合計額941,291円を加え、そこから減算欄の合計額4,352,134円を控除し、最後に29欄の所得税控除額921,158円を合算すると、所得金額2,978,545円が導き出されます。そして、この金額を別表1の1欄「所得金額又は欠損金額」に転記して、税額計算を始めます。**ただしその前に、別表4(次ページ)と別表5(1)(P191)の整理をしておかなければなりません。**別表5(1)の左側①の「期首現在利益積立金額」には、前期から繰り越されてきたそれぞれの項目の金額が既に記入されているはずです。繰越損益金は総勘定元帳の期首の繰越利益剰余金に、納税充当金は同じく期首の法人税等充当金の残高に一致していることを確認して下さい。そして、繰越損益金についてはその全額を右隣の当期の減②欄に記載し(P191❶)、納税充当金は同勘定の期中の取り崩し額の合計額1,234,391円を記入しておきます(P191❷)。期首の未納法人税、同道府県民税、同市町村民税も、別表5(2)の当期中の納付税額欄の金額を参照しながらそれぞれ別表5(1)の当期の減の欄に期首残高と同額を転記していきます(P191❸)。

連動する別表4と別表5(1)

なお、別表4の②留保欄に記入された金額は、すべて別表5(1)に連動するしくみになっています。別表4加算欄4の「損金経理をした納税充当金」914,291円は別表5(1)の納税充当金の当期増の欄に(P191❹)、別表4減算欄13の「納税充当金から支出した事業税等の金額」932,991円は別表5(1)の納税充当金の当期減1,234,391円からその下の法人税125,300円、道府県民税46,300円、市町村民税129,800円を控除した金額に、それぞれ一致していることがわかるでしょうか。さらに、別表4減算欄21の「仮払税金認定損」474,458円は、別表5(1)の3欄に仮払税金という欄を設け、そこに期末残高として記載します(P191 **5**)。なおこの金額は、後述するように源泉所得税の還付金であり、翌期において還付されることになります。還付金受け取り時には(借方)預金、(貸方)仮払金として経理することになりますが、源泉税は支払う額が損金不算入なので、還付を受ける金額も益金不算入となります。

● 別表4 の集計

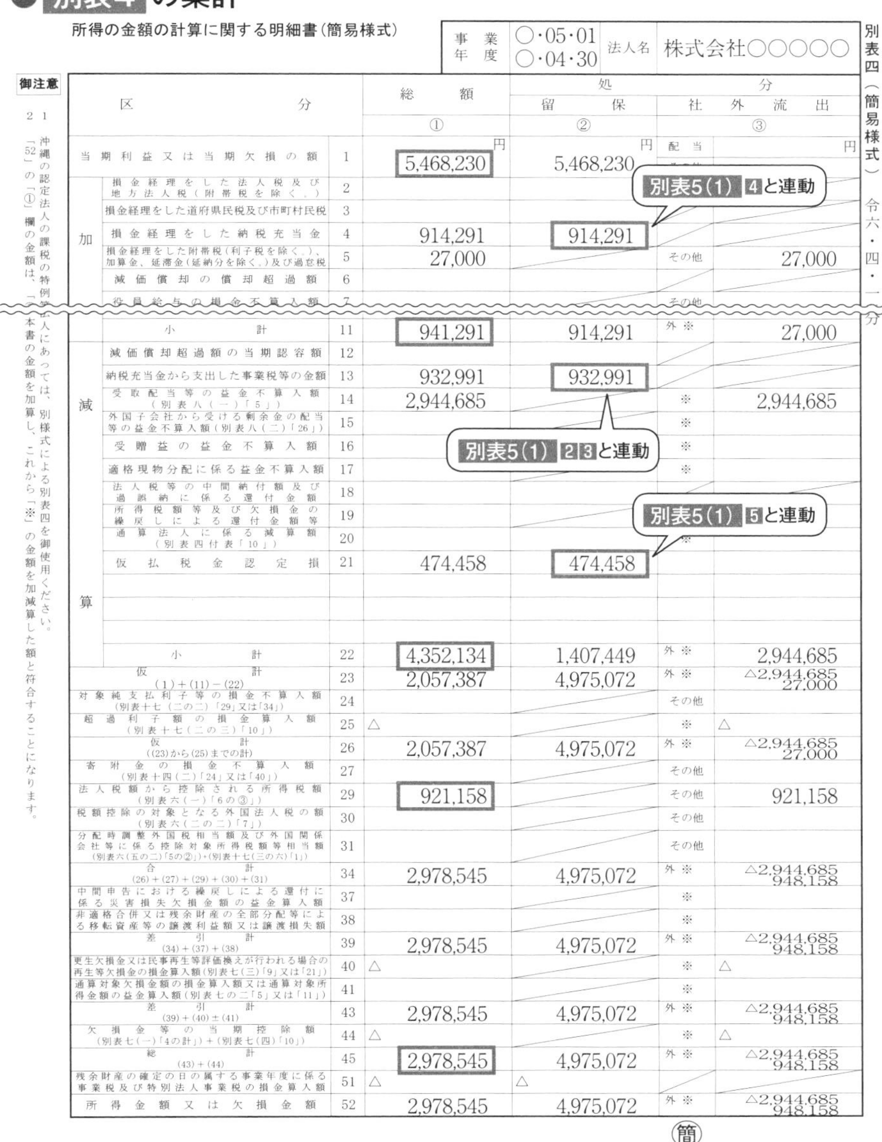

所得の金額の計算に関する明細書(簡易様式)

事業年度	○・05・01 ○・04・30	法人名	株式会社○○○○○

別表四(簡易様式) 令六・四・一 … 分

区分		総額 ①	処分 留保 ②	社外流出	社外流出 ③
当期利益又は当期欠損の額	1	円 5,468,230	円 5,468,230	配当	円
加 損金経理をした法人税及び地方法人税(附帯税を除く。)	2				
加 損金経理をした道府県民税及び市町村民税	3				
加 損金経理をした納税充当金	4	914,291	914,291		
加 損金経理をした附帯税(利子税を除く。)、加算金、延滞金(延納分を除く。)及び過怠税	5	27,000		その他	27,000
加 減価償却の償却超過額	6				
加 役員給与の損金不算入額	7			その他	
加 小計	11	941,291	914,291	外※	27,000
減 減価償却超過額の当期認容額	12				
減 納税充当金から支出した事業税等の金額	13	932,991	932,991		
減 受取配当等の益金不算入額(別表八(一)「5」)	14	2,944,685		※	2,944,685
減 外国子会社から受ける剰余金の配当等の益金不算入額(別表八(二)「26」)	15			※	
減 受贈益の益金不算入額	16			※	
減 適格現物分配に係る益金不算入額	17			※	
減 法人税等の中間納付額及び過誤納に係る還付金額	18				
減 所得税額等及び欠損金の繰戻しによる還付金額等	19			※	
減 通算法人に係る減算額(別表四付表「10」)	20			※	
減 仮払税金認定損	21	474,458	474,458		
算					
算					
算					
算 小計	22	4,352,134	1,407,449	外※	2,944,685
仮計 (1)+(11)−(22)	23	2,057,387	4,975,072	外※	△2,944,685 27,000
対象純支払利子等の損金不算入額(別表十七(二の二)「29」又は「34」)	24			その他	
超過利子額の損金算入額(別表十七(二の三)「10」)	25	△		※	△
仮計 ((23)から(25)までの計)	26	2,057,387	4,975,072	外※	△2,944,685 27,000
寄附金の損金不算入額(別表十四(二)「24」又は「40」)	27			その他	
法人税額から控除される所得税額(別表六(一)「6の③」)	29	921,158		その他	921,158
税額控除の対象となる外国法人税の額(別表六(二の二)「7」)	30			その他	
分配時調整外国税相当額及び外国関係会社等に係る控除対象所得税額等相当額(別表六(五の二)「5の②」)+(別表十七(三の六)「1」)	31			その他	
合計 (26)+(27)+(29)+(30)+(31)	34	2,978,545	4,975,072	外※	△2,944,685 948,158
中間申告における繰戻しによる還付に係る災害損失欠損金額の益金算入額	37			※	
非適格合併又は残余財産の全部分配等による移転資産等の譲渡利益額又は譲渡損失額	38			※	
差引計 (34)+(37)+(38)	39	2,978,545	4,975,072	外※	△2,944,685 948,158
更生欠損金又は民事再生等評価換えが行われる場合の再生等欠損金の損金算入額(別表七(三)「9」又は「21」)	40	△		※	△
通算対象欠損金額の損金算入額又は通算対象所得金額の益金算入額(別表七の二「5」又は「11」)	41			※	
差引計 (39)+(40)±(41)	43	2,978,545	4,975,072	外※	△2,944,685 948,158
欠損金等の当期控除額(別表七(一)「4の計」)+(別表七(四)「10」)	44	△		※	△
総計 (43)+(44)	45	2,978,545	4,975,072	外※	△2,944,685 948,158
残余財産の確定の日の属する事業年度に係る事業税及び特別法人事業税の損金算入額	51	△	△		
所得金額又は欠損金額	52	2,978,545	4,975,072	外※	△2,944,685 948,158

御注意
1 沖縄の認定法人の課税の特例等法人にあっては、別様式による別表四を御使用ください。
2 「52」の「①」欄の金額は、「…本書の金額を加算し、これから「※」の金額を加減算した額と符合することになります。

㊎簡

● 別表1「所得金額又は欠損金額」に転記する

税務署受付印	令和　年　月　日　税務署長殿
納税地	新宿区新小川町×××　電話（03）0120－××××
（フリガナ）	
法人名	株式会社○○○○○
法人番号	
（フリガナ）	
代表者	△△　××
代表者住所	千代田区神田三崎町×××

通算グループ整理番号	
通算親法人整理番号	不動産業
法人区分	普通法人（特定の医療法人を除く。）・一般社団法人等・協同組合等・特定の医療法人・人格のない社団等
事業種目	
期末現在の資本金の額又は出資金の額	10,000,000円　非中小法人
同非区分	特定同族会社・同族会社・非同族会社
旧納税地及び旧法人名等	
添付書類	貸借対照表、損益計算書、株主（社員）資本等変動計算書又は損益金処分表、勘定科目内訳明細書、事業概況書、組織再編成に係る契約書等の写し、組織再編成に係る移転資産等の明細書

※税務署処理欄	
青色申告	一連番号
整理番号	98765×××
事業年度（至）	年　月　日
売上金額	19（百万）
申告年月日	年　月　日
通信日付印	確認・庁指定・局指定・指導等・区分
申告区分	法人税：中間・期限後・修正　地方法人税：中間・期限後・修正

令和 ×× 年 05 月 01 日から 令和 ×× 年 04 月 30 日までの 事業年度分の法人税 確定申告書 / 課税事業年度分の地方法人税 確定申告書

（中間申告の場合の計算期間　令和　年　月　日　令和　年　月　日）

適用額明細書提出の有無　有・無

税理士法第30条の書面提出有　有　　税理士法第33条の2の書面提出有　有

この申告書による法人税額の計算

	所得金額又は欠損金額（別表四「52の①」）	1	2,978,545
	法人税額 (48)＋(49)＋(50)	2	
	法人税額の特別控除額（別表六（六）「5」）	3	
	税額控除超過額相当額等の加算額	4	
土地譲渡利益金	課税土地譲渡利益金額	5	000
土地譲渡利益金	同上に対する税額 (62)＋(63)＋(64)	6	
留保金	課税留保金額（別表三（一）「4」）	7	000
留保金	同上に対する税額（別表三（一）「8」）	8	
			00
	法人税額計 (2)－(3)＋(4)＋(6)＋(8)	9	
	分配時調整外国税相当額及び外国関係会社等に係る控除対象所得税額等相当額の控除額	10	
	仮装経理に基づく過大申告の更正に伴う控除法人税額	11	
	控除税額	12	
	差引所得に対する法人税額 (9)－(10)－(11)－(12)	13	00
	中間申告分の法人税額	14	00
	差引確定法人税額 (13)－(14)（中間申告の場合はその税額とし、マイナスの場合は(22)へ記入）	15	00

この申告書による地方法人税額の計算

課税標準法人税額の計算	所得の金額に対する法人税額	28	
課税標準法人税額の計算	課税留保金額に対する法人税額 (8)	29	
	課税標準法人税額 (28)＋(29)	30	000
	地方法人税額 (53)	31	
	税額控除超過額相当額の加算額（別表六（二）付表六「14の計」）	32	
	課税留保金額に係る地方法人税額 (54)	33	
	所得地方法人税額 (31)＋(32)＋(33)	34	
	分配時調整外国税相当額及び外国関係会社等に係る控除対象所得税額等相当額の控除額	35	
	仮装経理に基づく過大申告の更正に伴う控除地方法人税額	36	
	外国税額の控除額	37	
	差引地方法人税額 (34)－(35)－(36)－(37)	38	00
	中間申告分の地方法人税額	39	00
	差引確定地方法人税額 (38)－(39)（中間申告の場合はその税額とし、マイナスの場合は(42)へ記入）	40	00

控除税額の計算

所得税の額（別表六（一）「6の③」）	16	
外国税額（別表六（二）「23」）	17	
計 (16)＋(17)	18	
控除した金額 (12)	19	
控除しきれなかった金額 (18)－(19)	20	

この申告による還付金額

所得税額等の還付金額 (20)	21	
中間納付額 (14)－(13)	22	
欠損金の繰戻しによる還付請求税額	23	外
計 (21)＋(22)＋(23)	24	外

この申告が修正申告である場合のこの申告により納付すべき法人税額又は減少する還付請求税額 (57)	25	外　00
欠損金等の当期控除額	26	
翌期へ繰り越す欠損金額（別表七（一）「5の合計」）	27	

この申告による還付金額

外国税額の還付金額 (67)	41	
中間納付額 (39)－(38)	42	
計 (41)＋(42)	43	外

この申告が修正申告である場合のこの申告により納付すべき地方法人税額 (61)	44	00
剰余金・利益の配当（剰余金の分配）の金額		

残余財産の最後の分配又は引渡しの日　令和　年　月　日　　決算確定の日　令和　年　月　日

還付を受けようとする金融機関等：銀行・金庫・組合・農協・漁協　本店・支店・出張所・本所・支所　預金　郵便局名等　口座番号　ゆうちょ銀行の貯金記号番号　－

※税務署処理欄

税理士署名

別表一　各事業年度の所得に係る申告書－内国法人の分……令六・四・一以後終了事業年度等分

●別表5(2)の当期中の納付税額を別表5(1)の減の欄へ転記する

利益積立金額及び資本金等の額の計算に関する明細書

事業年度	○・05・01 ○・04・30	法人名	株式会社○○○○○

別表五(一) 令六・四・一以後終了事

御注意

この表は、通常の場合には次の式 … 期首現在利益積立金額合計「31」① ＋ 中間分・確定分の通算税効果額の合計 ± 市町村民税の合計額 …

I 利益積立金額の計算に関する明細書

区分		期首現在利益積立金額 ①	当期の増減 減 ②	当期の増減 増 ③		差引翌期首現在利益積立金額 ①－②＋③ ④
利益準備金	1	円	円		円	円
積立金	2					
仮払税金	3				△474,458	△474,458 5
	4					
	5					
	24					
繰越損益金（損は赤）	25	36,523,040	36,523,040 1		41,980,370	41,980,370
納税充当金	26	609,800	1,234,391 2		914,291 4	
未納法人税等（退職年金等積立金に対するものを除く。） 未納法人税及び未納地方法人税（附帯税を除く。）	27	△ 125,300	△ 125,300	中間	△	△
				確定	△	
未払通算税効果額（附帯税の額に係る部分の金額を除く。）	28	3		中間		
				確定		
未納道府県民税（均等割を含む。）	29	△ 46,300	△ 46,300	中間	△	△
				確定	△	
未納市町村民税（均等割を含む。）	30	△ 129,800	△ 129,800	中間	△	△
				確定	△	
差引合計額	31	36,831,440	37,456,031			

●別表5(2)当期中の納付税額欄

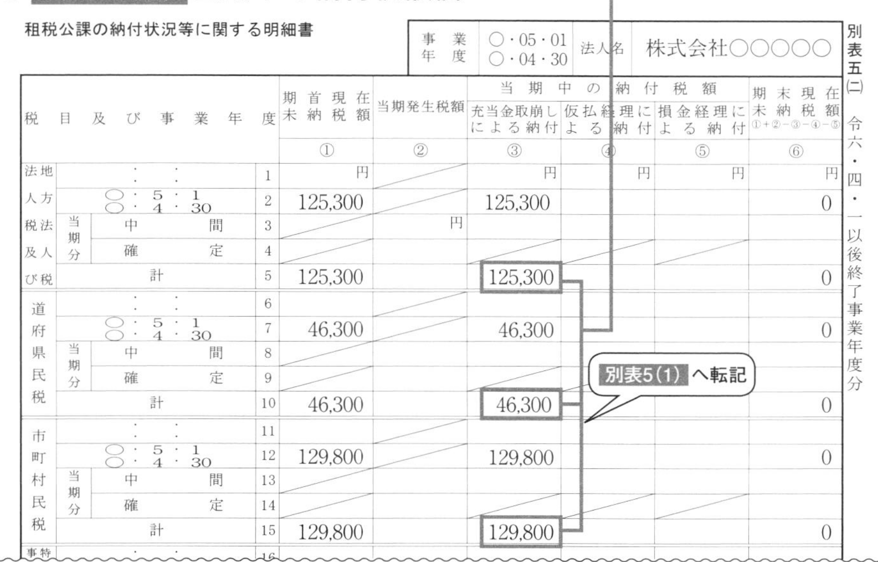

租税公課の納付状況等に関する明細書

事業年度	○・05・01 ○・04・30	法人名	株式会社○○○○○

別表五(二) 令六・四・一以後終了事業年度分

税目及び事業年度			期首現在未納税額 ①	当期発生税額 ②	当期中の納付税額 充当金取崩しによる納付 ③	仮払経理による納付 ④	損金経理による納付 ⑤	期末現在未納税額 ①＋②－③－④－⑤ ⑥
法人税及び地方法人税	・・	1	円		円	円	円	円
	○・5・1 ○・4・30	2	125,300		125,300			0
	当期分 中間	3		円				
	当期分 確定	4						
	計	5	125,300		125,300			0
道府県民税	・・	6						
	○・5・1 ○・4・30	7	46,300		46,300			0
	当期分 中間	8						
	当期分 確定	9						
	計	10	46,300		46,300			0
市町村民税	・・	11						
	○・5・1 ○・4・30	12	129,800		129,800			0
	当期分 中間	13						
	当期分 確定	14						
	計	15	129,800		129,800			0
事特	・・	16						

別表1の記入

使用する決算書や別表等	貸借対照表	損益計算書	販売費・一般管理費内訳書	総勘定元帳（租税公課）	総勘定元帳（法人税等充当金）	納税一覧表	別表1
	別表1次葉	別表4	別表5（1）	別表5（2）	別表6（1）	別表8（1）	別表15

税額計算の過程を「別表1次葉」に記入する

P188で説明したように、別表4の最下段で算出された所得金額2,978,545円は、別表1の1「所得金額又は欠損金額」欄に転記されています（P195 1）。**そこで、この金額に対して税額計算をするわけですが、そのプロセスは「別表1次葉」に記載します。**

この事例は中小法人を前提にしているので、45欄に所得金額の千円未満の端数を切り捨てた2,978,000円を記入し（P194 2）、その右隣48欄に、左記金額の15%相当額の446,700円を記入します（P194 3）。これは年当たり800万円以下の部分については15%の法人税率が適用されるためであり、800万円を超える部分が生じるときは、その金額に対しては50欄に23.2%を乗じた金額を記入します。税額計算が完了したら、算出された法人税額446,700円を再び別表1に戻って、2欄「法人税額」に転記します（P195 4）。なお、法人税と並行して地方法人税の計算もしなければなりません。地方法人税は、法人税額の千円未満の端数を切り捨てた金額を課税標準とし、税率は10.3%※ですから、課税対象額を「別表1次葉」の地方法人税額の計算欄51に記入して（P194 5）、算出税額45,938円（P194 6）を別表1の下部31欄以下に転記します。

源泉所得税の控除と控除しきれない還付金の処理

算出された法人税額446,700円は、別表1の9欄法人税額計にも転記し、続いてここから源泉所得税の控除を行います。

この事例では、算出された法人税額より既に天引き徴収された源泉徴収税額のほうが多いため、**控除しきれない金額が還付されることになります。**そこで、その計算を別表1の16欄から20欄に記入し、最終的な還付税額474,458円を算出します。法人税額と同額の446,700円を控除税額として

※2019年10月1日以降に開始する事業年度から10.3%に引き上げられた（5.9%の増税）。なお、法人住民税が同じ率だけ引き下げられたため、合計での税負担は変わらない（P26参照）。

12欄と19欄に記入して当期の納税額をゼロとし、控除しきれない474,458円を20欄、21欄、24欄に記入します（P195 7）。なおこの事例のように**還付金が発生するときは、別表1の右下の「還付を受けようとする金融機関等」の欄に口座情報を忘れずに記載して下さい**（P195 8）。

● 別表4 の所得金額を 別表1 に転記する

所得の金額の計算に関する明細書（簡易様式）

事業年度	○・05・01 ○・04・30	法人名	株式会社○○○○○

区分		総額 ①	処分 留保 ②	処分 社外流出 ③	
当期利益又は当期欠損の額	1	5,468,230円	5,468,230円	配当 その他	円
加算 損金経理をした法人税及び地方法人税（附帯税を除く。）	2				
加算 損金経理をした道府県民税及び市町村民税	3				
加算 損金経理をした納税充当金	4	914,291	914,291		
加算 損金経理をした附帯税（利子税を除く。）、加算金、延滞金（延納分を除く。）及び過怠税	5	27,000		その他	27,000
加算 減価償却の償却超過額	6				
加算 役員給与の損金不算入額	7			その他	
加算 交際費等の損金不算入額	8			その他	
加算 通算法人に係る加算額（別表四付表「5」）	9			外※	
加算 小計	11	941,291	914,291	外※	27,000
減算 減価償却超過額の当期認容額	12				
減算 納税充当金から支出した事業税等の金額	13	932,991	932,991		
減算 受取配当等の益金不算入額（別表八（一）「5」）	14	2,944,685		※	2,944,685
減算 外国子会社から受ける剰余金の配当等の益金不算入額（別表八（二）「26」）	15			※	
減算 受贈益の益金不算入額	16			※	
減算 適格現物分配に係る益金不算入額	17			※	
減算 法人税等の中間納付額及び過誤納に係る還付金額	18				
減算 所得税額等及び欠損金の繰戻しによる還付金額等	19			※	
減算 通算法人に係る減算額（別表四付表「10」）	20			※	
減算 仮払税金認定損	21	474,458	474,458		
減算					
減算					
減算					
減算 小計	22	4,352,134	1,407,449	外※	2,944,685
仮計 (1)+(11)−(22)	23	2,057,387	4,975,072	外※	△2,944,685 27,000
対象純支払利子等の損金不算入額（別表十七（二の二）「29」又は「34」）	24			その他	
超過利子額の損金算入額（別表十七（二の三）「10」）	25	△		※	△
仮計 ((23)から(25)までの計)	26	2,057,387	4,975,072	外※	△2,944,685 27,000
寄附金の損金不算入額（別表十四（二）「24」又は「40」）	27			その他	
法人税額から控除される所得税額（別表六（一）「6の③」）	29	921,158		その他	921,158
税額控除の対象となる外国法人税の額（別表六（二の二）「7」）	30			その他	
分配時調整外国税相当額及び外国関係会社等に係る控除対象所得税額等相当額（別表六（五の二）「5の②」）+（別表十七（三の六）「1」）	31			その他	
合計 (26)+(27)+(29)+(30)+(31)	34	2,978,545	4,975,072	外※	△2,944,685 948,158
中間申告における繰戻しによる還付に係る災害損失欠損金額の益金算入額	37			※	
非適格合併又は残余財産の全部分配等による移転資産等の譲渡利益額又は譲渡損失額	38			※	
差引計 (34)+(37)+(38)	39	2,978,545	4,975,072	外※	△2,944,685 948,158
更生欠損金又は民事再生等評価換えが行われる場合の再生等欠損金の損金算入額（別表七（三）「9」又は「21」）	40	△		※	△
通算対象欠損金額の損金算入額又は通算対象所得金額の益金算入額（別表七の二「5」又は「11」）	41			※	
差引計 (39)+(40)±(41)	43	2,978,545	4,975,072	外※	△2,944,685 948,158
欠損金等の当期控除額（別表七（一）「4の計」）+（別表七（四）「10」）	44	△		※	△
総計 (43)+(44)	45	2,978,545	4,975,072	外※	△2,944,685 948,158
残余財産の確定の日の属する事業年度に係る事業税及び特別法人事業税の損金算入額	51	△	△		
所得金額又は欠損金額	52	2,978,545	4,975,072	外※	△2,944,685 948,158

御注意
1 沖縄の認定法人の課税の特例等の規定の人にあっては、別様式による別表四を御使用ください。
2 「52」の「①」欄の金額は、「②」欄の金本書の金額を加算し、これから「※」の金額を加減算した額と符合することになります。

別表四（簡易様式） 令六・四・一以後終分

簡

別表1「所得金額又は欠損金額」に転記する

別表1次葉 へ記入する

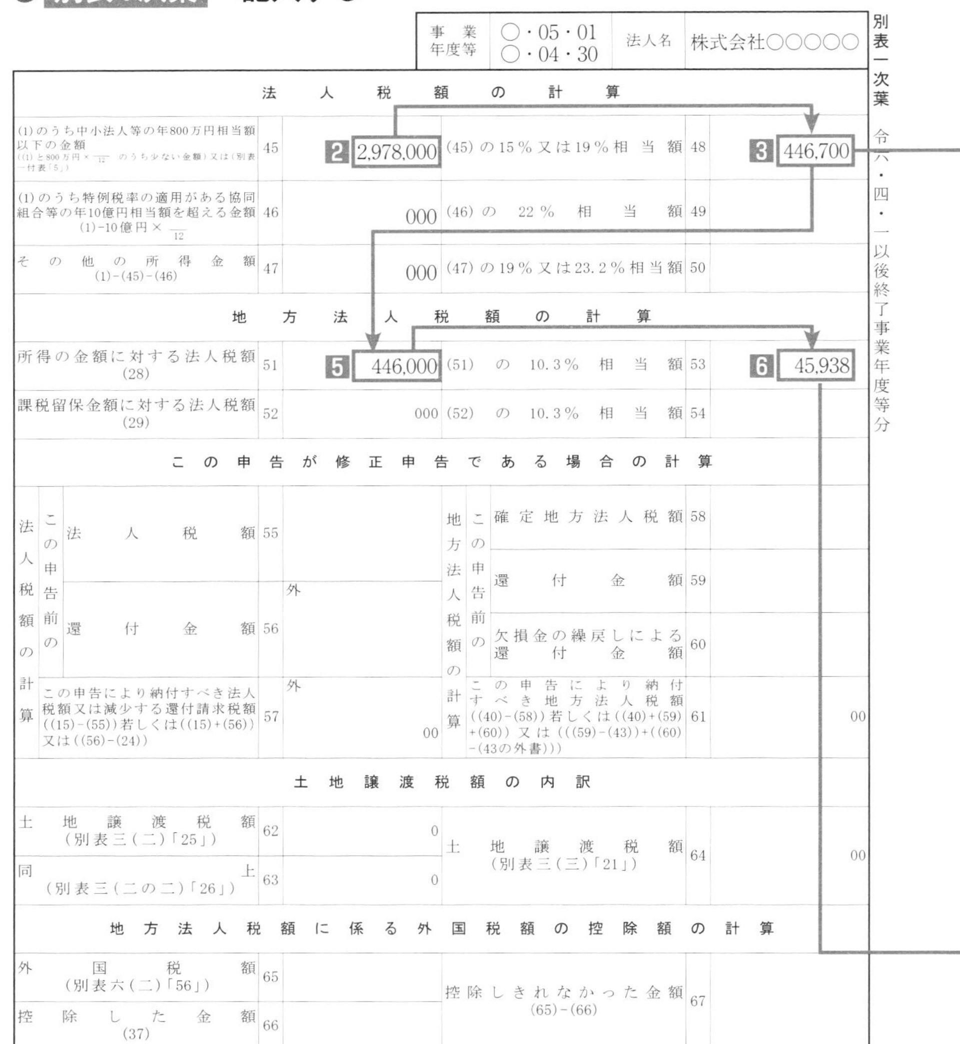

事業年度等	○・05・01 ○・04・30	法人名	株式会社○○○○○

別表一次葉　令六・四・一以後終了事業年度等分

法人税額の計算					
(1)のうち中小法人等の年800万円相当額以下の金額 ((1)と800万円×$\frac{}{12}$のうち少ない金額)又は(別表一付表「5」)	45	2 2,978,000	(45)の15%又は19%相当額	48	3 446,700
(1)のうち特例税率の適用がある協同組合等の年10億円相当額を超える金額 (1)-10億円×$\frac{}{12}$	46	000	(46)の22%相当額	49	
その他の所得金額 (1)-(45)-(46)	47	000	(47)の19%又は23.2%相当額	50	

地方法人税額の計算					
所得の金額に対する法人税額 (28)	51	5 446,000	(51)の10.3%相当額	53	6 45,938
課税留保金額に対する法人税額 (29)	52	000	(52)の10.3%相当額	54	

この申告が修正申告である場合の計算								
法人税額の計算	この申告前の	法人税額	55		地方法人税額の計算	この申告前の	確定地方法人税額	58
		還付金額	56	外			還付金額	59
							欠損金の繰戻しによる還付金額	60
	この申告により納付すべき法人税額又は減少する還付請求税額 ((15)-(55))若しくは((15)+(56))又は((56)-(24))		57	外 00		この申告により納付すべき地方法人税額 ((40)-(58))若しくは((40)+(59)+(60))又は(((59)-(43))+((60)-(43の外書)))		61 00

土地譲渡税額の内訳					
土地譲渡税額 (別表三(二)「25」)	62	0	土地譲渡税額 (別表三(三)「21」)	64	00
同上 (別表三(二の二)「26」)	63	0			

地方法人税額に係る外国税額の控除額の計算					
外国税額 (別表六(二)「56」)	65		控除しきれなかった金額 (65)-(66)	67	
控除した金額 (37)	66				

● 別表1 へ記入する

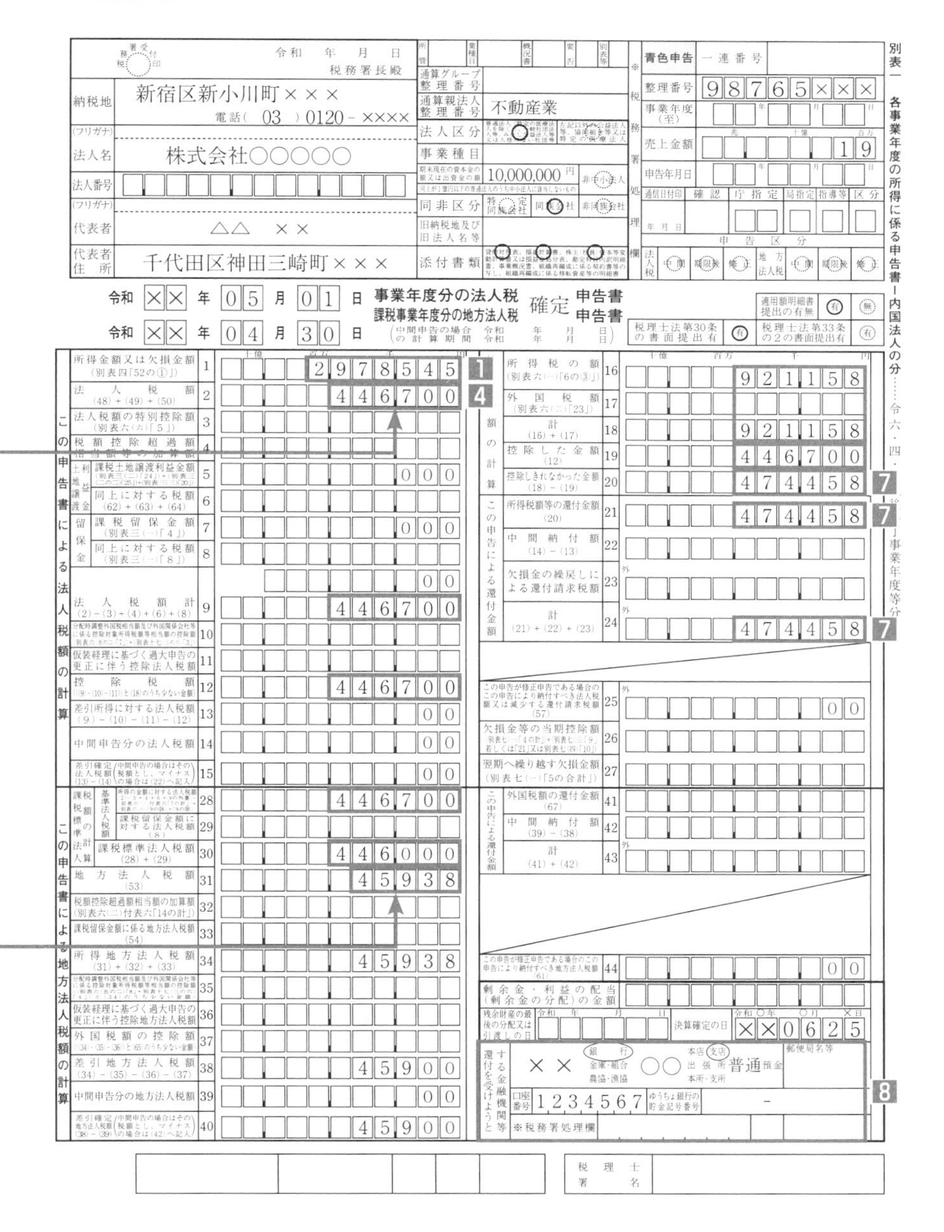

別表一 各事業年度の所得に係る申告書－内国法人の分

税務署受付印　令和　年　月　日　税務署長殿

納税地	新宿区新小川町×××　電話(03)0120－××××
(フリガナ)	
法人名	株式会社○○○○○
法人番号	
(フリガナ)	
代表者	△△　××
代表者住所	千代田区神田三崎町×××
通算グループ整理番号	
通算親法人整理番号	
法人区分	
事業種目	不動産業
期末現在の資本金の額又は出資金の額	10,000,000円
同非区分	
旧納税地及び旧法人名等	
添付書類	
青色申告 一連番号	
整理番号	98765×××
事業年度(至)	
売上金額	19（百万）
申告年月日	

令和××年05月01日　事業年度分の法人税 確定申告書
令和××年04月30日　課税事業年度分の地方法人税 確定申告書

適用額明細書提出の有無 有・無　税理士法第30条の書面提出有　税理士法第33条の2の書面提出有

番号	この申告書による法人税額の計算	金額
1	所得金額又は欠損金額（別表四「52の①」）	2978545
2	法人税額 (48)+(49)+(50)	446700
3	法人税額の特別控除額（別表六(六)「5」）	
4	税額控除超過額相当額等の加算額	
5	土地譲渡利益金 課税土地譲渡利益金額	000
6	同上に対する税額 (62)+(63)+(64)	
7	留保金 課税留保金額（別表三(一)「4」）	000
8	同上に対する税額（別表三(一)「8」）	
		00
9	法人税額計 (2)－(3)+(4)+(6)+(8)	446700
10	分配時調整外国税相当額及び外国関係会社等に係る控除対象所得税額等相当額の控除額	
11	仮装経理に基づく過大申告の更正に伴う控除法人税額	
12	控除税額	446700
13	差引所得に対する法人税額 (9)－(10)－(11)－(12)	00
14	中間申告分の法人税額	00
15	差引確定法人税額 (13)－(14)	00
28	課税標準法人税額 基準法人税額	446700
29	課税留保金額に対する法人税額 (8)	
30	課税標準法人税額 (28)+(29)	446000
31	地方法人税額 (53)	45938
32	税額控除超過額相当額の加算額（別表六(二)付表六「14の計」）	
33	課税留保金額に係る地方法人税額 (54)	
34	所得地方法人税額 (31)+(32)+(33)	45938
35	分配時調整外国税相当額及び外国関係会社等に係る控除対象所得税額等相当額の控除額	
36	仮装経理に基づく過大申告の更正に伴う控除地方法人税額	
37	外国税額の控除額	
38	差引地方法人税額 (34)－(35)－(36)－(37)	45900
39	中間申告分の地方法人税額	00
40	差引確定地方法人税額 (38)－(39)	45900

16	所得税の額（別表六(一)「6の③」）	921158
17	外国税額（別表六(二)「23」）	
18	計 (16)+(17)	921158
19	控除した金額 (12)	446700
20	控除しきれなかった金額 (18)－(19)	474458
21	所得税額等の還付金額 (20)	474458
22	中間納付額 (14)－(13)	
23	欠損金の繰戻しによる還付請求税額	
24	計 (21)+(22)+(23)	474458
25	この申告が修正申告である場合のこの申告により納付すべき法人税額又は減少する還付請求税額 (57)	00
26	欠損金等の当期控除額	
27	翌期へ繰り越す欠損金額（別表七(一)「5の合計」）	
41	外国税額の還付金額 (67)	
42	中間納付額 (39)－(38)	
43	計 (41)+(42)	
44	この申告が修正申告である場合のこの申告により納付すべき地方法人税額 (61)	00
	剰余金・利益の配当（剰余金の分配）の金額	
	残余財産の最後の分配又は引渡しの日	令和　年　月　日
	決算確定の日	××0625

還付を受けようとする金融機関等：×× 銀行　○○ 支店　普通預金　口座番号 1234567

※税務署処理欄

税理士署名

別表5(1)と別表5(2)の最終記入

使用する決算書や別表等						
貸借対照表	損益計算書	販売費・一般管理費内訳書	総勘定元帳(租税公課)	総勘定元帳(法人税等充当金)	**納税一覧表**	別表1
別表1次葉	別表4	**別表5(1)**	**別表5(2)**	別表6(1)	別表8(1)	別表15

年税額の算出

前項までで法人税の税額計算が終わりました。この事例では、納付する法人税額は0円、地方法人税額が45,900円となりました(次ページ1)。また、所得金額および法人税額を課税標準として計算される法人事業税は142,700円(次ページ2)、法人都民税は24,400円(次ページ3)、法人市民税は76,700円(次ページ4)となりました。そこで、これら年税額の総額である289,700円(次ページ5)に対して法人税等充当金を設定します。

P172では、既にこの金額が既定値として登場していますが、現実の税額計算のプロセスでは、この段階まで到達しないと年税額は算出できません。そこで、計算の途中段階においては、最終的な期末充当金の額を空欄としておき、ここで計算された期末充当金の額を遡って該当欄に記入するというステップを踏みます。

この辺りは、実際に税額計算をやってみないと体感的に理解することは難しいですが、経理を担当する人は何度かOJTを繰り返す中で覚えて下さい。

別表5(1)と別表5(2)への記入

税目ごとの最終的な納税額が算出できたら、これを別表5(1)と5(2)の該当する欄に記入していきます。別表5(1)では、未納法人税等の27～30欄の③および④の欄にそれぞれ該当する金額を記入し(P1986)、これと並行して別表5(2)の当期分確定税額欄4、9、14の②「当期発生税額」および⑥「期末現在未納税額」に記入します。

また、納税充当金が確定することにより、最終的な繰越損益金も確定しますので、これを別表5(1)の25欄(P1987)、26欄(P1988)に記入します。

● **納税一覧表**から法人税等充当金を設定する

（　確定　）

事業年度　自 令和　○年　5月1日

法　人　名：株式会社○○○○○　　御中　　至 令和　○年　4月30日

区分	年税額	予定・中間納税	申告納付額	見込納付額	差引納付額	翌期予定納付額
法人税	円	円	円	円	円	円
地方法人税	45,900	1	45,900		45,900	
復興特別法人税						
事業税	142,700	2	142,700		142,700	
所得割額	104,200		104,200		104,200	
付加価値割額						
資本割額						
法人特別税額	38,500		38,500		38,500	
都道府県民税	24,400	3	24,400		24,400	
法人税割額	4,400		4,400		4,400	
均等割額	20,000		20,000		20,000	
利子割額	(　)	(　)				
事業税と都道府県民税の計	167,100		167,100		167,100	
市町村民税	76,700	4	76,700		76,700	
法人税割額	26,700		26,700		26,700	
均等割額	50,000		50,000		50,000	
小計	289,700	5	289,700		289,700	
事業所税						
合計	289,700		289,700		289,700	

控除所得税他　446,700円（別途還付額　474,458円）

控除地方法人税　円

控除復興税額　円（別途還付額　円）

●納税額を 別表5(1) に記入する

利益積立金額及び資本金等の額の計算に関する明細書

事業年度	○・05・01 ○・04・30	法人名	株式会社○○○○○

別表五(一) 令六・四・一以後終了事業年度分

御注意

この表は、通常の場合には次の式により検算ができます。
期首現在利益積立金額合計「31」① ＋ 別表四留保所得金額又は欠損金額「52」 − 中間分・確定分の法人税等、道府県民税及び市町村民税の合計額 ± 中間分・確定分の通算税効果額の合計額 ＝ 差引翌期首現在利益積立金額合計「31」④

Ⅰ　利益積立金額の計算に関する明細書

区分		期首現在利益積立金額 ①	当期の増減 減 ②	当期の増減 増 ③	差引翌期首現在利益積立金額 ①−②＋③ ④
利益準備金	1	円	円	円	円
積立金	2				
仮払税金	3			△474,458	△474,458
	4				
	5				
	6				
	7				
	8				
	9				
	10				
	11				
	12				
	13				
	14				
	15				
	16				
	17				
	18				
	19				
	20				
	21				
	22				
	23				
	24				
繰越損益金（損は赤）	25	36,523,040	36,523,040	41,980,370	41,980,370
納税充当金	26	609,800	1,234,391	914,291	289,700
未納法人税等（退職年金等積立金に対するものを除く。） 未納法人税及び未納地方法人税（附帯税を除く。）	27	△ 125,300	△ 125,300	中間 △ 確定 △45,900	△ 45,900
未払通算税効果額（附帯税の額に係る部分の金額を除く。）	28			中間 確定	
未納道府県民税（均等割を含む。）	29	△ 46,300	△ 46,300	中間 △ 確定 △24,400	△ 24,400
未納市町村民税（均等割を含む。）	30	△ 129,800	△ 129,800	中間 △ 確定 △76,700	△ 76,700
差引合計額	31	36,831,440	37,456,031	42,273,203	41,648,612

7 8 6

P171 貸借対照表の繰越利益剰余金から転記。

Ⅱ　資本金等の額の計算に関する明細書

区分		期首現在資本金等の額 ①	当期の増減 減 ②	当期の増減 増 ③	差引翌期首現在資本金等の額 ①−②＋③ ④
資本金又は出資金	32	10,000,000円	円	円	10,000,000円
資本準備金	33				
	34				
	35				
差引合計額	36	10,000,000			10,000,000

●納税額を 別表5(2) に記入する

租税公課の納付状況等に関する明細書

事業年度	○・05・01 ○・04・30	法人名	株式会社○○○○○

別表五(二) 令六・四・一以後終了事業年度分

税目及び事業年度				期首現在未納税額 ①	当期発生税額 ②	当期中の納付税額 充当金取崩しによる納付 ③	仮払経理による納付 ④	損金経理による納付 ⑤	期末現在未納税額 ①+②−③−④−⑤ ⑥
法人税及び地方法人税		・　・	1	円		円	円	円	円
		○・5・1 ○・4・30	2	125,300		125,300			0
	当期分	中間	3		円				
		確定	4		45,900				45,900
		計	5	125,300	45,900	125,300			45,900
道府県民税		・　・	6						
		○・5・1 ○・4・30	7	46,300		46,300			0
	当期分	中間	8						
		確定	9		24,400				24,400
		計	10	46,300	24,400	46,300			24,400
市町村民税		・　・	11						
		○・5・1 ○・4・30	12	129,800		129,800			0
	当期分	中間	13						
		確定	14		76,700				76,700
		計	15	129,800	76,700	129,800			76,700
事業税及び特別法人事業税		・　・	16						
		○・5・1 ○・4・30	17		308,400	308,400			
	当	期中間分	18						
		計	19		308,400	308,400			0
その他	損金算入のもの	利子税	20						
		延滞金（延納に係るもの）	21						
		消費税他	22		1,566,200			1,566,200	0
		その他租税	23		177,891	177,891			0
	損金不算入のもの	加算税及び加算金	24		17,300			17,300	0
		延滞税	25		4,900			4,900	0
		延滞金（延納分を除く。）	26		4,800			4,800	0
		過怠税	27						
		源泉所得税	28		921,158	446,700	474,458		0
			29						

納税充当金の計算

期首納税充当金		30	609,800円	取崩額 その他	損金算入のもの	36	177,891円
繰入額	損金経理をした納税充当金	31	914,291		損金不算入のもの	37	446,700
		32				38	
	計 (31)＋(32)	33	914,291		仮払税金消却	39	
取崩額	法人税額等 (5の③)＋(10の③)＋(15の③)	34	301,400	計 (34)＋(35)＋(36)＋(37)＋(38)＋(39)		40	1,234,391
	事業税及び特別法人事業税 (19の③)	35	308,400	期末納税充当金 (30)＋(33)−(40)		41	289,700

通算法人の通算税効果額の発生状況等の明細

事業年度		期首現在未決済額 ①	当期発生額 ②	当期中の決済額 支払額 ③	受取額 ④	期末現在未決済額 ⑤
・　・	42	円		円	円	円
・　・	43					
当期分	44		中間 円 確定			
計	45					

PART 7を総復習

PART 7 法人税申告書の書き方・読み方

法人税別表等一覧

各数値の転記元や転記先が別表や決算書ごとにひと目でわかるようにまとめました。

PART7では、数ある別表に記載された各数値が相互に行き来しながら完成に近づいていくプロセスを見てきました。ここでは、PART7の事例（➡のページと対応）で使用した別表や決算書などの書式の総復習としてそれぞれに記載されている各数値がどこからきて、どこへ転記されてゆくのかをひと目でわかるようにしています。

貸借対照表 （➡P171）

貸借対照表

（単位：円）

株式会社〇〇〇〇〇　令和〇年4月30日現在

資産の部		負債の部	
科目	金額	科目	金額
【流動資産】	6,391,771	【流動負債】	2,281,516
現金及び預金	5,917,313	未払金	1,619,341
仮払金	474,458	預り金	372,475
【固定資産】	305,851,115	法人税等充当金	289,700
（有形固定資産）	55,914,516	【固定負債】	257,981,000
建物	37,689,478	長期借入金	47,981,000
土地	18,225,038	社債	210,000,000
（無形固定資産）	30,544,198	負債の部計	260,262,516
借地権	30,544,198	純資産の部	
（投資その他の資産）	219,392,401	【株主資本】	51,980,370
投資有価証券	219,392,401	［資本金］	10,000,000
		［利益剰余金］	41,980,370
		（その他利益剰余金）	41,980,370
		繰越利益剰余金	41,980,370
		純資産の部計	51,980,370
資産の部計	312,242,886	負債・純資産の部計	312,242,886

P210 別表5(2) 41欄「期末納税充当金」と一致しているか確認。
（この金額の算出方法はP172参照）

損益計算書 （➡P165,179）

損益計算書

（単位：円）
自　令和○年５月１日
至　令和○年４月30日

株式会社○○○○○

科目	金額	
【売上高】		
売上高	18,144,000	18,144,000
売上総利益		18,144,000
【販売費及び一般管理費】		17,061,282
営業利益		1,082,718
【営業外収益】		
受取利息	40	
受取配当	6,014,744	
雑収入	2,289,274	8,304,058
【営業外費用】		
支払利息	3,004,255	3,004,255
経常利益		6,382,521
税引前当期純利益		6,382,521
法人税等充当額		914,291
当期純利益		5,468,230

P208 別表4「損金経理をした納税充当金」へ転記。
同額をP208 別表4「留保②」欄へ転記。

P208 別表4「当期利益又は当期欠損の額」へ転記。
また、事業年度中に配当が行われていない場合は、同額をP208 別表4「留保②」欄へ転記。

販売費・一般管理費内訳書 (➡P167,181)

販売費・一般管理費内訳書

株式会社○○○○○

(単位：円)

自　令和○年５月１日
至　令和○年４月30日

科　　目	金　　額	
役員報酬	9,360,000	
給料手当	480,000	
支払手数料	416,016	
接待交際費	73,071	
通信費	159,104	
租税公課	1,593,200	
減価償却費	2,159,891	
修繕費	2,689,036	
雑費	130,964	
合計		17,061,282

P213 別表15「交際費」へ転記。

「租税公課」の金額の内訳明細をP203 総勘定元帳（租税公課）から確認する。

総勘定元帳 (➡P168)

総勘定元帳

株式会社○○○○○　　租税公課

日付	伝票No.	摘要	相手科目名	借方	貸方	残高
5.23	振10	都民税利子割 不申告加算金	現金	4,300		
〃	〃	都民税利子割 延滞金	現金	4,800		9,100
		(月計)		9,100	0	
6.2	振1	源泉税 不納付加算税	現金	13,000		
〃	〃	源泉税 延滞税	現金	4,900		
		(月計)		17,900		
7.28	振13	●●市 固定資産税	三菱UFJ当座	187,900		
		(月計)		187,900	0	
8.25	振14	役員変更登録免許税	諸口	10,600		225,500
		(月計)		10,600	0	
9.29	振17	●●市 固定資産税	三菱UFJ当座	187,000		412,500
		(月計)		187,000	0	
12.12	振3	印紙代	三菱UFJ当座	400		412,900
12.31	振18	●●市 固定資産税	三菱UFJ当座	187,000		599,900
		(月計)		187,400	0	
3.1	振2	●●市 固定資産税	三菱UFJ当座	187,000		786,900
		(月計)		187,000	0	
4.30	振18	消費税	諸口	806,300		1,593,200
		(月計)		806,300	0	
		(年計)		1,593,200	0	
4.30		振替	損益		1,593,200	0
		以下余白				

合計 27,000円

P210 別表5(2)「損金不算入のもの」欄の「加算税及び加算金」、「延滞税」、「延滞金」にそれぞれ転記。

合計 1,566,200円

P210 別表5(2)「損金算入のもの」欄の「当期中の納付税額／損金経理による納付」欄へ転記。

総勘定元帳（法人税等充当金）（➡P172）

総勘定元帳

株式会社○○○○○　　　　法人税等充当金

日付	伝票No.	摘要	相手科目名	借方	貸方	残高
5.1		前期繰越				609,800
6.30	振20	法人税	諸口	89,100		
〃	〃	地方法人税	諸口	36,200		
〃	〃	事業税	諸口	308,400		
〃	〃	都民税	諸口	46,300		
〃	〃	市民税	諸口	129,800		
		（月計）		609,800	0	
4.30	振19	その他租税	諸口	177,891		
〃	〃	源泉所得税	諸口	446,700		
〃	〃	法人税等	法人税等充当		914,291	289,700
		（月計）		624,591	914,291	
		（年計）		1,234,391	914,291	
9.30		次期繰越				289,700
		以下余白				

合計 125,300円

P210 別表5(2)「納税充当金の計算／期首納税充当金」30欄へ転記。

P210 別表5(2)「当期中の納付税額／充当金取崩しによる納付③」欄の各税目の金額欄へ、それぞれ転記。

納税一覧表 (➡P197)

(確定)

事業年度 自 令和 ○年 5月1日

法 人 名：株式会社○○○○○ 御中 至 令和 ○年 4月30日

区分	年税額	予定・中間納税	申告納付額	見込納付額	差引納付額	翌期予定納付額
法人税	円	円	円	円	円	円
地方法人税	45,900		45,900		45,900	
復興特別法人税						
事業税	142,700		142,700		142,700	
所得割額	104,200		104,200		104,200	
付加価値割額						
資本割額						
法人特別税額	38,500		38,500		38,500	
都道府県民税	24,400		24,400		24,400	
法人税割額	4,400		4,400		4,400	
均等割額	20,000		20,000		20,000	
利子割額	( )	( )				
事業税と都道府県民税の計	167,100		167,100		167,100	
市町村民税	76,700		76,700		76,700	
法人税割額	26,700		26,700		26,700	
均等割額	50,000		50,000		50,000	
小計	289,700		289,700		289,700	
事業所税						
合計	289,700		289,700		289,700	

控除所得税他 446,700円（別途還付額 474,458円）

控除地方法人税 円

控除復興税額 円（別途還付額 円）

別表1 （➡P190,195）

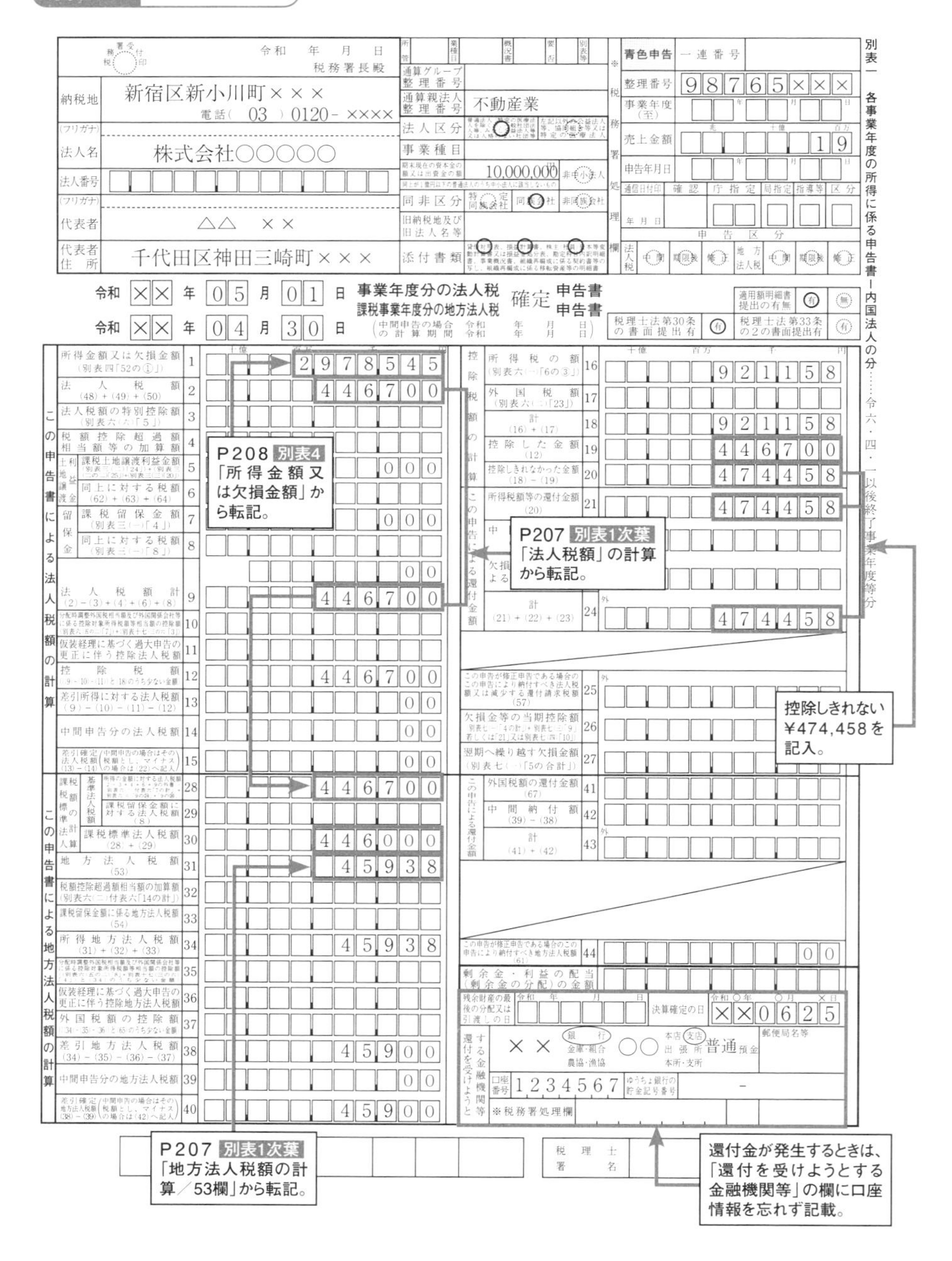

別表一　各事業年度の所得に係る申告書－内国法人の分……令六・四・一以後終了事業年度等分

令和　年　月　日　税務署長殿

納税地：新宿区新小川町×××　電話（03）0120－××××

法人名：株式会社○○○○○

代表者：△△　××

代表者住所：千代田区神田三崎町×××

事業種目：不動産業

期末現在の資本金の額又は出資金の額：10,000,000円

青色申告　一連番号

整理番号：98765×××

売上金額：19（百万円）

令和××年05月01日　事業年度分の法人税　確定申告書

令和××年04月30日　課税事業年度分の地方法人税　確定申告書

1	所得金額又は欠損金額（別表四「52の①」）	2978545
2	法人税額 (48)+(49)+(50)	446700
3	法人税額の特別控除額（別表六(六)「5」）	
4	税額控除超過額相当額等の加算額	
5	土地譲渡利益金額 課税土地譲渡利益金額	000
6	同上に対する税額 (62)+(63)+(64)	
7	留保金 課税留保金額（別表三(一)「4」）	000
8	同上に対する税額（別表三(一)「8」）	
		00
9	法人税額計 (2)－(3)+(4)+(6)+(8)	446700
10	分配時調整外国税相当額及び外国関係会社等に係る控除対象所得税額等相当額の控除額	
11	仮装経理に基づく過大申告の更正に伴う控除法人税額	
12	控除税額	446700
13	差引所得に対する法人税額 (9)－(10)－(11)－(12)	00
14	中間申告分の法人税額	00
15	差引確定法人税額 (13)－(14)	00
16	所得税の額（別表六(一)「6の③」）	921158
17	外国税額（別表六(二)「23」）	
18	計 (16)+(17)	921158
19	控除した金額 (12)	446700
20	控除しきれなかった金額 (18)－(19)	474458
21	所得税額等の還付金額 (20)	474458
22	中間納付額	
23	欠損金の繰戻しによる還付請求税額	
24	計 (21)+(22)+(23)	474458
25	この申告が修正申告である場合のこの申告により納付すべき法人税額又は減少する還付請求税額 (57)	
26	欠損金等の当期控除額	
27	翌期へ繰り越す欠損金額（別表七(一)「5の合計」）	
28	基準法人税額	446700
29	課税留保金額に対する法人税額 (8)	
30	課税標準法人税額 (28)+(29)	446000
31	地方法人税額 (53)	45938
32	税額控除超過額相当額の加算額	
33	課税留保金額に係る地方法人税額 (54)	
34	所得地方法人税額 (31)+(32)+(33)	45938
35	分配時調整外国税相当額及び外国関係会社等に係る控除対象所得税額等相当額の控除額	
36	仮装経理に基づく過大申告の更正に伴う控除地方法人税額	
37	外国税額の控除額	
38	差引地方法人税額 (34)－(35)－(36)－(37)	45900
39	中間申告分の地方法人税額	00
40	差引確定地方法人税額 (38)－(39)	45900
41	外国税額の還付金額 (67)	
42	中間納付額 (39)－(38)	
43	計 (41)+(42)	
44	この申告が修正申告である場合のこの申告により納付すべき地方法人税額 (61)	00

剰余金・利益の配当（剰余金の分配）の金額

決算確定の日：××0625

還付を受けようとする金融機関等：××銀行　○○支店　普通預金　口座番号 1234567

税理士署名

別表1次葉 （➡P194）

P206 別表1 より千円未満の端数を切り捨てた金額を記入。

事業年度等	○・05・01 ○・04・30	法人名	株式会社○○○○○

別表一次葉　令六・四・一以後終了事業年度等分

法人税額の計算					
(1)のうち中小法人等の年800万円相当額以下の金額 ((1)と800万円×/12 のうち少ない金額)又は(別表一付表「5」)	45	2,978,000	(45)の15%又は19%相当額	48	446,700
(1)のうち特例税率の適用がある協同組合等の年10億円相当額を超える金額 (1)−10億円×/12	46	000	(46)の22%相当額	49	
その他の所得金額 (1)−(45)−(46)	47	000	(47)の19%又は23.2%相当額	50	
地方法人税額の計算					
所得の金額に対する法人税額 (28)	51	446,000	(51)の10.3%相当額	53	45,938
課税留保金額に対する法人税額 (29)	52	000	(52)の10.3%相当額	54	

45欄の金額の15%相当額を記入。

P206 別表1 2欄「法人税額」へ転記。

同表48欄「(45)の15%相当額」の法人税額の千円未満の端数を切り捨てた金額を記入。

51欄の金額を課税標準とし、税率10.3%相当額を記入。

P206 別表1 下部31欄に転記。

この申告が修正申告である場合の計算							
法人税額の計算	この申告前の	法人税額	55		地方法人税額の計算 この申告前の 確定地方法人税額	58	
		還付金額	56	外	還付金額	59	
					欠損金の繰戻しによる還付金額	60	
	この申告により納付すべき法人税額又は減少する還付請求税額 ((15)−(55))若しくは((15)+(56))又は((56)−(24))		57	外 00	この申告により納付すべき地方法人税額 ((40)−(58))若しくは((40)+(59)+(60))又は(((59)−(43))+((60)−(43の外書)))	61	00

土地譲渡税額の内訳					
土地譲渡税額 (別表三(二)「25」)	62	0	土地譲渡税額 (別表三(三)「21」)	64	00
同上 (別表三(二の二)「26」)	63	0			

地方法人税額に係る外国税額の控除額の計算					
外国税額 (別表六(二)「56」)	65		控除しきれなかった金額 (65)−(66)	67	
控除した金額 (37)	66				

別表4 （➡P165,177,179,184,187,189,193）

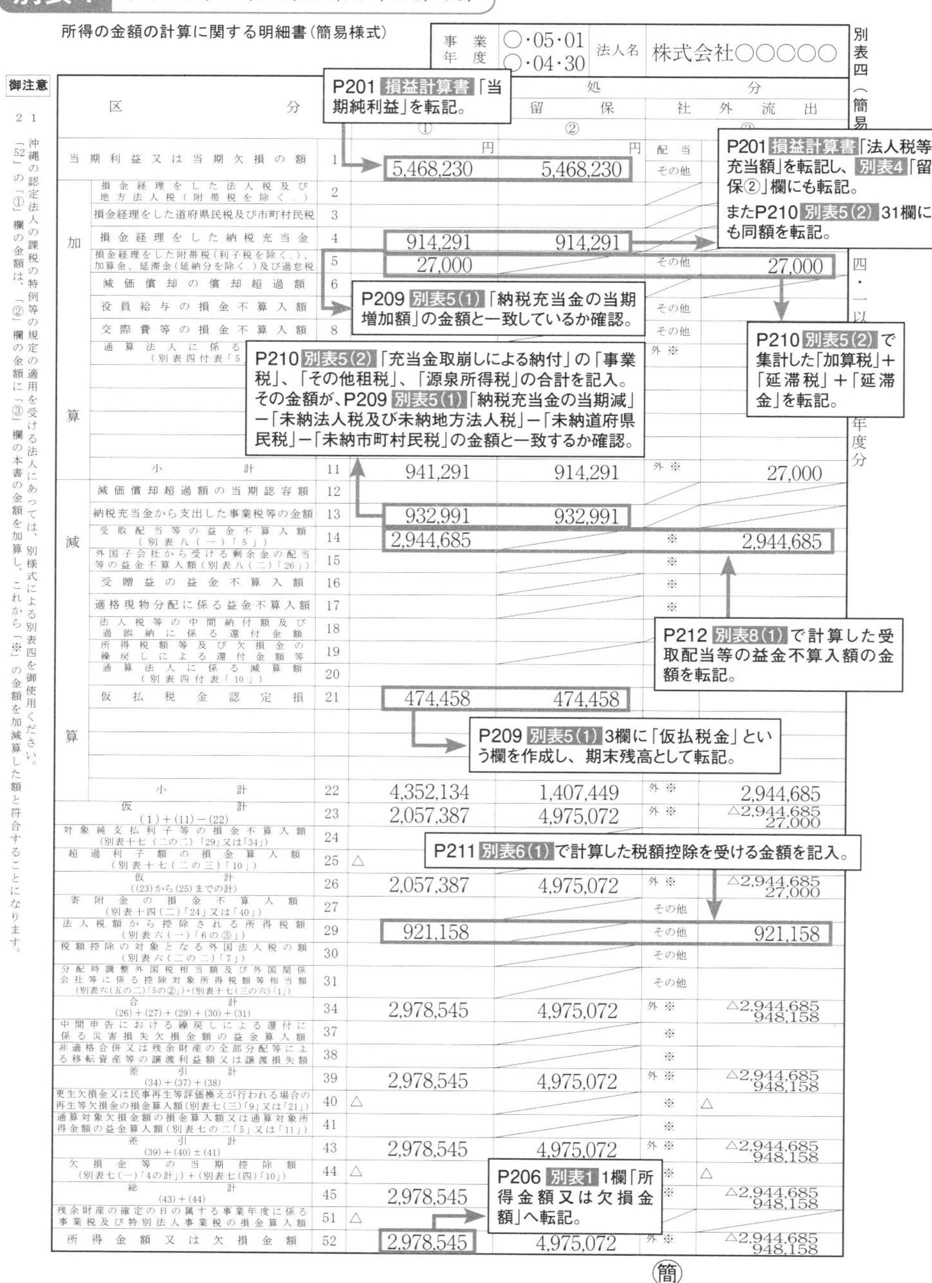

所得の金額の計算に関する明細書（簡易様式）

事業年度	○・05・01 ○・04・30	法人名	株式会社○○○○○

別表四（簡易……四・一以後終了事業年度分）

区分		総額 ①	処分 留保 ②	処分 社外流出 ③	
		円	円		
当期利益又は当期欠損の額	1	5,468,230	5,468,230	配当 その他	
加算 損金経理をした法人税及び地方法人税（附帯税を除く。）	2				
損金経理をした道府県民税及び市町村民税	3				
損金経理をした納税充当金	4	914,291	914,291		
損金経理をした附帯税（利子税を除く。）、加算金、延滞金（延納分を除く。）及び過怠税	5	27,000		その他	27,000
減価償却の償却超過額	6				
役員給与の損金不算入額	7			その他	
交際費等の損金不算入額	8			その他	
通算法人に係る加算額（別表四付表「5」）	9			外※	
小計	11	941,291	914,291	外※	27,000
減算 減価償却超過額の当期認容額	12				
納税充当金から支出した事業税等の金額	13	932,991	932,991		
受取配当等の益金不算入額（別表八（一）「5」）	14	2,944,685		※	2,944,685
外国子会社から受ける剰余金の配当等の益金不算入額（別表八（二）「26」）	15			※	
受贈益の益金不算入額	16			※	
適格現物分配に係る益金不算入額	17			※	
法人税等の中間納付額及び過誤納に係る還付金額	18				
所得税額等及び欠損金の繰戻しによる還付金額等	19				
通算法人に係る減算額（別表四付表「10」）	20				
仮払税金認定損	21	474,458	474,458		
小計	22	4,352,134	1,407,449	外※	2,944,685
仮計 (1)+(11)−(22)	23	2,057,387	4,975,072	外※	△2,944,685 27,000
対象純支払利子等の損金不算入額（別表十七（二の二）「29」又は「34」）	24				
超過利子額の損金算入額（別表十七（二の三）「10」）	25	△			
仮計 ((23)から(25)までの計)	26	2,057,387	4,975,072	外※	△2,944,685 27,000
寄附金の損金不算入額（別表十四（二）「24」又は「40」）	27			その他	
法人税額から控除される所得税額（別表六（一）「6の③」）	29	921,158		その他	921,158
税額控除の対象となる外国法人税の額（別表六（二の二）「7」）	30			その他	
分配時調整外国税相当額及び外国関係会社等に係る控除対象所得税額等相当額（別表六（五の二）「5の②」）+（別表十七（三の六）「1」）	31			その他	
合計 (26)+(27)+(29)+(30)+(31)	34	2,978,545	4,975,072	外※	△2,944,685 948,158
中間申告における繰戻しによる還付に係る災害損失欠損金額の益金算入額	37			※	
非適格合併又は残余財産の全部分配等による移転資産等の譲渡利益額又は譲渡損失額	38			※	
差引計 (34)+(37)+(38)	39	2,978,545	4,975,072	外※	△2,944,685 948,158
更生欠損金又は民事再生等評価換えが行われる場合の再生等欠損金の損金算入額（別表七（三）「9」又は「21」）	40	△		※	△
通算対象欠損金額の損金算入額又は通算対象所得金額の益金算入額（別表七の二「5」又は「11」）	41			※	
差引計 (39)+(40)±(41)	43	2,978,545	4,975,072	外※	△2,944,685 948,158
欠損金等の当期控除額（別表七（一）「4の計」）+（別表七（四）「10」）	44	△		※	△
総計 (43)+(44)	45	2,978,545		※	△2,944,685 948,158
残余財産の確定の日の属する事業年度に係る事業税及び特別法人事業税の損金算入額	51	△			
所得金額又は欠損金額	52	2,978,545	4,975,072	外※	△2,944,685 948,158

御注意

1 沖縄の認定法人の課税の特例等の規定の適用を受ける法人にあっては、別表四を御使用ください。

2 「52」の「①」欄の金額は、「②」欄の金額に「③」欄の本書の金額を加算し、これから「※」の金額を加減算した額と符合することになります。

簡

P201 損益計算書「当期純利益」を転記。
P201 損益計算書「法人税等充当額」を転記し、別表4「留保②」欄にも転記。
またP210 別表5(2) 31欄にも同額を転記。
P209 別表5(1)「納税充当金の当期増加額」の金額と一致しているか確認。
P210 別表5(2) で集計した「加算税」+「延滞税」+「延滞金」を転記。
P210 別表5(2)「充当金取崩しによる納付」の「事業税」、「その他租税」、「源泉所得税」の合計を記入。その金額が、P209 別表5(1)「納税充当金の当期減」−「未納法人税及び未納地方法人税」−「未納道府県民税」−「未納市町村民税」の金額と一致するか確認。
P212 別表8(1) で計算した受取配当等の益金不算入額の金額を転記。
P209 別表5(1) 3欄に「仮払税金」という欄を作成し、期末残高として転記。
P211 別表6(1) で計算した税額控除を受ける金額を記入。
P206 別表1 1欄「所得金額又は欠損金額」へ転記。

別表5(1) (➡P191,198)

利益積立金額及び資本金等の額の計算に関する明細書

事業年度	○・05・01 ○・04・30	法人名	株式会社○○○○○

別表五(一) 令六・四・一以後終了事業年度分

御注意

この表は、通常の場合には次の式により検算ができます。
期首現在利益積立金額合計「31」① ＋ 別表四留保所得金額又は欠損金額「52」 − 中間分・確定分の法人税等、道府県民税及び市町村民税の合計額 ± 中間分・確定分の通算税効果額の合計額 ＝ 差引翌期首現在利益積立金額合計「31」④

Ⅰ 利益積立金額の計算に関する明細書

区分		期首現在利益積立金額 ①	当期の増減 減 ②		当期の増減 増 ③	差引翌期首現在利益積立金額 ①−②＋③ ④
利益準備金	1	円	円		円	円
積立金	2					
仮払税金	3				△474,458	△474,458
	4					
	5					
	6					
	7					
	8					
	9					
	10					
	11					
	12					
	13					
	14					
	15					
	16					
	17					
	18					
	19					
	20					
	21					
	22					
	23					
	24					
繰越損益金(損は赤)	25	36,523,040	36,523,040		41,980,370	41,980,370
納税充当金	26	609,800	1,234,391		914,291	289,700
未納法人税等（未納法人税及び未納地方法人税（附帯税を除く。））	27	△ 125,300	△ 125,300	中間	△	△ 45,900
				確定	△45,900	
未納法人税等（未払通算税効果額（附帯税の額に係る部分の金額を除く。））	28			中間		
				確定		
未納法人税等（未納道府県民税（均等割を含む。））	29	△ 46,300	△ 46,300	中間	△	△ 24,400
				確定	△24,400	
未納法人税等（未納市町村民税（均等割を含む。））	30	△ 129,800	△ 129,800	中間	△	△ 76,700
				確定	△76,700	
差引合計額	31	36,831,440	37,456,031		42,273,203	41,648,612

（未納法人税等：各事業年度の所得に対するものに限る。）

P208 別表4 減算欄21の「仮払税金認定損」から転記。

P210 別表5(2)「当期中の納付税額」から転記。

期首の繰越利益剰余金と一致しているか確認。

期中の取り崩し額の合計を記入。

期末の繰越損益金を記入。

P204 総勘定元帳 期首の法人税等充当金残高と一致しているか確認。

全額を同表の当期の減②欄へ転記。

P208 別表4 加算欄4の「損金経理をした納税充当金」から転記。

Ⅱ 資本金等の額の計算に関する明細書

区分		期首現在資本金等の額 ①	当期の増減 減 ②	当期の増減 増 ③	差引翌期首現在資本金等の額 ①−②＋③ ④
資本金又は出資金	32	10,000,000 円	円	円	10,000,000 円
資本準備金	33				
	34				
	35				
差引合計額	36	10,000,000			10,000,000

それぞれに算出された税目ごとの最終的な納税額を記入。

別表5(2)（➡P169,173,176,180,186,191,199）

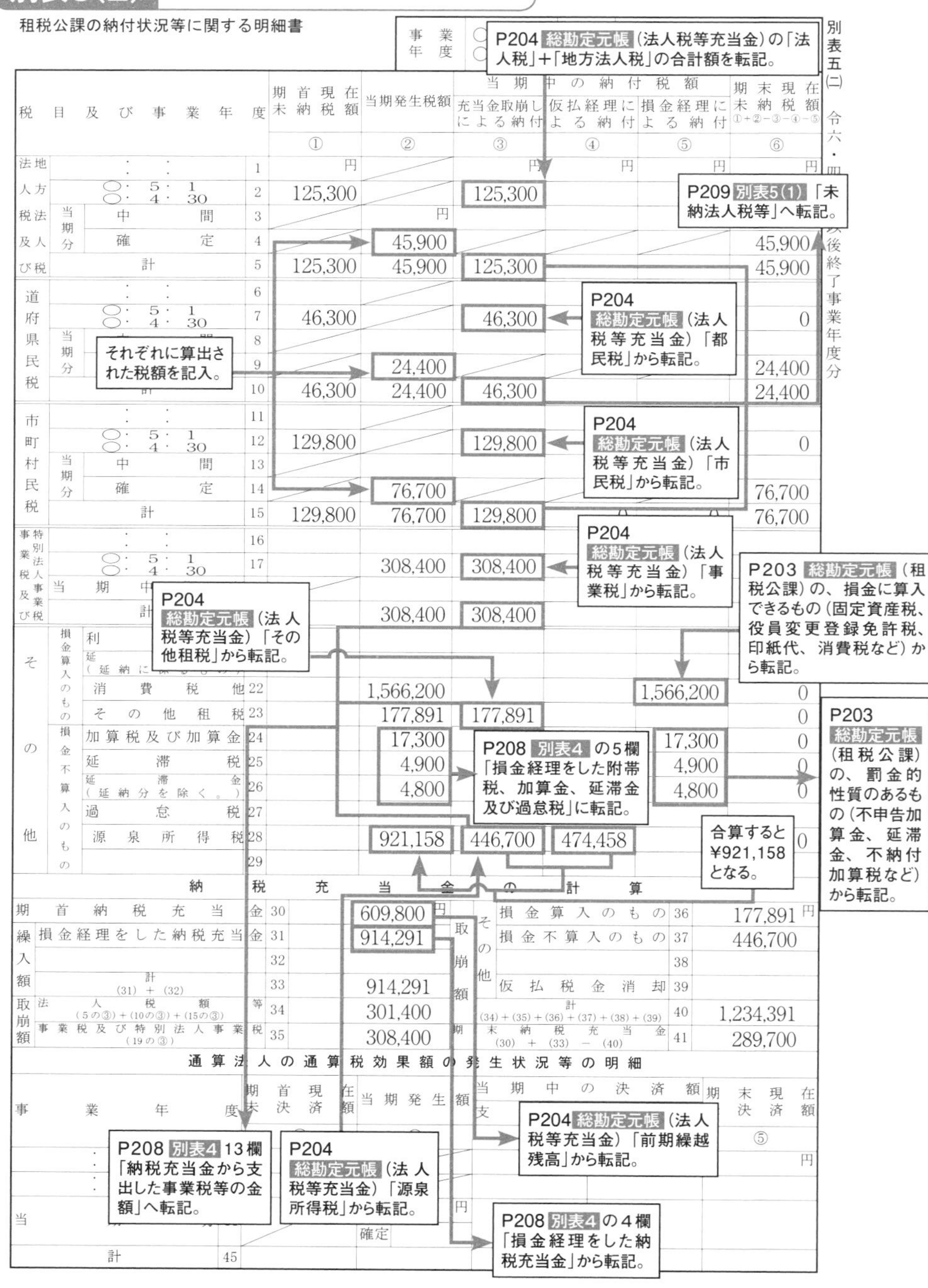

租税公課の納付状況等に関する明細書

事業年度 ○・・○・・

税目及び事業年度				①期首現在未納税額	②当期発生税額	当期中の納付税額 ③充当金取崩しによる納付	④仮払経理による納付	⑤損金経理による納付	⑥期末現在未納税額 ①+②-③-④-⑤
法人税及び地方法人税		: :	1	円		円	円	円	円
		○・5・1 ○・4・30	2	125,300		125,300			
	当期分	中間	3		円				
		確定	4		45,900				45,900
		計	5	125,300	45,900	125,300			45,900
道府県民税		: :	6						
		○・5・1 ○・4・30	7	46,300		46,300			0
	当期分	中間	8						
		確定	9		24,400				24,400
		計	10	46,300	24,400	46,300			24,400
市町村民税		: :	11						
		○・5・1 ○・4・30	12	129,800		129,800			0
	当期分	中間	13						
		確定	14		76,700				76,700
		計	15	129,800	76,700	129,800			76,700
事業税及び特別法人事業税		: :	16						
		○・5・1 ○・4・30	17		308,400	308,400			
	当期	中間	18						
		計	19		308,400	308,400			
その他	損金算入のもの	利子税	20						
		延滞金（延納に係るもの）	21						
		消費税他	22		1,566,200			1,566,200	0
		その他租税	23		177,891	177,891			0
	損金不算入のもの	加算税及び加算金	24		17,300			17,300	0
		延滞税	25		4,900			4,900	0
		延滞金（延納分を除く。）	26		4,800			4,800	0
		過怠税	27						
		源泉所得税	28		921,158	446,700	474,458		0
			29						

納税充当金の計算

期首納税充当金	30	609,800円	取崩額 その他 損金算入のもの	36	177,891円
繰入額 損金経理をした納税充当金	31	914,291	損金不算入のもの	37	446,700
	32			38	
計 (31)+(32)	33	914,291	仮払税金消却	39	
取崩額 法人税額等 (5の③)+(10の③)+(15の③)	34	301,400	計 (34)+(35)+(36)+(37)+(38)+(39)	40	1,234,391
事業税及び特別法人事業税 (19の③)	35	308,400	期末納税充当金 (30)+(33)−(40)	41	289,700

通算法人の通算税効果額の発生状況等の明細

事業年度		期首現在未決済額 ①	当期発生額 ②	当期中の決済額 支払		期末現在未決済額 ⑤
: :						円
: :						
当期分	確定		円			
計	45					

別表6(1)

(➡P175)

所得税額の控除に関する明細書

事業年度	○·04· ○·05·	法人名	株式会社○○○○○

別表六(一) 令六・四・一以後終了事業年度分

区分		収入金額 ①	①について課される所得税額 ②	②のうち控除を受ける所得税額 ③
		円	円	円
公社債及び預貯金の利子、合同運用信託、公社債投資信託及び公社債等運用投資信託(特定公社債等運用投資信託を除く。)の収益の分配並びに特定公社債等運用投資信託の受益権及び特定目的信託の社債的受益権に係る剰余金の配当	1			
剰余金の配当(特定公社債等運用投資信託の受益権及び特定目的信託の社債的受益権に係るものを除く。)、利益の配当、剰余金の分配及び金銭の分配(みなし配当等を除く。)	2	6,014,744	921,158	921,158
集団投資信託(合同運用信託、公社債投資信託及び公社債等運用投資信託(特定公社債等運用投資信託を除く。)を除く。)の収益の分配	3			
割引債の償還差益	4			
その他	5			
計	6	6,014,744	921,158	921,158

剰余金の配当(特定公社債等運用投資信託の受益権及び特定目的信託の社債的受益権に係るものを除く。)、利益の配当、剰余金の分配及び金銭の分配(みなし配当等を除く。)、集団投資信託(合同運用信託、公社債投資信託及び公社債等運用投資信託(特定公社債等運用投資信託を除く。)を除く。)の収益の分配又は割引債の償還差益に係る控除を受ける所得税額の計算

個別法による場合	銘柄	収入金額 7	所得税額 8	配当等の計算期間 9	(9)のうち元本所有期間 10	所有期間割合 (10)/(9) (小数点以下3位未満切上げ) 11	控除を受ける所得税額 (8)×(11) 12
		円	円				円

P204 **総勘定元帳** の受取利息、受取配当などの科目から、それぞれ該当する金額を集計して転記(本事例では省略している)。

銘柄別簡便法による場合	銘柄	収入金額 13	所得税額 14	配当等の計算期末の所有元本数等 15	配当等の計算期首の所有元本数等 16	((15)−(16))/2又は12 (マイナスの場合は0) 17	所有元本割合 ((16)+(17))/(15) (小数点以下3位未満切上げ)(1を超える場合は1) 18	控除を受ける所得税額 (14)×(18) 19
		円	円					円

その他に係る控除を受ける所得税額の明細

支払者の氏名又は法人名	支払者の住所又は所在地	支払を受けた年月日	収入金額 20	控除を受ける所得税額 21	参考
		・ ・	円	円	
		・ ・			
		・ ・			
		・ ・			
		・ ・			
計					

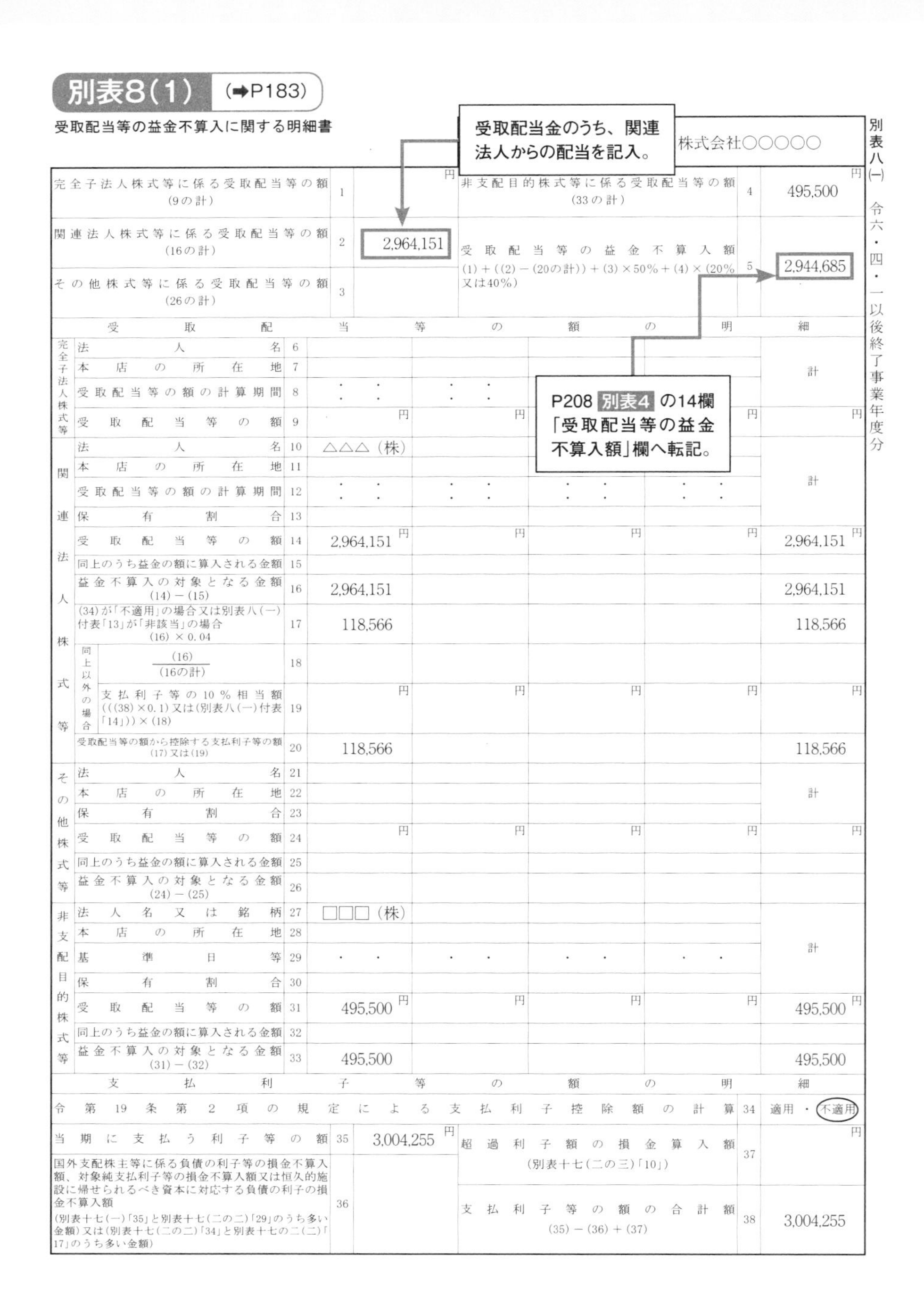

別表8(1) (➡P183)

受取配当等の益金不算入に関する明細書

株式会社○○○○○

別表八(一) 令六・四・一以後終了事業年度分

完全子法人株式等に係る受取配当等の額 (9の計)	1	円	非支配目的株式等に係る受取配当等の額 (33の計)	4	495,500 円
関連法人株式等に係る受取配当等の額 (16の計)	2	2,964,151	受取配当等の益金不算入額 (1)+((2)−(20の計))+(3)×50%+(4)×(20%又は40%)	5	2,944,685
その他株式等に係る受取配当等の額 (26の計)	3				

受取配当等の額の明細

							計
完全子法人株式等	法人名	6					
	本店の所在地	7					計
	受取配当等の額の計算期間	8	・・ ・・	・・ ・・			
	受取配当等の額	9	円	円		円	円
関連法人株式等	法人名	10	△△△(株)				
	本店の所在地	11					計
	受取配当等の額の計算期間	12	・・ ・・	・・ ・・	・・ ・・	・・ ・・	
	保有割合	13					
	受取配当等の額	14	2,964,151 円	円	円	円	2,964,151 円
	同上のうち益金の額に算入される金額	15					
	益金不算入の対象となる金額 (14)−(15)	16	2,964,151				2,964,151
	(34)が「不適用」の場合又は別表八(一)付表「13」が「非該当」の場合 (16)×0.04	17	118,566				118,566
	同上以外の場合 (16)/(16の計)	18					
	同上以外の場合 支払利子等の10%相当額 (((38)×0.1)又は(別表八(一)付表「14」))×(18)	19	円	円	円	円	円
	受取配当等の額から控除する支払利子等の額 (17)又は(19)	20	118,566				118,566
その他株式等	法人名	21					
	本店の所在地	22					計
	保有割合	23					
	受取配当等の額	24	円	円	円	円	円
	同上のうち益金の額に算入される金額	25					
	益金不算入の対象となる金額 (24)−(25)	26					
非支配目的株式等	法人名又は銘柄	27	□□□(株)				
	本店の所在地	28					計
	基準日等	29	・・	・・	・・	・・	
	保有割合	30					
	受取配当等の額	31	495,500 円	円	円	円	495,500 円
	同上のうち益金の額に算入される金額	32					
	益金不算入の対象となる金額 (31)−(32)	33	495,500				495,500

支払利子等の額の明細

令第19条第2項の規定による支払利子控除額の計算	34	適用・(不適用)			
当期に支払う利子等の額	35	3,004,255 円	超過利子額の損金算入額 (別表十七(二の三)「10」)	37	円
国外支配株主等に係る負債の利子等の損金不算入額、対象純支払利子等の損金不算入額又は恒久的施設に帰せられるべき資本に対応する負債の利子の損金不算入額 (別表十七(一)「35」と別表十七(二の二)「29」のうち多い金額)又は(別表十七(二の二)「34」と別表十七の二(二)「17」のうち多い金額)	36		支払利子等の額の合計額 (35)−(36)+(37)	38	3,004,255

別表15 （➡P181）

交際費等の損金算入に関する明細書

事業年度	○・05・01 ○・04・30	法人名	株式会社○○○○○

別表十五　令六・四・一以後終了事業年度分

支出交際費等の額 (8 の 計)	1	73,071 円	損金算入限度額 (2) 又は (3)	4	73,071 円
支出接待飲食費損金算入基準額 (9の計) × $\frac{50}{100}$	2				
中小法人等の定額控除限度額 ((1)と((800万円× $\frac{}{12}$)又は(別表十五付表「5」))のうち少ない金額)	3	73,071	損金不算入額 (1) − (4)	5	0

支出交際費等の額の明細

科目	支出額	交際費等の額から控除される費用の額	差引交際費等の額	(8)のうち接待飲食費の額
	6	7	8	9
交際費	73,071 円	円	73,071 円	0 円
計				

P202 **販売費・一般管理費内訳書**
「接待交際費」から転記。

巻末資料

●消費税の各種届出書

届出書名	届出が必要な場合	提出期限等
消費税課税事業者届出書（基準期間用）	基準期間における課税売上高が1,000万円超となったとき	事由が生じた場合速やかに
消費税課税事業者届出書（特定期間用）	特定期間における課税売上高が1,000万円超となったとき	事由が生じた場合速やかに
消費税の納税義務者でなくなった旨の届出書	基準期間における課税売上高が1,000万円以下となったとき	事由が生じた場合速やかに
消費税簡易課税制度選択届出書	簡易課税制度を選択しようとするとき	適用を受けようとする課税期間の初日の前日まで
消費税簡易課税制度選択不適用届出書	簡易課税制度の選択をやめようとするとき	適用をやめようとする課税期間の初日の前日まで
消費税課税事業者選択届出書	免税事業者が課税事業者になることを選択しようとするとき	選択しようとする課税期間の初日の前日まで
消費税課税事業者選択不適用届出書	課税事業者を選択していた事業者が免税事業者に戻ろうとするとき	選択をやめようとする課税期間の初日の前日まで
消費税課税期間特例選択・変更届出書	課税期間の特例を選択又は変更しようとするとき	適用を受けようとする課税期間の初日の前日まで
消費税課税期間特例選択不適用届出書	課税期間の特例の適用をやめようとするとき	適用をやめようとする課税期間の初日の前日まで
消費税の新設法人に該当する旨の届出書	消費税の新設法人に該当することとなったとき	事由が生じた場合速やかに ただし、所要の事項を記載した法人設立届出書の提出があった場合は提出不要
高額特定資産の取得に係る課税事業者である旨の届出書	平成28年４月１日以後、高額特定資産の仕入れ等を行ったことにより、基準期間の課税売上が1,000万円以下となった課税期間にも課税事業者となるとき	事由が生じた場合速やかに
任意の中間申告書を提出する旨の届出書	任意の中間申告制度を適用しようとするとき	適用を受けようとする６月中間申告対象期間の末日まで
任意の中間申告書を提出することの取りやめ届出書	任意の中間申告制度の適用をやめようとするとき	適用をやめようとする６月中間申告対象期間の末日まで

●減価償却資産の償却率表（平成24年３月31日以前取得分）

耐用年数	平成19年4月1日以後取得				耐用年数	平成19年3月31日以前取得	
	定額法償却率	定率法				旧定額法償却率	旧定率法償却率
		償却率	改定償却率	保証率			
2	0.500	1.000	−	−	2	0.500	0.684
3	0.334	0.833	1.000	0.02789	3	0.333	0.536
4	0.250	0.625	1.000	0.05274	4	0.250	0.438
5	0.200	0.500	1.000	0.06249	5	0.200	0.369
6	0.167	0.417	0.500	0.05776	6	0.166	0.319
7	0.143	0.357	0.500	0.05496	7	0.142	0.280
8	0.125	0.313	0.334	0.05111	8	0.125	0.250
9	0.112	0.278	0.334	0.04731	9	0.111	0.226
10	0.100	0.250	0.334	0.04448	10	0.100	0.206
11	0.091	0.227	0.250	0.04123	11	0.090	0.189
12	0.084	0.208	0.250	0.03870	12	0.083	0.175
13	0.077	0.192	0.200	0.03633	13	0.076	0.162
14	0.072	0.179	0.200	0.03389	14	0.071	0.152
15	0.067	0.167	0.200	0.03217	15	0.066	0.142
16	0.063	0.156	0.167	0.03063	16	0.062	0.134
17	0.059	0.147	0.167	0.02905	17	0.058	0.127
18	0.056	0.139	0.143	0.02757	18	0.055	0.120
19	0.053	0.132	0.143	0.02616	19	0.052	0.114
20	0.050	0.125	0.143	0.02517	20	0.050	0.109
21	0.048	0.119	0.125	0.02408	21	0.048	0.104
22	0.046	0.114	0.125	0.02296	22	0.046	0.099
23	0.044	0.109	0.112	0.02226	23	0.044	0.095
24	0.042	0.104	0.112	0.02157	24	0.042	0.092
25	0.040	0.100	0.112	0.02058	25	0.040	0.088
26	0.039	0.096	0.100	0.01989	26	0.039	0.085
27	0.038	0.093	0.100	0.01902	27	0.037	0.082
28	0.036	0.089	0.091	0.01866	28	0.036	0.079
29	0.035	0.086	0.091	0.01803	29	0.035	0.076
30	0.034	0.083	0.084	0.01766	30	0.034	0.074
31	0.033	0.081	0.084	0.01688	31	0.033	0.072
32	0.032	0.078	0.084	0.01655	32	0.032	0.069
33	0.031	0.076	0.077	0.01585	33	0.031	0.067
34	0.030	0.074	0.077	0.01532	34	0.030	0.066
35	0.029	0.071	0.072	0.01532	35	0.029	0.064
36	0.028	0.069	0.072	0.01494	36	0.028	0.062
37	0.028	0.068	0.072	0.01425	37	0.027	0.060
38	0.027	0.066	0.067	0.01393	38	0.027	0.059
39	0.026	0.064	0.067	0.01370	39	0.026	0.057
40	0.025	0.063	0.067	0.01317	40	0.025	0.056
41	0.025	0.061	0.063	0.01306	41	0.025	0.055
42	0.024	0.060	0.063	0.01261	42	0.024	0.053
43	0.024	0.058	0.059	0.01248	43	0.024	0.052
44	0.023	0.057	0.059	0.01210	44	0.023	0.051
45	0.023	0.056	0.059	0.01175	45	0.023	0.050
46	0.022	0.054	0.056	0.01175	46	0.022	0.049
47	0.022	0.053	0.056	0.01153	47	0.022	0.048
48	0.021	0.052	0.053	0.01126	48	0.021	0.047
49	0.021	0.051	0.053	0.01102	49	0.021	0.046
50	0.020	0.050	0.053	0.01072	50	0.020	0.045

●減価償却資産の償却率表（平成24年４月１日以後取得分）

耐用年数	定率法償却率	改定償却率	保証率
2	1.000	—	—
3	0.667	1.000	0.11089
4	0.500	1.000	0.12499
5	0.400	0.500	0.10800
6	0.333	0.334	0.09911
7	0.286	0.334	0.08680
8	0.250	0.334	0.07909
9	0.222	0.250	0.07126
10	0.200	0.250	0.06552
11	0.182	0.200	0.05992
12	0.167	0.200	0.05566
13	0.154	0.167	0.05180
14	0.143	0.167	0.04854
15	0.133	0.143	0.04565
16	0.125	0.143	0.04294
17	0.118	0.125	0.04038
18	0.111	0.112	0.03884
19	0.105	0.112	0.03693
20	0.100	0.112	0.03486
21	0.095	0.100	0.03335
22	0.091	0.100	0.03182
23	0.087	0.091	0.03052
24	0.083	0.084	0.02969
25	0.080	0.084	0.02841
26	0.077	0.084	0.02716
27	0.074	0.077	0.02624
28	0.071	0.072	0.02568
29	0.069	0.072	0.02463
30	0.067	0.072	0.02366
31	0.065	0.067	0.02286
32	0.063	0.067	0.02216
33	0.061	0.063	0.02161
34	0.059	0.063	0.02097
35	0.057	0.059	0.02051
36	0.056	0.059	0.01974
37	0.054	0.056	0.01950
38	0.053	0.056	0.01882
39	0.051	0.053	0.01860
40	0.050	0.053	0.01791
41	0.049	0.050	0.01741
42	0.048	0.050	0.01694
43	0.047	0.048	0.01664
44	0.045	0.046	0.01664
45	0.044	0.046	0.01634
46	0.043	0.044	0.01601
47	0.043	0.044	0.01532
48	0.042	0.044	0.01499
49	0.041	0.042	0.01475
50	0.040	0.042	0.01440

（注）　耐用年数省令別表第十には、耐用年数 100 年までの計数が掲げられています。

さくいん

あ行

か行

さ行

た行

な行

は行

ま行

や行

ら行

■ 著者紹介

須田 邦裕（すだ くにひろ）

東京都出身。一橋大学商学部、一橋大学法学部を卒業。会計事務所勤務を経て、昭和57年に税理士登録、開業。その後実務のかたわら一橋大学大学院商学研究科修士課程および同博士課程に学ぶ。現在、須田邦裕税理士事務所所長として、関与先企業の税務経営問題に取り組む一方、各種講演会や税理士養成のための税法講師などを勤める。元東京税理士会本部派遣講師、武蔵野市市民税務相談担当員。著書は、『本当はもっとこわい相続税』『基本から実務まで 会計事務所の仕事がわかる本』『経理担当者のための 税金のしくみと仕事がわかる本』『最新 起業から1年目までの会社設立の手続きと法律・税金』（日本実業出版社）など多数。

- 編集：有限会社ヴュー企画（山本大輔・渡邊宥介）
- イラスト：村山宇希
- 本文デザイン：有限会社PUSH
- 企画・編集：成美堂出版編集部

本書に関する正誤等の最新情報は、下記のURLをご覧ください。
https://www.seibidoshuppan.co.jp/support/

上記アドレスに掲載されていない箇所で、正誤についてお気づきの場合は、書名・発行日・質問事項・氏名・郵便番号・住所・FAX番号を明記の上、**成美堂出版**まで**郵送**または**FAX**でお問い合わせください。お電話でのお問い合わせは、お受けできません。
※本書の正誤に関するご質問以外にはお答えできません。また、税務相談などは行っておりません。
※ご質問の到着確認後10日前後に、回答を普通郵便またはFAXで発送いたします。
※ご質問の受付期間は、2025年9月末到着分までといたします。ご了承ください。

図解 いちばんやさしく丁寧に書いた 法人税申告の本 '25年版

2024年10月1日発行

著　者　須田邦裕（すだくにひろ）
発行者　深見公子
発行所　成美堂出版
〒162-8445　東京都新宿区新小川町1-7
電話(03)5206-8151 FAX(03)5206-8159
印　刷　広研印刷株式会社

ISBN978-4-415-33480-6
落丁･乱丁などの不良本はお取り替えします
定価はカバーに表示してあります